Vale do Arco-Íris

LUCY MAUD MONTGOMERY

Vale do Arco-Íris

LUCY MAUD MONTGOMERY

Tradução
Rafael Bonaldi

Ciranda Cultural

© 2020 Ciranda Cultural Editora e Distribuidora Ltda.

Traduzido do original em inglês
Rainbow Valley

Texto
Lucy Maud Montgomery

Tradução
Rafael Bonaldi

Preparação
Karoline Cussolim

Revisão
Fernanda R. Braga Simon

Produção editorial e projeto gráfico
Ciranda Cultural

Ilustração de capa
Beatriz Mayumi

Dados Internacionais de Catalogação na Publicação (CIP) de acordo com ISBD

M787v   Montgomery, Lucy Maud
              Vale do Arco-Íris / Lucy Maud Montgomery ; traduzido por Rafael Bonaldi ; ilustrado por Beatriz Mayumi. - Jandira, SP : Ciranda Cultural, 2020.
              272 p. ; 16cm x 23cm. - (Ciranda Jovem)

              Tradução de: Rainbow Valley
              Inclui índice.
              ISBN: 978-65-5500-242-3

              1. Literatura infantojuvenil. 2. Literatura canadense. I. Bonaldi, Rafael. II. Mayumi, Beatriz. III. Título. IV. Série.

2020-950   CDD 028.5
                                                                                            CDU 82-93

Elaborado por Vagner Rodolfo da Silva - CRB-8/9410

Índice para catálogo sistemático:
1. Literatura infantojuvenil 028.5
2. Literatura infantojuvenil 82-93

1ª edição revista em 2020
www.cirandacultural.com.br
Todos os direitos reservados.
Nenhuma parte desta publicação pode ser reproduzida, arquivada em sistema de busca ou transmitida por qualquer meio, seja ele eletrônico, fotocópia, gravação ou outros, sem prévia autorização do detentor dos direitos, e não pode circular encadernada ou encapada de maneira distinta daquela em que foi publicada, ou sem que as mesmas condições sejam impostas aos compradores subsequentes.

SUMÁRIO

De volta ao lar 9
Pura fofoca 14
As crianças de Ingleside 25
As crianças da casa ministerial 32
A chegada de Mary Vance 42
Mary fica na casa ministerial 56
Um episódio escamoso 62
A senhorita Cornelia intervém 70
Una intervém 78
As garotas limpam a casa ministerial 88
Uma descoberta terrível 95
Uma explicação e um desafio 100
A casa na colina 108
A senhora Alec Davis faz uma visita 118
Mais fofoca 128
Olho por olho 136
Uma vitória dupla 149
Mary traz más notícias 160
Pobre Adam! 166
Faith faz uma amizade 170
A palavra impossível 176
O São Jorge sabe de tudo 186
O Clube da Boa Conduta 192

Um impulso caridoso.. 203
Outro escândalo e outra "explicação" 211
Um novo ponto de vista para a senhorita Cornelia...................... 219
Um concerto sagrado.. 226
Um dia de jejum 231
Uma história esquisita 236
O fantasma no muro de pedra... 240
Carl cumpre penitência 245
Duas pessoas teimosas... 250
Carl (não) leva umas palmadas 257
Una visita a colina 263
"Que venha o flautista".. 269

"Os pensamentos da juventude são pensamentos
longos, muito longos."
– Longfellow

À memória de Goldwin Lapp, Robert Brookes
e Morley Shier, que fizeram o sacrifício supremo
de proteger os alegres vales de sua terra natal
da profanação do invasor.

DE VOLTA AO LAR

Era uma tarde de maio clara, cor de maçã-verde, e o porto de Four Winds refletia as nuvens do ocaso dourado que escurecia em sua costa. Mesmo na primavera, o mar gemia com melancolia nos bancos de areia, no entanto um vento astuto e jovial sibilava pela estrada vermelha do porto, onde a figura matronal da senhorita Cornelia se dirigia ao vilarejo de Glen St. Mary. Legitimamente, ela era a senhora Elliott há treze anos, desde que se casara com Marshall Elliott, mas era grande o número de pessoas que se referiam a ela por senhorita Cornelia. Os velhos amigos eram apegados ao nome de solteira, e somente um deles parou de usá-lo, com desdém. Susan Baker, a fiel, grisalha e severa empregada da família Blythe, de Ingleside, nunca perdia a oportunidade de chamá-la de "senhora Marshall Elliott" com uma ênfase mordaz, como se dissesse, "já que queria tanto ser uma senhora, vai ser chamada de senhora se depender de mim".

A senhorita Cornelia estava indo até Ingleside para visitar o doutor Blythe e a esposa dele, que tinham acabado de voltar da Europa. Eles passaram três meses viajando, tendo partido em fevereiro para comparecer a um congresso médico famoso em Londres, e a senhorita Cornelia estava ansiosa para discutir certas coisas que haviam acontecido em Glen na ausência deles. Por exemplo, um novo ministro presbiteriano se mudara para o povoado. E que família! A senhorita Cornelia balançou a cabeça várias vezes conforme caminhava apressadamente.

Susan Baker e Anne Shirley a avistaram, sentadas na varanda de Ingleside, enquanto desfrutavam do charme do entardecer, da doçura do canto indolente dos pássaros na penumbra dos bordos e da dança de um grupo frenético de narcisos ao vento contra o velho muro de tijolos do jardim.

Anne estava sentada nos degraus, com as mãos unidas sobre o joelho, com o ar pueril que uma mãe de vários filhos tem o direito de ter; os lindos olhos verdes-acinzentados que fitavam a estrada do porto, mais do que nunca, exibiam uma centelha inextinguível e sonhos abundantes. Atrás dela, Rilla Blythe estava empoleirada no balanço, uma criaturinha rechonchuda de seis anos, a mais jovem das crianças de Ingleside. Tinha cabelos cacheados ruivos e olhos castanhos que se encontravam firmemente fechados, formando pequenas rugas ao redor, do jeito engraçado como Rilla sempre dormiu.

Shirley, "o garotinho moreno", como era conhecido pela família, dormia nos braços de Susan. Com cabelos e olhos castanhos e as bochechas muito rosadas, era o xodó dela. Depois de seu nascimento, Anne ficara muito doente por um bom tempo, e Susan cuidou dele com uma ternura que nenhuma das outras crianças conseguiu despertar, por mais que ela também os adorasse. O doutor Blythe dizia que, se não fosse por ela, o menino não teria sobrevivido.

– Eu dei vida a ele tanto quanto você, querida senhora – dizia Susan. – Ele é tão filho meu quanto é seu. – E, de fato, era para ela que Shirley corria em busca de beijos quando se machucava, para ser ninado e para ser protegido das surras merecidas. Susan estava ciente de que já tinha dado umas palmadas em todos os filhos dos Blythes quando achava que mereciam uma lição, mas nunca havia encostado um dedo em Shirley e tampouco permitia que a mãe dele o fizesse. Susan ficou furiosamente indignada certa vez em que o doutor Blythe castigou o menino.

— Aquele homem seria capaz de bater em um anjo, querida senhora, não tenha dúvida — declarara amargamente. Durante semanas ela se negou a preparar tortas para o pobre médico.

Susan levara Shirley para a casa do irmão dela durante a ausência dos pais, enquanto as outras crianças tinham ido para Avonlea, e assim ela passara três meses abençoados com o garoto só para ela. Contudo, estava muito feliz por estar de volta a Ingleside, cercada por todos os seus queridos. Ingleside era o seu mundo, onde ela reinava suprema. Mesmo Anne raramente questionava suas decisões, para o desgosto da senhora Rachel Lynde, de Green Gables, que, sempre que visitava Four Winds, alertava Anne de que ela estava deixando Susan mandar demais na casa e que ainda se arrependeria.

— Lá vem a Cornelia Bryant, querida senhora — disse Susan. — Certamente vai descarregar três meses de fofocas nos nossos ouvidos.

— Assim espero — disse Anne, abraçando os joelhos. — Estou faminta pelas fofocas de Glen St. Mary, Susan. Espero que ela possa contar tudo que aconteceu durante nossa ausência, tudo: quem nasceu, ou se casou, ou se embebedou; quem morreu, ou foi embora, ou entrou em uma briga, ou perdeu uma vaca, ou encontrou um novo amor. É tão bom estar em casa novamente, com todos de Glen, e quero saber todas as novidades deles. Ora, lembro-me de caminhar pela abadia de Westminster e me perguntar com qual dos dois pretendentes Millicent Drew vai se casar. Sabe, Susan, tenho a terrível suspeita de que eu adoro fofocas.

— Bem, querida senhora, é evidente que toda mulher que se preze adora saber das novidades. Também estou muito interessada no caso de Millicent Drew. Nunca tive um pretendente, muito menos dois, e isso já não me incomoda, pois ser uma velha solteirona para de doer depois que você se acostuma. Eu sempre tenho a impressão de que Millicent penteia os cabelos com uma vassoura. Contudo, os homens parecem não se importar com isso.

– Eles só veem aquele rostinho bonito, risonho e sedutor, Susan.

– Pode até ser, querida senhora. A Bíblia diz que a beleza é enganosa e a formosura é passageira[1], só que eu não teria me importado em descobrir isso por conta própria se essa fosse a vontade divina. Não tenho dúvida de que seremos todos belos quando formos anjos, porém de que isso nos servirá? Agora, por falar em fofoca, dizem que a pobre senhora Harrison, que mora no porto, tentou se enforcar na semana passada.

– Ah, Susan!

– Acalme-se, querida senhora. Ela não conseguiu. E eu não a culpo por ter tentado, pois o marido dela é um homem terrível. Mas foi tolice da parte dela tentar se matar e deixar o caminho limpo para que ele se case com outra mulher. Se eu estivesse no lugar dela, querida senhora, eu teria feito de tudo para que ele se enforcasse, em vez de mim. Não que eu ache certo as pessoas tentarem se enforcar, em qualquer circunstância.

– Qual é o problema do Harrison Miller, afinal? – disse Anne, com impaciência. – Ele sempre leva as pessoas ao extremo.

– Bem, algumas pessoas chamam de religião, e outras, de maldição, com o perdão da palavra, querida senhora. Parece que ninguém consegue decidir qual desses é o caso de Harrison. Há dias em que ele briga com todo mundo por achar que é predestinado à danação eterna. E há dias em que diz que nada mais importa e desata a beber. Sou da opinião de que ele não está bem da cabeça, já que é algo comum na família Miller. O avô dele perdeu completamente o juízo. Achava que estava rodeado por grandes aranhas negras. Elas andavam por todo o corpo e flutuavam no ar ao redor dele. Espero nunca ficar louca, querida senhora,

---

[1] Referência ao Antigo Testamento, Provérbios 31:30: "Enganosa é a beleza e vã a formosura, mas a mulher que teme ao Senhor, essa sim será louvada". (N. T.)

e não acho que ficarei; isso é raro entre os Bakers. Se a Providência Divina assim decretar, espero que minha insanidade não tome a forma de aranhas grandes e pretas, porque eu abomino esses animais. Quanto à senhora Miller, não sei se ela realmente merece a nossa comiseração. Há quem diga que ela só se casou com Harrison para afrontar Richard Taylor, o que me parece um motivo muito peculiar para se casar. Mas, enfim, é claro que não posso opinar em questões matrimoniais, querida senhora. Aí está Cornelia Bryant, no portão. Vou colocar este garotinho abençoado na cama e pegar a minha costura.

PURA FOFOCA

– Onde estão as outras crianças? – perguntou a senhorita Cornelia, assim que os cumprimentos (cordiais da parte dela, entusiasmados da parte de Anne e dignos da parte de Susan) terminaram.

– Shirley está dormindo, e Jem, Walter e as gêmeas estão no adorado Vale do Arco-Íris – disse Anne. – Eles voltaram para casa nesta tarde, sabe, e mal esperaram o jantar terminar para correr para lá. É o lugar que mais amam na Terra. Nem o pomar de bordos se compara.

– Receio que eles o amem demais – disse Susan com seriedade. – O pequeno Jem disse que preferiria ir para o Vale a ir para o Céu quando morresse, o que não foi um comentário adequado.

– Imagino que eles se divertiram em Avonlea, não? – disse a senhorita Cornelia.

– Bastante. Marilla os mima terrivelmente. Jem, em particular, nunca faz nada de errado aos olhos dela.

– A senhorita Cuthbert deve estar muito idosa agora – disse a senhorita Cornelia, tirando da bolsa sua costura, para não perder terreno para Susan. A senhorita Cornelia sempre acreditou que uma mulher com as mãos ocupadas tem vantagem sobre aquelas cujas mãos estão ociosas.

– Marilla está com oitenta e cinco anos – disse Anne com um suspiro. – Os cabelos dela estão brancos como a neve. E, por mais estranho que pareça, a visão dela está melhor do que aos sessenta.

– Bem, querida, estou muito feliz que esteja de volta. Estive me sentindo muito sozinha. Mas nós não ficamos entediados aqui em Glen, acredite em mim. No que diz respeito aos assuntos da igreja, nunca tive uma primavera tão agitada na minha vida. Finalmente temos um novo ministro, Anne.

– O reverendo John Cox Meredith, querida senhora – disse Susan, decidida a não deixar que a senhorita Cornelia contasse todas as novidades.

– Ele é agradável? – perguntou Anne com interesse.

A senhorita Cornelia suspirou, e Susan grunhiu.

– Sim, ele é muito agradável – disse a primeira. – Muito agradável. E muito culto. E muito espiritual. Só que... Ah, querida, ele não tem um pingo de bom senso!

– Então, por que vocês o escolheram?

– Bem, não há dúvida de que ele é, de longe, o melhor pregador que já tivemos em Glen St. Mary – disse a senhorita Cornelia, mudando de assunto. – Suponho que nunca tenha recebido um convite da cidade por ser tão sonhador e avoado. Seu sermão de teste foi simplesmente maravilhoso, acreditem em mim. Conquistou a todos, inclusive pela aparência.

– Ele é muito bem-apessoado, querida senhora, e, para dizer a verdade, eu gosto de ver um homem bonito no púlpito – interveio Susan, achando que era hora de se afirmar novamente.

– Além disso – disse a senhorita Cornelia –, não víamos a hora de voltar a ter um ministro. E o senhor Meredith foi o primeiro candidato sobre o qual todos concordaram. Todo mundo teve alguma objeção com os outros. Cogitamos chamar o senhor Folsom. É um bom pregador, também, só que ninguém gostou da aparência dele. Era muito moreno e esguio.

— Parecia exatamente com um grande gato preto, acredite em mim, querida senhora – disse Susan. – Não conseguiria olhar para um homem como aquele no púlpito todos os domingos.

— Então vimos o sermão do senhor Rogers, que foi sem sal e sem açúcar – continuou a senhorita Cornelia. – Mesmo que tivesse pregado como Pedro ou Paulo, não teria feito diferença, pois foi nesse dia que uma ovelha do velho Caleb Ramsay entrou na igreja e gritou *bééé* quando ele tinha acabado de anunciar o texto. Todo mundo riu, e o coitado do Rogers não teve a mínima chance depois disso. Algumas pessoas pensaram em chamar o senhor Stewart, pois ele é muito estudado. É capaz de ler o Novo Testamento em cinco idiomas.

— Não sei se isso o torna mais apto a entrar no céu do que os outros homens – interpôs Susan.

— Muitos não gostaram da forma como fez o sermão – disse a senhorita Cornelia, ignorando Susan. – Falava grunhindo, por assim dizer. E o senhor Arnett é incapaz de pregar. E ainda escolheu o pior texto possível na Bíblia para ler, "Amaldiçoai a Meroz"[2].

— Sempre que não sabia como prosseguir, ele batia a Bíblia e gritava com violência "Amaldiçoai a Meroz". O coitado do Meroz foi amargamente amaldiçoado, quem quer que tenha sido, querida senhora – disse Susan.

— O ministro que se candidata precisa escolher o texto com o máximo de cuidado possível – disse a senhorita Cornelia solenemente. – Acho que o senhor Pierson teria sido escolhido se tivesse usado um texto diferente para o sermão. Porém, quando anunciou "Elevo meus olhos para as colinas", não teve mais chance. Todo mundo riu, pois é de conhecimento geral que aquelas duas senhoritas da família Hill[3], que moram em Harbour Head, arrastaram a asa para todos os ministros

---

2 Referência ao Antigo Testamento, Juízes 5:23: "Amaldiçoai a Meroz, diz o anjo do Senhor, acremente amaldiçoai aos seus moradores; porquanto não vieram ao socorro do Senhor, ao socorro do Senhor com os valorosos". (N. T.)
3 *Hill* significa "colina", em inglês. (N. T.)

que colocaram os pés em Glen nos últimos quinze anos. Já o senhor Newman tem uma família muito numerosa.

– Ele se hospedou com o meu cunhado, o James Clow – disse Susan.

– "Quantos filhos o senhor tem?", perguntei. "Nove meninos e uma irmã para cada um deles", respondeu. "Dezoito! Senhor, que família!", eu disse e ele riu até. Não sei por quê, querida senhora, mas acho que dezoito filhos são crianças demais para qualquer casa ministerial.

– Ele só tem dez filhos, Susan – explicou a senhorita Cornelia, com uma paciência desdenhosa. – E dez crianças boas não seriam muito pior para a casa ministerial e a congregação do que os quatro que moram lá agora. Ainda que eu também não ache que são crianças ruins, querida Anne. Gosto deles, todo mundo gosta. É impossível não gostar deles. Seriam criaturinhas encantadoras se tivessem alguém para lhes ensinar bons modos e a diferença entre o certo e o errado. Por exemplo, na escola o professor diz que são crianças-modelo. Só que em casa são simplesmente selvagens.

– E a senhora Meredith? – perguntou Anne.

– Não há uma senhora Meredith. É justamente esse o problema. O senhor Meredith é viúvo. A esposa morreu há quatro anos. Provavelmente não o teríamos chamado se soubéssemos disso, pois um viúvo é muito pior em uma congregação do que um solteiro; porém, como ele falou dos filhos, todos nós imaginamos que houvesse uma mãe. E, quando chegaram, não havia ninguém além da velha tia Martha, que é como a chamam. Ela é prima da mãe do senhor Meredith, acredito eu, e ele a acolheu para salvá-la do albergue. Ela tem setenta e cinco anos, é meio cega, meio surda e muito ranzinza.

– E uma péssima cozinheira, querida senhora.

– A pior administradora possível para a casa ministerial – disse a senhorita Cornelia com aspereza. – O senhor Meredith não quer arranjar uma empregada para não ferir os sentimentos da tia Martha. Querida Anne, acredite em mim, a casa está em péssimas condições. Há uma camada de poeira sobre tudo, e as coisas nunca estão no lugar. E pensar que pintamos e colocamos um lindo papel de parede antes de se mudarem!

– São quatro filhos? – perguntou Anne, que já tinha começado a cuidar deles em seu coração materno.

– Sim. Eles formam uma escadinha. Gerald é o mais velho, tem doze anos, todos o chamam de Jerry, e é um menino esperto. Faith tem onze. É uma moleca, mas linda como um retrato, devo dizer.

– Parece um anjo, mas é um terror, querida senhora – declarou Susan. – Fui à casa paroquial na semana passada, e a senhora Millison também. Ela levou uma dúzia de ovos e um balde pequeno de leite... Um balde muito pequeno de leite, querida senhora. Faith os recolheu e os levou para o porão. Quando estava chegando ao final da escada, ela tropeçou e caiu, com os ovos e o leite. A senhora consegue imaginar o resultado. Só que a menina subiu dando risada, "não sei se sou eu mesma ou se virei uma torta de creme". E a senhora James Millison ficou muito brava. Disse que não levaria mais nada para a casa ministerial se fossem desperdiçar e destruir tudo daquele jeito.

– Maria Millison nunca se deu ao trabalho de levar nada até a casa paroquial – comentou a senhorita Cornelia com descaso. – Ela foi lá naquela noite por pura curiosidade. A coitadinha da Faith está sempre se metendo em encrencas. É tão desatenta e impulsiva...

– Como eu. Vou gostar dessa tal de Faith – disse Anne decidida.

– É cheia de energia, e eu gosto disso – admitiu Susan.

– Há algo fascinante nela – reconheceu a senhorita Cornelia. – Está sempre rindo e por algum motivo você também fica com vontade de rir. Ela não consegue manter a seriedade nem na igreja. Una tem dez anos e é uma coisinha fofa, não é bonita, mas é um encanto. E Thomas Carlyle tem nove; eles o chamam de Carl, tem a mania de colecionar sapos, insetos e rãs e trazê-los para dentro de casa.

– Suponho que ele foi o responsável pelo rato morto sob a cadeira da sala de estar no dia em que a senhora Grant foi visitá-los. Ela ficou em choque – disse Susan –, e com razão, pois a sala da casa de um presbítero não é lugar para ratos mortos. Pode ser que o gato o tenha deixado lá. Ele parece ter o diabo no corpo, querida senhora. O gato de uma casa ministerial deveria pelo menos parecer respeitável, na minha opinião, mesmo que não seja verdade. Entretanto, nunca vi animal mais libertino: ele caminha pelas vigas do telhado da casa quase todas as tardes, balançando o rabo, o que eu acho que é impróprio.

– O pior é que nunca estão vestidos decentemente – suspirou a senhorita Cornelia. – E, desde que a neve cessou, eles vão à escola descalços. Agora, querida Anne, isso não é bem visto para os filhos de um ministro metodista, ainda mais quando a garotinha do ministro presbiteriano usa botas de abotoar tão bonitas. E eu gostaria que eles parassem de brincar no velho cemitério metodista.

– É muito tentador, já que fica bem ao lado da casa ministerial – disse Anne. – Sempre achei que cemitérios são lugares ótimos para se brincar.

– Ah, sei que não é verdade, querida senhora – disse a leal Susan, determinada a proteger Anne de si mesma. – Você tem bom senso e decoro.

– Por que eles construíram a casa ministerial ao lado do cemitério, para começo de conversa? – perguntou Anne. – O jardim é tão pequeno que não há lugar para brincarem, exceto no cemitério.

– Foi um erro – afirmou a senhorita Cornelia. – Eles conseguiram o terreno por uma pechincha. E os filhos dos outros ministros nunca brincaram lá. O senhor Meredith não deveria permitir isso, mas ele está sempre com o nariz enfiado em um livro em casa. Lê o tempo inteiro ou então caminha pelo escritório perdido em devaneios. Apesar de ainda não ter se esquecido de ir à igreja aos domingos, ele perdeu duas reuniões, e, em uma ocasião, um dos anciões teve que ir até lá para relembrá-lo. E ele se esqueceu do casamento da Fanny Cooper; tiveram que telefonar para ele, que foi correndo até lá do jeito que estava, de pantufa e tudo.

Eu não me surpreenderia se os metodistas o ridicularizassem. Porém, temos um consolo: eles não podem criticar os sermões dele. Ele desperta para a vida quando sobe no púlpito, acredite em mim. E dizem que o ministro metodista não sabe pregar. Graças a Deus, eu nunca o ouvi.

O desprezo da senhorita Cornelia pelos homens havia diminuído consideravelmente desde que se casara, contudo os metodistas continuavam indignos de simpatia. Susan esboçou um sorriso de canto.

– Sabia, senhora Elliott, que os metodistas e os presbiterianos estão cogitando se unir?

– Bem, espero que eu já esteja debaixo da terra se isso vier a acontecer – retrucou a senhorita Cornelia. – Jamais me envolverei com os metodistas, e é melhor o senhor Meredith não se meter com eles também. Ele é próximo demais deles, acredite em mim. Ora, ele compareceu ao jantar de comemoração das bodas de prata do Jacob Drew e acabou criando uma bela confusão.

– O que aconteceu?

– A senhora Drew pediu que ele cortasse o ganso assado, pois o Jacob Drew nunca soube fazer isso. Bem, o senhor Meredith pôs as mãos à obra e, durante o processo, derrubou a ave no colo da senhora Reese, que estava sentada ao lado dele. E ele meramente disse, com seu ar distraído: "Senhora Reese, poderia devolver o assado para a mesa, por obséquio?". Ela o "devolveu" com toda a calma de Moisés, só que deve ter ficado furiosa, uma vez que estava usando o vestido novo de seda. O pior é que ela é metodista.

– Creio que seria pior se ela fosse presbiteriana – opinou Susan. – Se fosse esse o caso, ela provavelmente teria abandonado a igreja, e não podemos nos dar ao luxo de perder membros. Além do mais, a senhora Reese é famosa na própria igreja por ser arrogante, de forma que os metodistas devem ter ficado contentes com o fato de o senhor Meredith ter arruinado o vestido dela.

– A questão é que ele passou por uma situação vergonhosa, e, pessoalmente, não gosto de ver o meu ministro passar vergonha diante dos metodistas – disse a senhorita Cornelia categoricamente. – Se ele tivesse uma esposa, isso não teria acontecido.

– Não vejo como uma dúzia de esposas teria evitado que a senhora Drew matasse a gansa mais velha e dura para o jantar de bodas – rebateu Susan.

– Disseram que foi o marido dela – informou a senhorita Cornelia. – Jacob Drew é um sujeito pretensioso, avarento e dominador.

– E dizem que ele e a esposa se detestam – o que não me parece o jeito certo de duas pessoas casadas conviverem. Mas, é claro, eu não tenho experiência nesse assunto – disse Susan, erguendo a cabeça. – E não sou de colocar a culpa de tudo nos homens. A senhora Drew também é bastante miserável. Ouvi dizer que a única doação que já fez na vida foi um pote de manteiga, feito com um creme onde um rato havia caído. Foi para um evento social da igreja, e só descobriram sobre o rato depois.

– Felizmente, todas as pessoas que os Merediths ofenderam até agora são metodistas – disse a senhorita Cornelia. – Aquele tal de Jerry foi a um culto dos metodistas há uns quinze dias e sentou-se atrás de William Marsh, que se levantou para dar seu testemunho repleto de temíveis gemidos, como de costume. "Sente-se melhor?", sussurrou Jerry quando William sentou-se. O pobre coitado tentou ser simpático, mas o senhor Marsh achou que ele estava sendo impertinente e ficou furioso. É óbvio que Jerry não tinha nada que estar em um culto dos metodistas. Enfim, eles vão aonde querem.

– Espero que não ofendam a senhora Alec Davis, de Harbour Head – disse Susan. – Ela é muito sensível, pelo que entendi, e muito bem de vida. É a pessoa que mais contribui para o salário do ministro. Ela supostamente comentou que as crianças da família Meredith são as mais malcriadas que já viu.

— Cada palavra que vocês dizem me convence mais e mais que os Merediths pertencem ao povo que conhece José[4] – disse Anne de forma categórica.

— No fim das contas, eles são – admitiu a senhorita Cornelia. – E isso equilibra tudo. De qualquer forma, eles estão aqui, e temos que fazer o melhor possível para aceitá-los e ficar ao lado deles contra os metodistas. Bem, é melhor eu ir andando. O Marshall foi até o outro lado do porto hoje e logo estará de volta, esperando pelo jantar, como é típico de um homem. Que pena que não pude ver as outras crianças. E onde está o doutor?

— Em Harbour Head. Chegamos há três dias e, nesse meio tempo, ele passou três horas na própria cama e fez duas refeições na própria casa.

— Bem, todo mundo que ficou doente nas últimas seis semanas estava à espera dele, e eu não os culpo. Quando aquele médico do outro lado do porto casou-se com a filha do agente funerário de Lowbridge, todos acharam suspeito. Não causou uma boa impressão. Você e o doutor precisam me visitar em breve para nos contar tudo sobre a viagem. Suponho que se divertiram bastante.

— É verdade – concordou Anne. – Foi a realização de anos de sonhos. O Velho Mundo é muito lindo e maravilhoso. Mas nós voltamos muito satisfeitos com a nossa própria terra. O Canadá é o melhor país do mundo, senhorita Cornelia.

— Nunca alguém duvidou disso – disse a senhorita Cornelia complacentemente.

— E a Ilha do Príncipe Edward é a província mais adorável, e Four Winds, o lugar mais encantador dela – riu Anne, admirando o esplendor do crepúsculo sobre Glen, o porto e o golfo. Ela acenou para ele. – Não vi algo mais deslumbrante do que essa vista na Europa, senhorita Cornelia. Você já vai? As crianças vão ficar tristes por não a terem visto.

---

4   Referência ao Antigo Testamento, Êxodo 1:8: "E levantou-se um novo rei sobre o Egito, que não conhecera a José". (N. T.)

– Pois que venham me visitar. Diga a eles que a lata de biscoitos está cheia como sempre.

– Oh, eles já estavam planejando uma visita durante o almoço. Irão sem falta. Agora eles precisam voltar para a escola. E as gêmeas vão começar aulas de música.

– Não com a esposa do ministro metodista, eu espero – disse a senhorita Cornelia com preocupação.

– Não, com Rosemary West. Eu fui até lá para combinar as aulas com ela. Como é linda!

– O tempo foi generoso com Rosemary. Ela não é mais tão jovem.

– É muito charmosa. Nunca fomos apresentadas, sabe? A casa dela fica muito longe, e eu praticamente só a vejo na igreja.

– As pessoas sempre gostaram de Rosemary West, ainda que não a entendam – disse a senhorita Cornelia, sem notar a homenagem que estava prestando aos encantos de Rosemary. – Ellen sempre a manteve na linha, por assim dizer. É uma tirana, por mais que sempre a tenha mimado de várias formas. Rosemary já foi noiva, sabe, de um tal de Martin Crawford, entretanto o barco dele naufragou nas Ilhas da Madalena, e toda a tripulação morreu afogada. Rosemary era apenas uma criança, tinha só dezessete anos, e nunca mais foi a mesma depois disso. Ela e Ellen se tornaram muito unidas depois da morte da mãe e não vão com muita frequência à própria igreja em Lowbridge, mas também sei que Ellen prefere não frequentar a igreja presbiteriana. Ela nunca vai à metodista, isso eu tenho que elogiar. Os Wests sempre foram episcopais ferrenhos. As duas têm muito dinheiro, tanto que Rosemary não precisa dar aulas de música; ela faz isso porque gosta. São parentes distantes de Leslie, sabia? Os Fords virão para o porto neste verão?

– Não. Eles vão viajar para o Japão e provavelmente ficarão fora por um ano. O novo livro de Owen terá uma ambientação nipônica. Será o primeiro verão que a velha e amada Casa dos Sonhos ficará vazia desde que nos mudamos.

– Creio que Owen Ford encontraria muito sobre o que escrever no Canadá sem precisar arrastar a esposa e os filhos inocentes para aquele país pagão – resmungou a senhorita Cornelia. – *O Livro da Vida* foi a melhor obra que ele já escreveu e conseguiu o material bem aqui em Four Winds.

– O capitão Jim lhe deu a maior parte, você sabe disso. Que ele coletou pelo mundo inteiro. Mas eu adoro os livros do Owen.

– Ah, até que não são ruins. Faço questão de ler todos que ele escreve, embora eu acredite, querida Anne, que livros de ficção são uma perda de tempo pecaminosa. Vou escrever para ele e dizer o que penso sobre esta história de ir para o Japão, acredite em mim. Ele quer que Kenneth e Persis se tornem pagãos?

Com esse enigma sem resposta, a senhorita Cornelia foi embora. Susan subiu para colocar Rilla na cama, e Anne sentou-se nos degraus da varanda sob as primeiras estrelas, sonhando incorrigivelmente, como sempre fazia, e redescobriu pela enésima vez o esplendor do nascer da lua sobre o porto de Four Winds.

AS CRIANÇAS DE INGLESIDE

Durante o dia, as crianças de Ingleside amavam brincar em meio aos tons de verde-claro e nos recantos do grande bosque de bordos entre a casa e o lago de Glen St. Mary. Entretanto, para a diversão do fim do dia, não havia lugar melhor que o pequeno vale que ficava atrás do bosque. Era um reino mágico e fantástico para eles. Certa vez, ao olharem pela janela do sótão de Ingleside, através da névoa causada por uma tempestade de verão, eles avistaram um glorioso arco-íris sobre o lugar adorado. Uma das extremidades parecia mergulhar em um canto do lago que adentrava o vale.

– Vamos chamá-lo de Vale do Arco-Íris – disse Walter, extasiado. E assim ele foi chamado dali em diante.

Fora do vale, o vento podia soprar forte e barulhento. Ali, ele era sempre suave. Aqui e ali, pequenas sendas encantadas serpenteavam por entre as raízes dos abetos cobertas de musgo. Cerejeiras silvestres, que na florada ganhavam um branco etéreo, espalhavam-se pelo vale, misturando-se aos abetos escuros. Um pequeno riacho de águas âmbar o atravessava e corria em direção ao povoado de Glen. As casas da vila ficavam a uma distância confortável, a mais próxima era uma cabana em ruínas e deserta que ficava no extremo superior do vale, conhecida como "a velha casa dos Baileys". Estava vazia há anos. Uma vala tomada pela grama a cercava, além de um jardim ancestral onde as crianças de Ingleside encontravam violetas, margaridas e lírios nas épocas certas. De resto, o jardim estava tomado pela alcarávia que se agitava sob o luar das noites de verão como um mar prateado.

Ao Sul encontrava-se o lago e, mais além, o horizonte perdia-se nas florestas púrpura, exceto em uma colina alta, onde uma casa velha, cinzenta e solitária observava Glen e o porto. Havia algo de selvagem e ermo no Vale do Arco-Íris, apesar da proximidade com o vilarejo, que fascinava as crianças.

O vale era repleto de recôncavos acolhedores e aconchegantes. O maior deles era o lugar favorito delas para brincar, e era ali que estavam reunidas naquela tarde em particular. Havia um aglomerado de abetos jovens com um minúsculo céspede no centro que se abria para a margem do rio, onde crescia uma bétula prateada incrivelmente reta que Walter havia batizado de "A Dama de Branco". Naquela clareira havia também as "Árvores Enamoradas", que era como Walter chamava o abeto e o bordo que cresciam tão próximos um do outro que seus galhos se tornaram inexoravelmente entrelaçados. Jem pendurara nelas velhos sinos de trenós que o ferreiro de Glen havia lhe dado, e cada brisa que os visitava produzia tilintares súbitos.

– Como é bom estar de volta! – disse Nan. – Afinal, nenhum dos lugares de Avonlea se compara ao Vale do Arco-Íris.

Apesar disso, eles adoravam Avonlea. Uma visita a Green Gables era sempre um grande deleite, e a tia Marilla gostava muito deles, assim como a senhora Rachel Lynde, que passava o tempo livre da velhice costurando colchas de algodão para o dia em que as filhas de Anne precisassem de um enxoval. Havia também ótimos colegas de brincadeiras por lá, como os filhos do "tio" Davy e da "tia" Diana. Eles conheciam todos os lugares que a mãe deles amara tanto na infância: a longa Travessa dos Amantes, que ficava ladeada por flores na época das rosas silvestres; o Jardim Imaculado, com seus salgueiros e álamos; a Bolha da Dríade, reluzente e adorável como sempre; o Lago das Águas Brilhantes e Willowmere. As gêmeas ficavam com o quarto antigo da mãe, e a tia Marilla costumava entrar de mansinho no meio da noite, quando achava que estavam adormecidos, para admirá-los, porém todos sabiam que Jem era o favorito dela.

Naquele momento, Jem estava ocupado fritando pequenas trutas que havia acabado de pescar no lago. O fogo consistia em um círculo de pedras vermelhas com uma chama acesa no centro, e os utensílios eram uma velha lata amassada e um garfo com apenas um dente restante. Mesmo assim, refeições deliciosas já tinham sido preparadas ali.

Jem era filho da Casa dos Sonhos; todos os outros tinham nascido em Ingleside. Ele tinha cabelos ruivos cacheados, como os da mãe, e olhos castanhos francos, como os do pai; o nariz era fino como o da mãe, e a boca, firme e simpática como a do pai. E era o único da família cujas orelhas eram bonitas o bastante para agradar a Susan, com quem brigava constantemente por ela insistir em chamá-lo de pequeno Jem. Era um absurdo, pensava o menino de catorze anos de idade. A mamãe tinha mais bom senso.

– Não sou mais pequeno, mãe – exclamara, indignado, no aniversário de oito anos. – Já sou bem grande.

A mãe suspirou e riu, e então suspirou novamente. Ela nunca mais o chamou de pequeno Jem, não perto dele, pelo menos.

Ele era e sempre fora um rapazinho corajoso e confiável, pois nunca quebrava uma promessa. Não falava muito. Os professores não o consideravam brilhante, mas era um bom aluno. Ele nunca acreditava nas coisas como eram apresentadas, preferindo sempre investigar a veracidade dos fatos por conta própria. Certa vez, Susan falou que, se ele colocasse a língua em um ferrolho congelado pelo frio, a pele dele grudaria e se rasgaria. E foi o que Jem prontamente fez, "só para ver se era verdade". Ele descobriu que "era mesmo", ao custo de uma língua que ficou dolorida por vários dias. Jem não se importava com o sofrimento em nome da ciência, todavia. Ele aprendera um monte de coisas por meio da experimentação e da observação constantes, e seus irmãos achavam impressionante seu vasto conhecimento do mundinho deles. Jem sabia onde encontrar as primeiras e mais suculentas frutinhas da estação, onde as primeiras violetas despertavam timidamente da hibernação de inverno, e quantos ovos azul-turquesa havia nos ninhos dos tordos no pomar. Ele podia prever o futuro arrancando as pétalas de uma margarida, sugar o mel dos trevos vermelhos e identificar uma variedade de raízes comestíveis na margem do lago, para o desespero diário de Susan, que temia que todos fossem acabar envenenados. Ele sabia onde encontrar a melhor goma dos abetos (nos nós de um âmbar claro com a casca coberta de líquen), as árvores mais fartas de nozes na mata nos arredores de Harbour Head e os melhores pontos para pescar trutas no riacho. Era capaz de imitar o canto de qualquer pássaro ou animal em Four Winds e de encontrar qualquer flor silvestre da primavera ao outono.

Walter Blythe estava sentado sob a Dama de Branco, com um volume de poemas aberto ao lado, mas sem lê-lo. Com o êxtase resplandecendo nos grandes olhos, ele contemplava os salgueiros envoltos por uma névoa esmeralda nas margens do lago e as nuvens que atravessavam o céu sob o Vale do Arco-Íris, como um rebanho de carneiros pastoreado pelo vento. Os olhos de Walter eram maravilhosos. Toda a alegria, as tristezas, as risadas, a lealdade e as aspirações das muitas gerações a sete palmos projetavam-se de suas profundezas acinzentadas.

Walter era a "ovelha negra da família" no quesito aparência, pois ele não se assemelhava a nenhum parente conhecido. Era provavelmente a criança mais bonita de Ingleside, com os cabelos pretos lisos e os traços finamente cinzelados. O menino havia herdado da mãe a imaginação vívida e a paixão pela beleza. A geada do inverno, a instigação da primavera, os sonhos de verão e o glamour do outono, tudo isso significava muito para Walter.

Na escola, Jem era o mandachuva, e Walter não era benquisto. Este era considerado "afeminado" e fracote, por nunca se meter em brigas e raramente praticar esportes, preferindo isolar-se em um canto e ler livros, especialmente os de "puisía". Walter amava os poetas e se debruçava sobre os versos desde que aprendera a ler. A música deles, a música dos imortais, estava embrenhada na alma em formação do garoto. Walter nutria a ambição de tornar-se um poeta algum dia, o que não era impossível. Um tal de tio Paul, chamado assim por cortesia, que vivia em uma terra misteriosa chamada "Os Estados Unidos", era o modelo de Walter. Ele estudou em Avonlea quando criança, e agora sua poesia era lida no mundo inteiro. Os garotos da escola de Avonlea não conheciam os sonhos de Walter e tampouco ficariam impressionados se soubessem. Apesar da falta de atributos físicos, ele inspirava certo respeito graças à capacidade de "falar como nos livros". Ele "soava como um pregador", como dissera um garoto, e por isso não era importunado nem perseguido na maior parte do tempo, o que acontecia com os garotos que não gostavam de brigas ou que as temiam.

As gêmeas de Ingleside violavam a tradição dos gêmeos ao não se parecerem em nada. Anne, que costumava ser chamada de Nan, era muito linda, com olhos castanhos e cabelos sedosos da mesma cor. Era uma daminha muito alegre, delicada e alegre[5] de nome e por natureza, como dissera um dos professores. Sua pele era impecável, para o orgulho da mãe.

– Fico feliz em ter uma filha que pode usar rosa – dizia a senhora Blythe, jubilosa.

Diana Blythe, conhecida como Di, era parecida com a mãe, tinha olhos verdes acinzentados, que sempre brilhavam com um fulgor

---
[5] A autora faz um trocadilho entre "Blythe", o sobrenome da personagem, e "blithe", que significa alegre, jovial, em inglês. (N. T.)

peculiar ao anoitecer, e cabelos ruivos, e talvez fosse por isso que ela era a favorita do pai. Walter e ela eram melhores amigos, pois era a única para quem o menino lia os versos que escrevia, a única que sabia que ele secretamente trabalhava com ardor em um poema épico, que se assemelhava muito a *Marmion*[6] em certos aspectos. Di guardava os segredos dele, inclusive de Nan, e contava a ele todos os dela.

– Os peixes vão demorar muito, Jem? – disse Nan, erguendo o delicado nariz. – O cheiro está me deixando com muita fome.

– Estão quase prontos – disse Jem, virando um com destreza. – Peguem o pão e os pratos, garotas. Walter, acorde.

– Como o ar cintila nesta noite! – disse Walter, sonhador. Não que desprezasse trutas fritas, mas, para ele, o alimento da alma vinha em primeiro lugar. – O anjo das flores veio passear pelo mundo hoje, chamando-as. Posso ver suas asas azuis naquela colina, perto da floresta.

– Os anjos que eu já vi sempre tinham asas brancas – comentou Nan.

– As do anjo das flores são diferentes. Elas têm um azul-claro etéreo, como a névoa no vale. Ah, como eu gostaria de poder voar... Deve ser glorioso.

– Às vezes é possível voar nos sonhos – falou Di.

– Nunca sonhei que voava exatamente – disse Walter. – Mas com frequência sonho que meus pés deixam o chão e eu flutuo sobre as cercas e as árvores. É incrível, e eu sempre penso "eu não estou sonhando desta vez. Agora é de verdade" e então eu acordo. É desolador.

– Ande logo, Nan – ordenou Jem.

Nan pegou a tábua do banquete, tábua de madeira onde banquetes literais e simbólicos, repletos de iguarias encontradas em nenhum outro lugar, já tinham sido celebrados no Vale do Arco-Íris. Ela se transformava em uma mesa ao ser posta sobre duas grandes pedras cobertas de musgo. Jornais serviam de toalha; pratos trincados e xícaras sem asas

---

6 Romance histórico em verso do autor escocês Walter Scott (1771-1832), publicado em 1808. (N. T.)

descartadas por Susan faziam as vezes da louça. De uma lata escondida entre as raízes de um abeto, Nan tirou o pão e o sal. O córrego provia uma "cerveja de Adão" de pureza inigualável. Ademais, havia um certo tempero, composto pelo ar fresco e pelo apetite da juventude, que dava a tudo um sabor divino. Sentar-se no Vale do Arco-Íris, mergulhado nos tons de ouro e ametista do ocaso, perfumado pelo aroma dos abetos e de todas as coisas que cresciam nas matas no primor da primavera, em meio às estrelas brancas da floração dos morangos silvestres, o sussurro do vento e o tinido dos sinos nas copas das árvores que balançavam, comendo peixe frito e pão seco, era algo que os mais poderosos da Terra invejariam.

– Sentem-se – convidou Nan quando Jem colocou o prato fervente de peixes sobre a mesa. – É a sua vez de dar graças, Jem.

– Já fiz a minha parte fritando os peixes – protestou Jem, que detestava fazer a oração. – Mande Walter dar graças, ele adora. E seja breve, Walt, estou faminto.

Walter não fez nenhuma oração, porém, longa ou breve. Eles foram interrompidos.

– Quem vem lá da colina da casa ministerial? – perguntou Di.

AS CRIANÇAS DA CASA MINISTERIAL

A tia Martha podia ser, e era, uma péssima dona de casa; o reverendo John Knox Meredith podia ser, e era, um homem muito distraído e indulgente. Mas era impossível negar que havia algo de acolhedor e familiar na casa ministerial de Glen St. Mary, apesar de toda a bagunça. Até as donas de casa mais críticas de Glen tinham essa sensação, que inconscientemente atenuava o julgamento delas. Talvez seu charme viesse em parte de circunstâncias acidentais, as vistosas trepadeiras que cobriam as cinzentas paredes de madeira, as acácias simpáticas e o bálsamo da Arábia que se amontoavam com a liberdade de velhos amigos, e a vista privilegiada do porto e das dunas de areia das janelas da frente – elementos que já existiam durante o reinado do predecessor do senhor Meredith, no entanto, quando a casa era a mais arrumada, decorosa e sem vida de Glen. A personalidade de seus novos moradores merecia o devido crédito. Havia uma atmosfera de risos e companheirismo, as portas estavam sempre abertas, e o mundo interior e o exterior davam as mãos. O amor era a única lei na casa ministerial de Glen St. Mary.

Os membros da congregação diziam que o senhor Meredith mimava os filhos, o que era muito provável, pois ele certamente não suportava repreendê-los. "Eles não têm mãe", costumava dizer para si mesmo, suspirando, quando alguma travessura especialmente notória lhe saltava aos olhos. Só que ele não sabia metade de tudo que acontecia. O senhor Meredith pertencia ao séquito dos sonhadores. As janelas de seu escritório davam para o cemitério; todavia, enquanto caminhava pelo cômodo, refletindo sobre a imortalidade da alma, ele não fazia ideia de que Jerry e Carl estavam brincando de pula-sela sobre as lápides na morada dos metodistas falecidos. Ele tinha ocasionais momentos de lucidez em que percebia que seus filhos não recebiam os mesmos cuidados, física ou moralmente, de quando a esposa ainda era viva e tinha uma vaga noção, no fundo da mente, de que a casa e as refeições eram muito diferentes sob os cuidados da tia Martha do que eram nas mãos da Cecilia. Fora isso, vivia em um mundo de livros e abstrações, embora suas roupas raramente fossem escovadas, e, por mais que os traços pálidos e marcados e as mãos magras dessem a certeza às donas de casa de Glen de que não comia o suficiente, ele não era um homem infeliz.

Se um cemitério pudesse ser chamado de um lugar feliz, o velho cemitério metodista de Glen St. Mary receberia tal alcunha. O novo cemitério, do outro lado da igreja metodista, era um local bem cuidado e lúgubre, mas o velho fora deixado nas mãos gentis e graciosas da natureza por tanto tempo que veio a se tornar um lugar muito agradável.

Era cercado dos três lados por muros de pedras e céspede, de um cinza pálido e incerto. Do lado de fora crescia uma fileira de pinheiros altos com galhos grossos e aromáticos. O muro, que fora construído pelos primeiros moradores de Glen, era antigo o suficiente para ser bonito, coberto de musgo e com folhas verdes despontando de suas frestas, violetas florescendo em sua base nos primeiros dias da primavera, e ásteres e varas-de-ouro fazendo suas gloriosas aparições outonais nos cantos.

Pequenas samambaias se agrupavam entre as pedras, e aqui e ali crescia uma das grandes.

No lado Leste não havia nenhum muro ou cerca. Ali, o cemitério dava lugar a uma plantação de pinheiros jovens que se aproximavam cada vez mais dos túmulos e que, na direção oposta, transformava-se em um bosque espesso. O ar estava sempre repleto das vozes celestiais do mar e da música das árvores antigas, e nas manhãs primaveris o coro de pássaros nos olmos ao redor das duas igrejas cantava sobre a vida, e não sobre a morte. Os filhos do senhor Meredith amavam o velho cemitério.

A hera azul, o "abeto de jardim" e a hortelã se amotinavam sobre os túmulos que afundavam com o tempo. Arbustos de mirtilos cresciam esplendorosamente em um canto de areia próximo aos pinheiros. Era possível encontrar uma variedade de estilos de túmulos de três gerações, desde as placas oblongas de arenito vermelho dos fundadores, passando pelos dias dos salgueiros chorosos e das mãos unidas, até as monstruosidades mais recentes com "monumentos" altos e urnas drapeadas. Uma das últimas, a maior e mais horrorosa do cemitério, era em sagrada memória de um certo Alec Davis, que nasceu metodista, mas arranjou uma noiva presbiteriana da família Douglas. Ela conseguiu convertê-lo ao presbiterianismo e mantê-lo na igreja a vida inteira. No entanto, quando ele faleceu, ela não ousou condená-lo a uma tumba solitária no cemitério metodista. Assim, Alec voltou às origens em morte, e a esposa consolou-se erguendo um monumento que custou mais que qualquer metodista podia pagar. As crianças da família Meredith o odiavam, sem saber exatamente o motivo, mas adoravam as velhas lápides achatadas que lembravam bancos, rodeadas pela grama alta, pois eram ótimos lugares para se sentar. Naquele momento, estavam todos sentados sobre uma dessas. Jerry, cansado de brincar de pula-sela, tocava um berimbau de boca. Carl admirava um besouro estranho que havia encontrado, Una tentava fazer um vestido de boneca, e Faith, apoiada sobre os braços delgados e bronzeados, balançava os pés descalços no ritmo do berimbau de boca.

Jerry tinha os cabelos pretos e os grandes olhos negros do pai, mas no menino os olhos cintilavam em vez de devanear. Faith, que vinha depois dele, tinha a beleza rústica e radiante de uma rosa. Tinha olhos e cabelos de um castanho dourado e bochechas rosadas. Ria demasiadamente para agradar a congregação do pai e chocara a velha senhora Taylor, a inconsolável viúva de vários maridos falecidos, ao declarar atrevidamente, no alpendre da igreja: "O mundo não é um vale de lágrimas, senhora Taylor. É um mundo de risadas".

A pequena e sonhadora Una não era muito de rir. As tranças de cabelos lisos e intensamente pretos não revelavam nenhum traço de rebeldia, e os olhos azuis-escuros em formato de amêndoa ecoavam melancolia e pena. A boca tinha o hábito de ficar aberta, mostrando os dentes minúsculos e alvos, e um sorriso meditativo e tímido ocasionalmente surgia no rosto fino. Era muito mais suscetível à opinião pública do que Faith e tinha a inquietante impressão de que havia algo de tortuoso na maneira como viviam, pois ela queria endireitá-los e não sabia como. De vez em quando ela tirava o pó da mobília e só não o fazia com mais frequência porque o espanador nunca estava no mesmo lugar. Também escovava o melhor terno do pai aos sábados quando conseguia encontrar a escova e uma vez até prendeu um botão com uma linha branca grossa. No domingo seguinte, aquele botão chamou a atenção de todos os olhos femininos, o que tirou a paz da Sociedade das Damas por semanas.

Carl tinha os mesmos olhos da mãe falecida, azuis-escuros, astutos, destemidos e diretos, e os cabelos acastanhados tinham mechas douradas. Conhecia os segredos dos insetos e tinha uma espécie de confraria com abelhas e besouros. Una não gostava de sentar-se ao lado dele porque ela nunca sabia que criatura asquerosa ele poderia estar escondendo. Jerry recusava-se a dormir com ele porque Carl certa vez levara uma cobra-liga para a cama. Então, Carl dormia na velha caminha, que era tão pequena que ele mal podia esticar o corpo, e tinha colegas estranhos. Talvez o fato de a tia Martha ser meio cega fosse conveniente na hora de arrumar a cama. Juntos formavam uma turminha adorável e alegre. O coração de Cecilia deve ter doído amargamente quando percebeu que teria que deixá-los.

– Onde vocês gostariam de ser enterrados se fossem metodistas? – perguntou Faith com jovialidade.

Aquilo abria um espaço interessante para especulação.

– Não há muitas escolhas. O cemitério está cheio – disse Jerry. – Acho que naquele canto perto da estrada. Eu poderia ouvir as charretes passar e as pessoas conversar.

– Gostaria de ser enterrada debaixo daquele salgueiro tristonho – disse Una. – Ele fica repleto de pássaros que cantam loucamente pela manhã.

– Eu ficaria no lote dos Porters, onde há um monte de crianças enterradas. Gosto de bastante companhia – disse Faith. – Carl, e você?

– Eu gostaria de não ser enterrado – respondeu Carl –, mas, já que não há saída, eu escolheria um formigueiro. Formigas são muito interessantes.

– As pessoas enterradas aqui devem ter sido muito boas – disse Una, que lia os velhos e elogiosos epitáfios. – Parece não haver sequer uma pessoa ruim enterrada em todo o cemitério. Os metodistas devem ser melhores que os presbiterianos, afinal.

– Talvez os metodistas enterrem as pessoas ruins da mesma forma que enterram os gatos – sugeriu Carl. – Talvez eles não se deem ao trabalho de trazê-los para cá.

– Bobagem – disse Faith. – As pessoas enterradas aqui não eram melhores do que as outras, Una. É que, quando alguém morre, não se pode falar mal da pessoa, senão ela volta para assombrar. Foi o que a tia Martha me disse. E, quando perguntei se era mesmo verdade, ela apenas me encarou e murmurou: "Verdade? Verdade? O que é a verdade? O que é a verdade, oh jocoso Pilatos?"[7]. Concluí que deve ser verdade.

---

[7] Referência ao ensaio *Of Truth*, do autor britânico *sir* Francis Bacon (1561-1626), que faz alusão ao Novo Testamento, João 18:38: "Disse-lhe Pilatos: Que é a verdade? E, dizendo isto, tornou a ir ter com os judeus, e disse-lhes: Não acho nele crime algum". (N. T.)

— Imagino se o senhor Alec Davis vai voltar e me assombrar se eu jogar uma pedra na urna acima do túmulo dele – disse Jerry.

— É o que a senhora Davis faria – riu Faith. – Ela nos vigia na igreja como um gato observando um rato. Domingo passado eu fiz uma careta para o sobrinho dela e ele fez uma para mim; você deveria ter visto o olhar dela. Aposto que ela deu um tabefe na orelha dele na saída. Se a senhora Marshall Elliott não tivesse me avisado que não devemos ofendê-la de forma alguma, eu teria feito uma careta para ela também!

— Dizem que Jem Blythe lhe mostrou a língua uma vez e ela nunca mais voltou a procurar o pai dele, nem quando o marido estava morrendo – disse Jerry. – Eu me pergunto como são os Blythes.

— Tive uma boa impressão deles – disse Faith. As crianças da casa ministerial estavam na estação de trem quando a turminha dos Blythes chegou de Avonlea. – Especialmente de Jem.

— Dizem na escola que Walter é maricas – disse Jerry.

— Não acredito nisso – disse Una, que achava Walter muito lindo.

— Bem, ele escreve poesia, de qualquer forma. O Bertie Shakespeare Drew me contou que Walter ganhou um prêmio da professora no ano passado por escrever um poema. A mãe de Bertie achou que o filho é que deveria ter ganho o prêmio por causa do nome dele, mas o menino disse que não conseguiria escrever um poema nem que sua vida dependesse disso, apesar do nome.

— Acho que vamos conhecê-los assim que começarem a frequentar a escola – refletiu Faith. – Espero que as meninas sejam interessantes. Não gosto da maioria das garotas daqui. Até as mais simpáticas são sem graça, mas as gêmeas Blythes parecem ser animadas. Eu pensava que gêmeos deveriam se parecer, só que não é o caso delas, e a de cabelo vermelho parece ser a mais divertida.

— Eu gostei da mãe deles – disse Una com um leve suspiro. Una sentia inveja das mães de todas as crianças. Tinha apenas seis anos quando a mãe morreu, contudo tinha recordações preciosas que guardava na alma como joias, de abraços ao entardecer e brincadeiras matinais, de olhares amorosos, de uma voz tenra e de uma risada doce e alegre.

– Ouvi dizer que ela não é como as outras pessoas – disse Jerry.

– A senhora Elliott explicou que é porque ela nunca cresceu – disse Faith.

– Ela é mais alta que a senhora Elliott.

– Sim, sim, mas a senhora Elliott quis dizer que, por dentro, a senhora Blythe ainda é uma garotinha.

– Que cheiro é esse? – interrompeu Carl.

Todos pararam para prestar atenção e então sentiram o aroma delicioso que chegava até eles pelo ar calmo vespertino vindo da direção do pequeno vale aos pés da colina.

– Está me deixando com fome – disse Jerry.

– Nós só comemos pão com melaço de almoço, e "a mesma coisa" no jantar – queixou-se Una.

A tia Martha tinha o hábito de ferver um grande pedaço de cordeiro no começo da semana e servi-lo todos os dias, frio e gordurento, enquanto durasse. Em um momento de inspiração, Faith chamou isso de "a mesma coisa", e assim ficou invariavelmente conhecido na casa ministerial.

– Vamos ver de onde está vindo esse cheiro – propôs Jerry.

Eles se levantaram e saltitaram por entre a grama alta como um bando de filhotinhos, pularam a cerca e desceram correndo a encosta coberta de musgo, guiados pelo odor hipnotizante que ficava cada vez mais forte. Alguns minutos depois, chegaram esbaforidos ao santuário do Vale do Arco-Íris, onde as crianças Blythes estavam prestes a dar graças e comer.

Detiveram-se com timidez. Una desejou que não tivessem sido tão precipitados, mas Di Blythe já tinha lidado com situações mais complexas. Ela deu um passo adiante, com um sorriso camarada:

– Acho que sei quem vocês são – disse. – As crianças da casa ministerial, correto?

Faith assentiu, com o rosto cheio de covinhas.

– Nós sentimos o cheiro das trutas e ficamos intrigados.

– Sentem-se e nos ajudem a comê-las – convidou Di.

– Talvez não haja o suficiente nem para vocês – disse Jerry olhando com avidez para o prato de lata.

– Temos um monte, três por cabeça – disse Jem. – Sentem-se.

As cerimônias foram encerradas, e todos se sentaram nas pedras musgosas. O banquete foi longo e divertido. Nan e Di provavelmente teriam morrido de horror se tivessem descoberto o que Faith e Una sabiam muito bem: que Carl tinha dois ratinhos no bolso do casaco. Só que nunca descobriram, de forma que isso não as afetou. Que melhor lugar para pessoas se conhecerem do que uma mesa de jantar? Quando a última truta desapareceu, as crianças da casa ministerial e as de Ingleside já haviam se tornado grandes amigas e aliadas. Era como se elas se conhecessem desde sempre, e para sempre. O povo de José reconhece os seus.

Eles contaram as histórias de seus breves passados. A crianças da casa ministerial ouviram sobre Avonlea e Green Gables, as tradições do Vale do Arco-Íris e a casinha próxima da praia do porto onde Jem nascera. As crianças de Ingleside ouviram sobre Maywater, onde os Merediths viveram antes de se mudarem para Glen, a adorada boneca de um olho só de Una e o galo de estimação de Faith.

Faith costumava se ressentir quando as pessoas riam de seu galo de estimação. Ela gostou dos Blythes porque eles o aceitaram sem questionamentos.

– Um belo galo como o Adam é um animal de estimação tão bom quanto um cachorro ou um gato, eu acho – disse ela. – Se fosse um canário, ninguém estranharia. Eu o criei desde que era um pintinho amarelo. A senhora Johnson, de Maywater, foi quem me deu, **porém** uma doninha matou todos os irmãos e irmãs dele. Eu o batizei **em** homenagem ao marido dela. Nunca gostei de bonecas ou de gatos, **pois** os gatos são sorrateiros demais, e as bonecas estão mortas.

– Quem mora naquela casa lá em cima? – perguntou Jerry.

– As senhoritas West, Rosemary e Ellen, respondeu Nan. – Di e eu vamos fazer aula de música com a senhorita Rosemary neste verão.

Una encarou as gêmeas sortudas com olhos cujo anseio era demasiado gentil para se converter em inveja. Ah, se ao menos ela pudesse ter aulas de música! Era um de seus sonhos secretos; ninguém suspeitava.

– A senhorita Rosemary é um doce e sempre se veste lindamente – disse Di. – Os cabelos dela são da cor de balas de caramelo – acrescentou, maravilhada. Di, assim como a mãe na infância, não se conformava com as madeixas avermelhadas.

– Também gosto da senhorita Ellen – disse Nan. – Ela costumava me dar doces quando ia à igreja, mas Di tem medo dela.

– As sobrancelhas dela são muito negras, e ela tem uma voz muito grave – disse Di. – Ah, Kenneth Ford morria de medo dela quando era pequeno! A mamãe conta que, no primeiro domingo em que a senhora Ford o levou à igreja, a senhorita Ellen estava lá, sentada bem atrás deles. E, no minuto em que Kenneth a viu, ele simplesmente começou a gritar e gritar até que senhora Ford precisou levá-lo para fora.

– Quem é a senhora Ford? – quis saber Una.

– Ah, os Fords não moram aqui. Eles só vêm para cá no verão. E não virão neste ano. Eles ficam em uma casa lá perto do porto, onde a mamãe e o papai costumavam viver. Gostaria que vocês conhecessem a Persis Ford. Ela parece um retrato, de tão linda que é.

– Já ouvi falar da senhora Ford – interrompeu Faith. – Bertie Shakespeare Drew me contou tudo. Ela se casou aos catorze anos com um homem morto, que depois ressuscitou.

– Que besteira – disse Nan. – Não foi assim. Bertie Shakespeare nunca conta nada direito. Eu conheço a história inteira e posso contá-la em outra ocasião, pois é muito longa e já está na hora de irmos para casa. A mamãe não gosta que fiquemos fora até tarde nessas tardes tão úmidas.

Ninguém se importava se as crianças da casa ministerial ficavam fora no ar úmido ou não. A tia Martha já estava na cama, e o ministro ainda estava profundamente perdido em especulações sobre a imortalidade da alma para lembrar-se da mortalidade do corpo. Ainda assim foram embora, imaginando os bons momentos que estavam por vir.

– Acho o Vale do Arco-Íris ainda melhor do que o cemitério – disse Una. – E eu adorei os Blythes. É tão bom poder gostar das pessoas, já que na maioria das vezes não é possível. O papai disse no sermão do domingo passado que devemos amar a todos. Mas como? Como podemos amar a senhora Alec Davis?

– Ah, o papai só diz isso no púlpito – disse Faith com desdém. – Ele tem o bom senso de não pensar assim fora da igreja.

Todos os Blythes foram para Ingleside, com exceção de Jem, que escapuliu por alguns instantes e foi até um canto remoto do Vale do Arco-Íris. Ali cresciam anêmonas, e o menino nunca se esquecia de levar um buquê para a mãe durante a florada delas.

A CHEGADA DE MARY VANCE

– Hoje é o tipo de dia em que você sente que as coisas podem acontecer – disse Faith, sob o encanto do ar cristalino e das colinas azuladas. Ela abraçou a si mesma e ensaiou alguns passos de sapateado irlandês ao redor do banco de pedra sobre o túmulo do velho Hezekiah Pollock, para o horror de duas anciãs que passavam por ali no instante em que ela pulava sobre um pé só e agitava o outro pé e os braços no ar.

– E aquela – disse uma das anciãs – é a filha do nosso ministro.

– O que mais se pode esperar da família de um viúvo? – resmungou a outra. As duas balançaram a cabeça.

Era sábado de manhã, e os Merediths haviam saído para o mundo encharcado de orvalho para aproveitar o dia de folga. Eles nunca tinham nada para fazer aos sábados. Até Nan e Di Blythe tinham certos afazeres domésticos nos sábados de manhã, mas as filhas do ministro da igreja eram livres para vagar por aí desde o amanhecer até o anoitecer, se desejassem. Era algo que agradava a Faith imensamente, entretanto, Una sentia uma humilhação secreta e amargurada, porque elas nunca aprendiam nada. As outras garotas da classe sabiam cozinhar, costurar e tricotar, enquanto ela era uma ignorante.

Jerry sugeriu que fossem explorar, então foram passear pelo bosque de pinheiros. No caminho, eles encontraram Carl, que estava agachado sobre o mato úmido estudando suas queridas formigas. Além do bosque eles entraram nos campos do senhor Taylor, que estavam salpicados pelos fantasmas brancos dos dentes-de-leão. Em um canto remoto havia um celeiro abandonado, onde o senhor Taylor às vezes guardava o excedente da colheita de feno. Fora isso, o lugar em ruínas não tinha mais nenhum propósito. As crianças avançaram na direção dele e exploraram o piso térreo por vários minutos.

– O que foi isso? – sussurrou Una de repente.

Todos eles ficaram atentos. Havia um farfalhar sutil, porém distinto, no palheiro de cima. Os Merediths se entreolharam.

– Tem alguma coisa lá – cochichou Faith.

– Vou ver o que é – afirmou Jerry.

– Ah, não! – Una agarrou o braço dele.

– Vou, sim.

– Bem, então todos nós vamos – disse Faith.

Os quatro subiram a escada bamba, Jerry e Faith intrépidos, Una lívida de medo, e Carl distraído pela possibilidade de encontrar um morcego. Ele queria muito ver um morcego à luz do dia.

Ao saírem da escada, eles se depararam com o que estava provocando o barulho e ficaram atônitos por alguns instantes.

Em uma espécie de ninho em meio ao feno havia uma garota encolhida, como se tivesse acabado de despertar. Ela se levantou ao vê-los, um tanto trêmula e sob a luz do sol forte que entrava pela janela repleta de teias de aranha atrás dela. Então eles viram que seu rosto fino e queimado de sol estava muito pálido. Seus cabelos lisos e espessos da cor da estopa estavam presos em duas tranças, e seus olhos eram peculiares, "olhos brancos", pensaram as crianças da casa ministerial, quando ela os encarou com um misto de coragem e tristeza. Eram de um azul tão claro que realmente pareciam brancos, especialmente em contraste com o aro fino e negro que os circundava. Estava descalça e sem luvas, usava um vestido xadrez velho, desbotado, surrado, muito curto e apertado. A idade era indefinida, levando em conta o rostinho enrugado, mas pela altura parecia ter por volta de doze anos.

– Quem é você? – perguntou Jerry.

A menina olhou ao redor como se procurasse uma forma de escapar. Então, ela pareceu render-se com um débil suspiro de desespero.

– Eu me chamo Mary Vance – disse.

– De onde você veio? – foi a pergunta de Jerry.

Mary, em vez de responder, de repente sentou-se, melhor dizendo, jogou-se no feno e começou a chorar. Faith imediatamente ajoelhou-se ao lado dela e envolveu os ombros frágeis e trêmulos da menina.

– Pare de importuná-la – ordenou para Jerry, antes de abraçar a criança abandonada. – Não chore, querida. Conte-me o que aconteceu. Somos seus amigos.

– Estou tão... tão... faminta – murmurou Mary. – Não como nada desde quinta de manhã. Só bebi água do riacho aqui perto.

Os filhos do ministro trocaram olhares aterrados. Faith levantou-se.

– Você virá conosco agora mesmo à casa ministerial para comer alguma coisa. Está decidido.

Mary encolheu-se.

– Ah... Não posso. O que o seu pai e a sua mãe dirão? Além disso, eles me mandariam de volta.

– Nós não temos mãe, e o papai não vai se importar. Nem a tia Martha. Agora, venha conosco – Faith bateu o pé com impaciência. Por que aquela garotinha esquisita insistia em morrer de fome praticamente na porta da casa deles?

Mary cedeu. Estava tão fraca que mal podia descer as escadas, mas de alguma forma eles a ajudaram a chegar até a cozinha da casa ministerial. A tia Martha, atarefada na cozinha como todos os sábados, não a notou. Faith e Una correram até a despensa e pilharam todas as comidas que encontraram: um pouco de "a mesma coisa", pão, manteiga, leite e uma torta duvidosa. Mary Vance atacou a comida com voracidade e sem fazer críticas, enquanto as outras crianças a observavam. Jerry notou que a menina tinha uma boca bonita e dentes muito brancos e simétricos. Faith concluiu, com um incômodo secreto, que Mary não usava nenhuma peça de roupa além do vestido roto. Una sentia a mais pura compaixão, Carl, um fascínio reflexivo, e todos compartilhavam a mesma curiosidade.

– Venha conosco até o cemitério agora e nos conte sobre você – ordenou Faith quando o apetite de Mary mostrou sinais de fraqueza. Ela não parecia mais tão arredia. A comida havia restituído sua vivacidade natural e dado corda em sua língua.

– Vocês não vão contar para o seu pai e para mais ninguém? – estipulou ela ao ser entronada sobre o túmulo do senhor Pollock. Diante dela, as crianças da casa ministerial estavam enfileiradas sobre outra sepultura. Ali havia emoção, mistério e aventura. Alguma coisa tinha acontecido.

– Não, não vamos.

– Juram por Deus?

– Juramos por Deus.

– Bem, eu fugi. Eu estava morando com a senhora Wiley, do outro lado do porto. Vocês conhecem a senhora Wiley?

– Não.

– Bem, melhor assim. Ela é uma mulher terrível. Ah, como eu a odeio! Ela quase me matava de tanto trabalhar, não me dava o suficiente para comer e ainda me batia quase todos os dias. Vejam só.

Mary ergueu as mangas, esticou os bracinhos magrelos e abriu as mãos frágeis e rachadas. Elas estavam repletas de hematomas pretos, e as crianças estremeceram. Faith ficou vermelha de indignação. Os olhos azuis de Una se encheram de lágrimas.

– Ela me açoitou com uma vara na noite de quarta-feira – disse Mary com indiferença –, porque eu deixei a vaca derrubar um balde de leite. Como eu deveria saber que aquela maldita vaca velha ia chutá-lo?

Os ouvintes sentiram um arrepio desagradável. Eles jamais sonhariam em dizer palavras como aquelas, mas era emocionante ouvir outra pessoa usá-las, ainda mais uma garota. Aquela Mary Vance era certamente uma criatura interessante.

– Não a culpo por ter fugido – disse Faith.

– Ah, eu não fugi por causa disso. Apanhar fazia parte da minha rotina diária. Estava mais do que acostumada. Não, eu fugi porque na semana passada descobri que a senhora Wiley vai arrendar a fazenda e se mudar para Lowbridge e vai me mandar para a casa da prima dela em Charlottetown. Não vou suportar isso. Ela é muito pior do que a senhora Wiley. Eu trabalhei durante uma semana na casa dela, no verão passado, e prefiro ir morar com o próprio diabo.

Sensação número dois. Una, todavia, parecia desconfiada.

– Então, decidi fugir. Eu tinha dezessete centavos que a senhora Johnson Crawford me deu por ter plantado batatas para ela. A senhora Wiley não sabia disso. Ela tinha ido visitar a prima dela quando eu as plantei. Pensei em vir para Glen e comprar uma passagem para Charlottetown, onde eu tentaria conseguir um trabalho. Sou muito batalhadora, podem apostar. Não há uma só gota de preguiça em mim. Eu saí antes que a senhora Wiley acordasse na quinta-feira e caminhei até Glen. São dez quilômetros. Quando cheguei à estação, percebi que tinha perdido meu dinheiro, não sei como nem onde. Enfim, ele já era, e eu não sabia o que fazer. Se voltasse para a casa da velha senhora Wiley, ela arrancaria o meu couro. Por isso, eu me escondi naquele velho celeiro.

– E o que você vai fazer agora? – perguntou Jerry.

– Não sei. Acho que terei de voltar e aceitar as consequências. Agora que estou de barriga cheia, creio que conseguirei suportar.

Havia medo por trás da coragem nos olhos de Mary. De súbito, Una desceu do túmulo e sentou-se no outro, abraçando a cintura dela.

– Não volte. Fique conosco.

– Oh, a senhora Wiley me encontraria – disse Mary. – É provável que já esteja no meu encalço. Talvez seja melhor ficar aqui até que me encontre, se vocês não se importarem. Fui uma tremenda de uma tola em tentar fugir. Ela é capaz de fazer qualquer coisa, mas eu era tão infeliz...

A voz de Mary vacilou. A menina não gostava de demonstrar fraqueza.

– Tive uma vida de cão nestes últimos quatros anos – defendeu-se.

– Você está há quatro anos com a senhora Wiley?

– Sim. Ela me trouxe do orfanato de Hopetown quando eu tinha oito anos.

– É o mesmo lugar de onde veio a senhora Blythe – surpreendeu-se Faith.

– Vivi dois anos no orfanato. Fui levada para lá com seis anos de idade. Minha mãe se enforcou, e meu pai cortou a própria garganta.

– Meu Deus! Por quê? – disse Jerry.

– Bebida – respondeu Mary laconicamente.

– E você não tem nenhum parente?

– Que eu saiba, nenhum maldito parente. Devo ter tido, algum dia. Fui batizada em homenagem a meia dúzia deles. Meu nome completo é Mary Martha Lucilla Moore Ball Vance. Dá para acreditar? Meu avô era um homem rico. Aposto que era mais rico que o seu avô, só que ele bebeu todo o dinheiro, e a mamãe fez a mesma coisa. Eles também costumavam me bater. Ora, já apanhei tanto que eu acho que até gosto disso.

Mary ergueu o rosto impetuosamente. Ela adivinhou que as crianças da casa ministerial estavam com dó dela por causa das muitas marcas pelo corpo, e ela não queria ser digna de pena. Ela queria ser invejada. A menina olhou ao redor com alegria. Agora que a opacidade da fome havia desaparecido, seus estranhos olhos estavam brilhantes. Ela iria mostrar para eles o quão interessante ela era.

– Já fiquei doente inúmeras vezes – disse com orgulho. – Poucas crianças teriam sobrevivido ao que eu passei. Já tive escarlatina, sarampo, erisipela, caxumba, coqueluche e "pneumônia".

– Você já teve alguma doença fatal? – perguntou Una.

– Não sei – disse Mary, em dúvida.

– Claro que não – zombou Jerry. – Senão ela teria morrido.

– Ah, bem, eu nunca morri – disse Mary –, mas cheguei bem perto. Acharam que eu estava morta e estavam prestes a me enterrar quando eu recobrei a consciência.

– Qual é a sensação de estar meio morta? – perguntou Jerry, curioso.

– É como o nada. Só fui descobrir dias depois. Foi quando eu tive "pneumônia". A senhora Wiley não quis chamar o médico. Disse que não iria ter um gasto tão grande com uma criada. A velha tia Christina MacAllister cuidou de mim com cataplasmas. Foi ela quem me curou, só que às vezes eu penso que deveria ter morrido por completo para terminar de uma vez com tudo. Eu estaria bem melhor.

– Se você fosse para o céu, acho que estaria – disse Faith, sem ter certeza.

– E para onde mais eu iria? – quis saber Mary, intrigada.

– Para o inferno, sabe? – disse Una, baixando a voz e abraçando Mary para suavizar a sugestão.

– Inferno? O que é isso?

– Ora, é onde o diabo mora – disse Jerry. – Você mesma acabou de falar dele.

– Ah, sim, eu só não sabia onde ele morava. Eu pensava que ele só zanzava por aí. O senhor Wiley costumava mencioná-lo quando era vivo e sempre mandava os outros para lá. Eu achava que era algum lugar perto de New Brunswick, que é de onde ele veio.

– O inferno é um lugar aterrorizante – disse Faith, com o prazer dramático que nasce ao se contar coisas terríveis. – As pessoas ruins vão para lá e queimam no fogo por toda a eternidade.

– Quem lhe contou isso? – exigiu Mary, incrédula.

– Está na Bíblia. E foi também o que o senhor Isaac Crothers, de Maywater, contou para nós na escola dominical. Ele era um ancião e um dos pilares da igreja e sabia tudo sobre o assunto. Mas não se preocupe. Se for boazinha, você irá para o céu. Se for má, acho que preferirá ir para o inferno.

– Não – afirmou Mary categoricamente. – Não importa o quanto eu seja má, eu não iria querer queimar e queimar. Sei como é. Uma vez agarrei um atiçador de lareira fervendo por acidente. O que é necessário fazer para ser boazinha?

– É preciso ir para a igreja, frequentar escola dominical, ler a Bíblia, rezar todas as noites e fazer doações aos missionários – disse Una.

– Parece muito trabalhoso – disse Mary. – Mais alguma coisa?

– Você precisa pedir para Deus perdoar os pecados que cometeu.

– Eu nunca come... cometi nenhum. Aliás, o que é um pecado?

– Ah, Mary, é claro que já cometeu. Todo mundo comete. Você já contou alguma mentira?

– Um monte – respondeu Mary.

– Isso é um tremendo pecado – disse Una solenemente.

– Quer dizer então – refletiu Mary – que vão me mandar para o inferno por contar uma mentirinha aqui e ali? Ora, eu tive que mentir. O senhor Wiley teria quebrado todos os meus ossos certa vez se eu não tivesse mentido. As mentiras já me salvaram de muitas surras, pode apostar.

Una suspirou. A questão era muito complexa para ela resolver. Ela estremeceu ao se imaginar sendo cruelmente espancada. Muito provavelmente, Una também teria mentido. Ela apertou com força a mão calejada de Mary.

– Esse é o único vestido que você tem? – perguntou Faith, cuja natureza alegre se recusava a demorar-se em assuntos desagradáveis.

– Só coloquei esse vestido porque já não servia para mais nada – exclamou Mary, corando. – Foi a senhora Wiley que comprou as minhas roupas, e eu não queria ficar lhe devendo nada. Sou honesta. Não queria levar nada de valor que pertencesse a ela ao fugir. Quando crescer, eu terei um vestido azul de seda. As suas roupas não parecem muito elegantes. Eu pensava que os filhos dos ministros se vestissem sempre com esmero.

Estava claro que Mary tinha um temperamento forte e era sensível no que dizia respeito a alguns assuntos. Contudo, a menina tinha um charme selvagem e curioso que cativava a todos. Ela foi levada ao Vale do Arco-Íris e apresentada aos Blythes como "uma amiga que mora do outro lado do porto". Os Blythes a receberam sem questionar, talvez porque agora parecesse mais respeitável. Depois do jantar, durante o qual a tia Martha resmungara e o senhor Meredith esteve em um estado semiconsciente enquanto elaborava o sermão de domingo, Faith a convenceu a colocar um de seus vestidos, bem como outros itens de vestuário. Com os cabelos cuidadosamente trançados, Mary passava uma boa imagem. Era uma boa colega de brincadeiras, pois sabia muitos jogos novos e empolgantes e falava coisas que eram no mínimo intrigantes. De fato, algumas das expressões fizeram Nan e Di olhá-la com desconfiança, pois não sabiam o que a mãe delas iria pensar de Mary, mas não tinha dúvidas sobre o que Susan diria. No entanto, como era uma visitante na casa ministerial, ela provavelmente era uma boa pessoa.

Quando chegou a hora de ir para a cama, surgiu a dúvida de onde Mary ia dormir.

– Não podemos colocá-la no quarto de hóspedes – avisou Faith para Una.

– Não tenho piolhos – murmurou Mary em um tom injuriado.

– Ah, eu não quis dizer isso – defendeu-se Faith. – O quarto de hóspedes está de pernas para o ar. Os ratos abriram um buraco enorme no colchão de plumas e fizeram um ninho. Nós só descobrimos quando a tia Martha colocou o reverendo Fisher, de Charlottetown, para dormir lá na semana passada. Ele não demorou para perceber. O papai acabou cedendo a própria cama para ele e dormiu no escritório. A tia Martha disse que ainda não teve tempo de remendá-lo, de forma que ninguém pode dormir lá, por mais limpas que as nossas cabeças estejam. E o nosso quarto e a cama são tão pequenos que não há espaço para você.

– Eu posso passar a noite no velho celeiro se me emprestarem uma coberta – disse Mary filosoficamente. – Ontem à noite fez um pouco de frio; fora isso, já dormi em lugares piores.

– Ah, não, não, você não pode fazer isso – disse Una. – Tenho um plano, Faith. – Sabe aquela pequena cama de cavalete que está no sótão, com um velho colchão, que o antigo ministro da igreja deixou? Vamos levar a roupa de cama do quarto de hóspedes e preparar uma cama para Mary lá. Você não vai se importar em dormir no sótão, não é mesmo, Mary? Fica bem em cima do nosso quarto.

– Qualquer lugar é bom para mim. Ora, nunca tive um lugar decente para dormir na vida. Na casa da senhora Wiley, eu dormia no espaço do forro acima da cozinha. Havia goteiras no verão e entrava neve no inverno. Minha cama era um estrado de palha no chão. Eu não terei nenhuma reclamação sobre o lugar onde vou dormir.

O sótão da casa ministerial era um cômodo longo, baixo e escuro, com um dos lados do teto inclinado. Ali preparam uma cama para Mary com os delicados lençóis com babados e uma colcha bordada feita com muito orgulho por Cecilia Meredith para o quarto de hóspedes, que sobrevivera às lavagens descuidadas da tia Martha. Disseram boa noite, e o silêncio tomou conta da casa. Una estava quase adormecendo quando ouviu um barulho no cômodo logo acima que a fez se sentar subitamente.

– Ouça, Faith... Mary está chorando – sussurrou. Faith não respondeu, pois já estava dormindo. Una saiu da cama, atravessou o corredor em sua camisolinha branca e subiu as escadas do sótão. O ranger do piso anunciou sua chegada no cômodo silencioso banhado pelo luar. Havia um montinho bem no meio da cama.

– Mary – cochichou Una.

Não houve resposta. Una aproximou-se e puxou o lençol.

– Mary, sei que você estava chorando. Eu ouvi. Está se sentindo sozinha?

A menina finalmente deixou-se ver, mas não disse nada.

– Deixe-me deitar com você. Estou com frio – disse Una, estremecendo com o ar gelado da costa ao Norte que entrava pela janelinha aberta.

Mary abriu espaço, e Una aconchegou-se ao lado dela.

– Agora você não vai se sentir solitária. Não deveríamos ter deixado você sozinha na primeira noite.

– Eu não estava me sentindo solitária – disse Mary, fungando.

– Por que estava chorando, então?

– Ah, é que eu comecei a pensar nas coisas depois que vocês saíram. Em voltar para a casa da senhora Wiley e levar uma surra por ter fugido e... e... ir para o inferno por ter mentido. Isso tudo me deixou absurdamente aflita.

– Ah, Mary – disse a pobre Una, preocupada. – Não acredito que Deus a mandará para o inferno por ter mentido, sendo que você não sabia que era errado. Ele não pode. Afinal, Ele é gentil e bondoso. É claro que você não deve mais contar mentiras, agora que sabe que não é certo.

– Se não posso contar mentiras, o que vai ser de mim? – disse Mary, soluçando. – Você não entende e não faz ideia do que estou passando. Você tem um lar e um pai amoroso, ainda que pareça que lhe falte alguns parafusos. De qualquer maneira, ele não bate em você, e você nunca passa fome, embora aquela sua tia velha não entenda nada de cozinhar. É a primeira vez que eu sinto que comi o suficiente. Fui maltratada durante a vida toda, exceto nos dois anos em que vivi no orfanato. Ninguém me batia lá, e as coisas não eram tão ruins, apesar de a supervisora ser muito brava. Parecia sempre disposta a arrancar a minha cabeça. Só que a senhora Wiley é o mal encarnado, é isso que ela é, e eu fico paralisada de medo quando penso em ter que voltar para a casa dela.

– Talvez você não tenha. Talvez haja uma saída. Vamos pedir para Deus para que não tenha que volta para lá. Você reza, Mary?

– Ah, sim, sempre digo aquele verso antigo "agora me deito para dormir" – disse Mary com indiferença. – Mas nunca pensei em pedir algo em específico. Ninguém neste mundo jamais se importou comigo, por isso supus que Deus tampouco iria se dar ao trabalho. Talvez Ele tenha mais consideração por você, que é filha do ministro da igreja.

– Ele se preocupa da mesma forma com você, Mary, tenho certeza – disse Una. – Não importa quem sejam os seus pais. Apenas peça a Ele, que eu também vou pedir.

– Está bem – concordou Mary. – Não custa tentar. Se você conhecesse a senhora Wiley tão bem quanto eu, não acharia que Deus está disposto a se meter com ela. Enfim, não vou mais chorar por causa disso. Estou muito melhor aqui do que ontem, naquele velho celeiro cheio de ratos correndo de um lado para o outro. Veja o farol de Four Winds. Não é lindo?

– Esta é a única janela de onde se pode vê-lo – disse Una. – Eu adoro observá-lo.

– É mesmo? Eu também. Eu podia vê-lo do sótão da casa da senhora Wiley, e esse era meu único conforto. Quando ficava toda dolorida de tanto apanhar, eu o admirava e acabava me esquecendo da dor. Eu imaginava os barcos zarpando para lugares longínquos e desejava estar em um deles, indo para bem longe de tudo. Nas noites de inverno, em que ele não funcionava, eu me sentia muito solitária. Diga, Una, por que vocês estão sendo tão generosos comigo, que sou uma desconhecida?

– Porque é o certo. A Bíblia diz para sermos caridosos com todo mundo.

– Verdade? Bem, parece que muita gente não se importa com isso. Não me lembro de alguém ter sido tão piedoso assim comigo antes, juro que é verdade. Diga, Una, aquelas sombras na parede não são lindas? Elas se parecem com um bando de passarinhos dançantes. E, Una, eu gostei de todos os garotos da família Blythe e da Di, mas não gostei daquela Nan. Ela é arrogante.

– Ah, não, Mary, ela não é arrogante – defendeu Una. – Nem um pouco.

– Não me venha com essa. Qualquer pessoa com o nariz empinado daquele jeito é arrogante. Não gostei dela.

– Nós gostamos muito dela.

– Ah, será que gostam mais dela do que de mim? – disse Mary, com inveja. – Será?

– Ora, Mary... Nós conhecemos Nan há semanas e nós conhecemos você há algumas horas – gaguejou Una.

– Então vocês gostam mais dela? – disse Mary, enfurecida. – Tudo bem! Goste dela o quanto quiser. Não me importo. Não preciso de vocês.

Ela virou-se para a parede do sótão.

– Ah, Mary – disse Una, acariciando com ternura as costas da menina –, não fale assim. Isso me deixa muito mal. Eu gosto muito de você...

Não houve resposta. Una então começou a chorar e instantaneamente Mary virou e deu um abraço de urso na amiga.

– Pare – ordenou. – Não chore por causa do que eu disse. Fui muito maldosa por falar assim. Eu deveria ser esfolada viva. Vocês estão sendo tão bons comigo! Faz sentido você gostar mais de qualquer outra pessoa do que de mim. Eu mereço cada surra que levei. Vamos, acalme-se. Se continuar chorando, vou caminhar até o porto de camisola e me afogar.

A terrível ameaça fez Una engolir o choro. Mary secou as lágrimas do rosto dela com os babados do travesseiro extra, e as duas voltaram a se aconchegar, uma vez restabelecida a harmonia, e a observar as sombras das folhas da hera na parede iluminada pelo luar até adormecerem.

No escritório do andar de baixo, o reverendo John Meredith andava de um lado para o outro com uma expressão absorta e um olhar brilhante, pensando na mensagem do dia seguinte, sem saber que debaixo do próprio teto havia uma jovem alma desamparada, tateando às cegas em meio à escuridão e à ignorância, acossada pelo terror e pelas dificuldades grandes demais para a própria compreensão na luta desigual com o mundo imenso e indiferente.

MARY FICA
NA CASA MINISTERIAL

As crianças da casa ministerial levaram Mary Vance à igreja no dia seguinte. De início, a menina se opôs à ideia.

– Você não ia à igreja do outro lado do porto? – perguntou Una.

– Pode apostar. A senhora Wiley não fazia questão, mas eu ia todos os domingos em que conseguia escapulir. Eu me sentia muito grata de poder ir a algum lugar onde pudesse ficar sentada um pouquinho, porém não posso ir com este vestido surrado.

Faith resolveu o problema oferecendo-lhe seu segundo melhor vestido.

– Está um pouco desbotado e faltam dois botões, mas acho que vai servir.

– Vou costurar os botões rapidinho – disse Mary.

– Não no domingo – disse Una, chocada.

– É claro que sim. Não há dia melhor para realizar uma tarefa do que um dia santo. Dê-me uma agulha e uma linha e olhe para o outro lado, se não tiver coragem.

As botas de ir à escola de Faith e uma touca preta que pertencera a Cecilia Meredith completaram o figurino de Mary, e lá foram eles para a igreja. Seu comportamento foi bastante convencional e, embora algumas pessoas tenham se perguntado quem era a garotinha desalinhada junto com os filhos do ministro, ela não atraiu muita atenção. Ela ouviu o sermão com decoro e cantou com entusiasmo. Pelo visto, Mary tinha uma voz clara e marcante e um bom ouvido.

– Seu sangue nos purifica de todos os pecados – cantarolou Mary alegremente. A senhora Milgrave, sentada na frente das crianças da casa ministerial, virou-se de repente e examinou Mary da cabeça aos pés. Mary, com seu espírito travesso, mostrou a língua para ela, para o horror de Una.

– Não consegui me segurar – declarou na saída da igreja. – Por que ela me encarou daquele jeito? Que falta de modos! Estou contente por ter mostrado a língua para ela. Gostaria de ter feito algo mais. Sabe, eu vi Rob MacAllister, que mora do outro lado do porto. Imagino se ele vai contar para a senhora Wiley que me viu.

A senhora Wiley não deu as caras e, depois de alguns dias, as crianças se esqueceram dela. Pelo visto, Mary havia se tornado uma moradora permanente da casa ministerial. Entretanto, ela se recusava a ir à escola com eles.

– Não. Já estudei o suficiente – disse ela quando Faith insistiu. – Fui à escola durante quatro invernos desde que fui morar com a senhora Wiley e já estou farta. Estou cansada das constantes broncas porque eu não fiz a lição de casa. Eu não tinha tempo para fazer a lição.

– Nosso professor não vai lhe dar bronca. Ele é uma boa pessoa – disse Faith.

– Bem, eu não vou. Sei ler, escrever e fazer contas com frações. É tudo de que eu preciso. Vocês podem ir. Vou ficar em casa. Não precisam ter medo de que eu roube alguma coisa. Juro que sou honesta.

Enquanto os outros estavam na escola, Mary ocupou-se limpando a casa. Em poucos dias, o lugar ficou irreconhecível. O chão foi varrido, o pó foi tirado dos móveis, e tudo foi organizado. Ela remendou o buraco no colchão do quarto de hóspedes, costurou botões que tinham se perdido, cerziu roupas, até invadiu o escritório munida de uma vassoura e o espanador e mandou que o senhor Meredith esperasse do lado de fora enquanto arrumava tudo. Entretanto, havia um departamento no qual a tia Martha não permitia que ela interferisse. A tia Martha podia ser meio cega, meio surda e muito infantil, mas estava decidida a cuidar da despensa por conta própria, apesar das artimanhas e estratagemas de Mary.

– Se a velha Martha me deixasse cozinhar, vocês teriam refeições decentes – disse para as crianças da casa, indignada. – Chega de "a mesma coisa", de mingau cheio de caroços e de leite azul. O que ela faz com todo o creme?

– Ela dá ao gato. O bichano é dela, sabe? – disse Faith.

– Que absurdo – exclamou Mary amargamente. – Não gosto de gatos, aliás. São animais do diabo, dá para ver nos olhos deles. Bem, se a velha Martha não quer deixar, então está decidido, creio eu. Mas me dá nos nervos vê-la desperdiçar boa comida.

Depois da escola, eles sempre iam ao Vale do Arco-Íris. Mary se recusava a brincar no cemitério, afirmando que tinha medo de fantasmas.

– Fantasmas não existem – declarou Jem Blythe.

– Oh, é mesmo?

– Você já viu algum?

– Centenas deles – respondeu Mary prontamente.

– E como eles são? – perguntou Carl.

– Horrorosos. Vestidos de branco, com mãos e cabeças de esqueleto.

– O que você fez? – quis saber Una.

– Corri feito o diabo – respondeu. Então, Mary percebeu o olhar de Walter e corou. A menina tinha muito respeito por ele. Ela declarara para as garotas da casa ministerial que ele a deixava nervosa.

– Eu penso em todas as mentiras que já contei quando olho para eles e desejo não as ter dito.

Jem era o favorito de Mary. Quando ele a levou até o sótão de Ingleside e lhe mostrou o museu de curiosidades que o capitão Jim Boyd havia lhe dado, ela ficou imensamente lisonjeada. Ela também ganhou o coração de Carl graças ao interesse em seus besouros e formigas. Era inegável que Mary se dava melhor com os garotos do que com as garotas. Ela teve uma discussão feia com Nan Blythe no segundo dia.

– Sua mãe é uma bruxa – disse para Nan com desprezo. – Mulheres ruivas sempre são bruxas. – Depois, ela brigou com Faith por causa do galo. Mary disse que o rabo da ave era muito curto, e Faith respondeu com raiva que Deus sabia muito bem o tamanho certo do rabo dos galos. Elas não "se falaram" por vários dias. Mary tinha consideração pela boneca sem cabelos e de um olho só de Una, mas, quando Una lhe mostrou seu outro tesouro, um desenho de um anjo carregando uma criança, presumivelmente para o céu, Mary declarou que a imagem lembrava muito um fantasma. Una foi para o quarto e desatou a chorar, e Mary foi atrás dela, abraçou-a profusamente e implorou perdão. Ninguém conseguia ficar muito tempo brigado com Mary, nem mesmo Nan, que tinha uma grande propensão a guardar rancores e que nunca se esqueceu do insulto à mãe. Mary era divertida e sabia contar as melhores e mais emocionantes histórias de fantasmas. O Vale do Arco-Íris ficou indiscutivelmente mais animado após a sua chegada. Ela aprendeu a tocar o berimbau de boca e logo eclipsou Jerry.

– Ainda não encontrei algo que eu não possa fazer se não me esforçar – declarara. Mary raramente perdia a chance de gabar-se. Ela os ensinou a fazer "bolsas de ar" com as folhas grossas do sedum-vistoso que florescia no velho jardim dos Baileys, ela os iniciou nas saborosas qualidades das "ervas amargas" que cresciam nos recantos do muro do cemitério e podia fazer figuras incríveis de sombras nas paredes com os dedos longos e flexíveis. E, quando todos iam colher goma no Vale do Arco-Íris, Mary sempre conseguia a maior porção e se vangloriava. Às vezes eles a odiavam, e às vezes a amavam. Mas sempre a achavam interessante. Assim, eles se submetiam mansamente ao autoritarismo dela e, ao cabo de duas semanas, era como se Mary sempre tivesse feito parte da turma.

– É estranho a senhora Wiley não ter vindo atrás de mim – disse Mary. – Não faz sentido.

– E talvez ela nunca venha – disse Una. – E aí você poderá ficar aqui.

– Esta casa não é grande o suficiente para mim e para a velha Martha – disse Mary com seriedade. – É muito bom ter o suficiente para comer, com frequência eu me perguntava como seria, só que eu prefiro a minha comida. E a senhora Wiley virá cedo ou tarde; ela com certeza reservou umas palmadas para mim. Não penso muito nisso durante o dia, mas de noite, meninas, esses pensamentos são tão fortes que eu chego a desejar que ela viesse logo para colocar um fim nisso de uma vez por todas. Talvez uma boa surra seja muito melhor do que as dezenas que já vivenciei na minha imaginação desde que fugi. Vocês já apanharam?

– Não, claro que não – disse Faith, indignada. – O papai jamais faria uma coisa dessas.

– Vocês não conhecem nada da vida – suspirou Mary, com um misto de inveja e superioridade. – Nem imaginam o que eu já passei. E suponho que os Blythes também nunca apanharam.

– Nã-ã-o, creio que não. Acho que levaram algumas palmadas quando eram pequenos.

– Palmadas não são nada – disse Mary com desdém. – Se meus pais tivessem só me dado umas palmadas, eu teria achado que estavam me mimando. Bem, o mundo não é justo. Não me importaria de suportar a minha cota de surras, mas, maldição, parece que já aguentei além da conta.

– Não é certo falar essa palavra, Mary – repreendeu Una. – Você prometeu não a usar mais.

– Não me amole – respondeu Mary. – Se soubesse as palavras que eu poderia dizer, não ficaria escandalizada com "maldição". E você bem sabe que eu não contei nenhuma mentira desde que cheguei aqui.

– E todos aqueles fantasmas que você disse que viu? – perguntou Faith.

Mary corou.

– É diferente – respondeu com ar desafiador. – Eu sabia que vocês não acreditariam naquelas histórias, e essa nem era a minha intenção. Além disso, eu realmente vi alguma coisa esquisita enquanto passava pelo cemitério do outro lado do porto certa noite, juro pela minha vida. Não sei se era um fantasma ou a égua velha de Sandy Crawford, só sei que era tão estranho que eu saí em disparada.

UM EPISÓDIO ESCAMOSO

Rilla Blythe caminhava empertigada, talvez até demais, pela "rua" principal de Glen em direção à casa ministerial, levando cuidadosamente uma cesta pequena de morangos temporãos que Susan cultivara com capricho em um canto ensolarado de Ingleside. Susan a encarregara de entregar a cesta somente nas mãos de tia Martha ou do senhor Meredith, e Rilla, muito orgulhosa por terem lhe confiado tamanha incumbência, estava decidida a seguir as instruções à risca.

Susan a trajou primorosamente com um vestido branco engomado e bordado, uma faixa azul e sapatinhos cobertos de contas. Sobre os grandes cachos avermelhados e viçosos, Susan permitiu que ela colocasse o melhor chapéu, em respeito à casa ministerial.

Ia excessivamente arrumada, o que refletia mais o gosto de Susan do que o de Anne, e a pequena alma de Rilla regozijava-se em meio ao esplendor de seda, rendas e flores. Estava muito envaidecida por causa do chapéu, e seu andar passava uma impressão afetada. O andar pomposo, o chapéu, ou ambos irritaram Mary Vance, que estava se balançando no portão do gramado. Ela estava com o humor abalado. A tia Martha não deixou que ela descascasse as batatas e a enxotou da cozinha.

– Ah! Você vai servir batatas meio cruas e com tiras de casca penduradas, como sempre! Ora, vou adorar ir ao seu funeral – gritou Mary. A menina saiu e bateu a porta com tanta força que até a tia Martha escutou. O senhor Meredith sentiu a vibração no escritório e pensou distraidamente que devia ser um leve terremoto, antes de voltar a focar no sermão.

Mary pulou o portão e abordou a dama imaculada de Ingleside.

– O que temos aqui? – perguntou, tentando pegar a cesta.

Rilla resistiu.

– É para o senhor Meredith – disse, com o ceceio usual.

– Pode me dar. Eu levarei para ele.

– Não. Susan disse que eu deveria entregá-la só para o senhor Meredith ou a tia Martha – insistiu Rilla.

Mary a encarou com raiva.

– Você se acha o máximo, vestida como uma boneca, não é mesmo? Olhe para mim, meu vestido é um trapo e eu não me importo! Prefiro ser toda esfarrapada a ser uma bonequinha. Vá para casa e peça para que a coloquem em uma vitrine. Olhem para mim! Olhem para mim! Olhem para mim!

Mary fez uma dancinha selvagem ao redor da menina desolada e aturdida, agitando a saia e berrando "Olhem para mim! Olhem para mim!", até que a pobre Rilla ficou zonza. Quando ela tentou esquivar-se em direção ao portão, Mary voltou a confrontá-la.

– Entregue a cesta – ordenou, com uma careta. Mary era mestra na arte das caretas. Era capaz de criar expressões grotescas e inumanas, nas quais seus olhos brancos e estranhos brilhavam sinistramente.

– Não – arfou Rilla. Mesmo assustada, ela não cedeu. – Deixe-me em paz, Mary Vance.

Mary deu um passo para trás e olhou ao redor. Logo após o portão havia um pequeno "varal" onde uma dúzia de grandes bacalhaus secavam ao sol. Um dos paroquianos os havia presenteado ao senhor Meredith, talvez no lugar da contribuição à igreja que nunca fazia.

O ministro agradecera e se esquecera completamente dos peixes, que teriam estragado se a incansável Mary não os tivesse preparado para a secagem e pendurado no "varal" que ela mesma armou.

Mary teve uma inspiração diabólica. Ela correu até o varal e pegou o maior dos peixes, um animal imenso e achatado quase tão grande quanto ela. Mary deu um grito e lançou-se sobre a garota apavorada com o bizarro artefato. A coragem de Rilla desapareceu. Ser atacada com um bacalhau seco era algo tão insólito que Rilla não aguentou: deu um berro, largou a cesta e correu. As lindas frutinhas que Susan havia selecionado com tanto carinho para o ministro rolaram em uma torrente rósea na estrada empoeirada e foram pisoteadas pelo algoz e pela vítima. Mary já nem se lembrava da cesta. Ela só pensava no prazer de dar o susto de uma vida em Rilla Blythe. Ela iria lhe ensinar a não se sentir superior por causa das finas roupas.

Rilla correu colina abaixo e chegou até a rua. O terror deu asas aos seus pés e a manteve à frente da Mary, que tinha fôlego suficiente para dar gritos de gelar o sangue enquanto brandia o bacalhau no ar, apesar de a própria risada dificultar a perseguição. As duas percorreram a rua de Glen enquanto todos saíam na janela e nos portões. Mary sentia que estava causando uma tremenda sensação e desfrutava de cada segundo. Rilla, cega de terror e exausta, sentia que não conseguiria mais correr. Em instantes aquela garota terrível iria alcançá-la com o bacalhau. Foi então que a pobre menina tropeçou e caiu em uma poça de lama no fim da rua, justo quando a senhorita Cornelia saía da loja de Carter Flagg.

A senhorita Cornelia compreendeu toda a situação logo de cara. E Mary também. Assim, antes que a senhorita Cornelia pudesse abrir a boca, deu meia-volta e correu colina acima com a mesma velocidade com que a descera. A senhorita Cornelia comprimiu os lábios ameaçadoramente, mesmo sabendo que seria inútil ir atrás dela. Então, ajudou a coitadinha da Rilla, desgrenhada e chorosa, a ir para casa. Rilla estava de coração partido. O vestido, os sapatos e o chapéu estavam arruinados, e seu orgulho de seis anos tinha sido gravemente ferido.

Susan, lívida de indignação, ouviu o relato da senhorita Cornelia.

– Oh, aquela... Oh, aquela delinquente! – exclamou enquanto levava Rilla para limpá-la e confortá-la.

– Isso já foi longe demais, querida Anne – disse a senhorita Cornelia, resoluta. – Algo precisa ser feito. Quem é essa criatura que está hospedada na casa ministerial e de onde ela veio?

– Que eu saiba, ela mora do outro lado do porto e está visitando os Merediths – respondeu Anne, que via o lado cômico da perseguição do bacalhau e secretamente achava que Rilla era um tanto esnobe e precisava de uma lição ou duas.

– Conheço todas as famílias do outro lado do porto que frequentam a nossa igreja, e aquela pestinha não é de nenhuma delas – respondeu a senhorita Cornelia. – Ela praticamente veste trapos e usa as roupas velhas dos Merediths quando vai à igreja. Há um mistério aqui e vou investigá-lo, já que ninguém mais vai. Creio que ela é a culpada pela comoção no bosque de abetos de Warren Mead esses dias atrás. Você ficou sabendo que a mãe dele teve um ataque, tamanho foi o susto que levou?

– Não. Sei que Gilbert foi chamado para vê-la, mas não me inteirei do problema.

– Bem, você sabe que ela tem o coração fraco. Na semana passada, ela estava sozinha na varanda quando ouviu gritos pavorosos de "assassino" e "socorro" vindos do bosque. Era um barulho realmente assustador, querida Anne. O coração dela falhou na hora. Warren também ouviu os gritos do celeiro. Ele correu para investigá-los e deparou-se com as crianças da casa ministerial sentadas em uma árvore caída, berrando a plenos pulmões. Elas disseram que estavam só brincando e que não achavam que alguém iria se machucar. Disseram que estavam brincando de emboscada de índios. Warren foi para casa e encontrou a pobre mãe inconsciente na varanda.

Susan, que acabara de voltar, levantou o nariz com desdém.

– Creio que ela não chegou a ficar inconsciente, senhora Marshall Elliott, acredite em mim. Ouço falar do coração fraco de Amelia Warren há quarenta anos. Ele já era assim quando eu tinha vinte anos. Ela adora causar uma cena e chamar o médico; qualquer desculpa lhe convém.

– Acho que Gilbert não considerou o ataque cardíaco dela muito sério – disse Anne.

– Oh, é muito provável – disse a senhorita Cornelia. – O problema é que o assunto gerou muita confusão, e o fato de os Meads serem metodistas só agrava a situação. O que será daquelas crianças? Às vezes eu não consigo dormir de tanta preocupação, querida Anne. Chego até a questionar se eles têm o que comer, pois o pai deles está sempre tão perdido nos próprios pensamentos que nem se lembra que tem um estômago, e aquela velha preguiçosa não cozinha como deveria. Eles estão simplesmente soltos por aí, e, agora que a escola vai entrar em recesso, vai ser ainda pior.

– Eles se divertem bastante – disse Anne, rindo de algumas histórias do Vale do Arco-Íris que chegaram aos seus ouvidos. – E são todos corajosos, sinceros e leais.

– É verdade, querida Anne, e, quando penso em todos os problemas que os filhos mexeriqueiros e insolentes do último ministro causaram na igreja, sinto-me inclinada a relevar muito do que os Merediths aprontam.

– Apesar de tudo, querida senhora, são crianças muito boazinhas – disse Susan. – Tenho que admitir que há muito do pecado original dentro delas, mas talvez seja melhor assim, do contrário seriam insuportavelmente doces. Só acho inapropriado brincarem no cemitério e não vou mudar de ideia.

– Eles brincam sem fazer barulho lá – defendeu Anne. – Eles não correm e gritam como fazem em outros lugares... como os gritos que chegam até aqui vindos do Vale do Arco-Íris às vezes! Embora eu imagine que a minha turminha não seja inocente. Ontem à noite, eles simularam uma batalha e tiveram que "urrar" porque não tinham artilharia, como explicou Jem. Ele está naquela fase em que todos os garotos querem ser soldados.

– Bem, se Deus quiser, ele nunca será um soldado – disse a senhorita Cornelia. – Não achei correto enviar nossos rapazes para aqueles confrontos na África do Sul[8]. Ainda bem que já terminaram e é improvável que algo do tipo volte a acontecer. Acho que o mundo está ficando mais sensato. Quanto aos Merediths, já disse muitas vezes e volto a dizer: se o senhor Meredith tivesse uma esposa, tudo estaria dentro dos conformes.

– Disseram que ele visitou os Kirks duas vezes na semana passada – contou Susan.

– Bem – disse a senhorita Cornelia, pensativa –, por via de regra, não aprovo que um pastor se case com alguém da própria congregação. Isso geralmente o faz perder a autoridade. Só que, neste caso, não faria mal algum, porque todo mundo gosta de Elizabeth Kirk e ninguém mais está interessada na função de madrasta daquelas crianças. Elizabeth daria uma ótima esposa, se ele estiver interessado. O problema é que ela não é muito bonita, querida Anne, e o senhor Meredith, por mais avoado que seja, está sempre atento às mulheres lindas. Típico de um homem. Ele não é tão espiritualizado nessas horas, acredite em mim.

– Elizabeth Kirk é uma ótima pessoa, mas há quem diga que algumas pessoas já chegaram a quase morrer congeladas no quarto de hóspedes da mãe dela, querida senhora – disse Susan sombriamente. – Se eu tivesse o direito de expressar a minha opinião sobre um assunto tão solene como o casamento de um ministro, diria que Sarah, a prima de Elizabeth que mora do outro lado do porto, seria uma esposa melhor para o senhor Meredith.

– Ora, Sarah Kirk é metodista – disse a senhorita Cornelia, como se Susan tivesse sugerido que ele se casasse com uma noiva da tribo dos hotentotes.

---

8   O Canadá enviou tropas em apoio ao exército britânico durante a Guerra dos Bôeres (1899-1902). (N. T.)

– Ela provavelmente se converteria – retrucou Susan.

A senhorita Cornelia balançou a cabeça. Era evidente que ela acreditava que "uma vez metodista, sempre metodista".

– Sarah Kirk está absolutamente fora de questão – afirmou. – Assim como Emmeline Drew, por mais que a família dela esteja tentando aproximar os dois. Estão praticamente jogando a pobre Emmeline no colo do senhor Meredith, que não faz a mínima ideia do que está acontecendo.

– Emmeline Drew não tem brio, admito – disse Susan. – Querida senhora, ela é do tipo de mulher que colocaria uma garrafa de água quente na sua cama em uma noite escaldante e ficaria magoada se você não agradecesse. E a mãe dela era uma péssima dona de casa. Já ouviu a história do pano de prato? Certa vez, ela perdeu o pano e só o encontrou no dia seguinte. Ah, querida senhora, ele estava dentro do ganso sobre a mesa de jantar, no meio do recheio. Acha que uma mulher dessas daria uma boa sogra para um ministro da igreja? Eu não, mas eu deveria estar remendando as calças do pequeno Jem, em vez de fofocar sobre os meus vizinhos. Ele fez um rasgo enorme na noite passada enquanto brincava no Vale.

– Onde está Walter? – perguntou Anne.

– Temo que esteja tramando alguma coisa, querida senhora. Ele está no sótão, escrevendo em um caderno. E a professora me disse que ele não se saiu tão bem em aritmética como deveria. Eu sei muito bem o motivo. Ele fica escrevendo versos tolos em vez de fazer contas. Receio que aquele garoto se tornará um poeta.

– Ele já é um poeta, Susan.

– Bem, você aceita isso com muita calma, querida senhora. Suponho que seja o melhor, quando a pessoa leva jeito. Tenho um tio que começou a se tornar um poeta e acabou virando um mendigo. Nossa família morria de vergonha dele.

– Você parece que não gosta muito de poetas, Susan – disse Anne, rindo.

– E quem gosta, querida senhora? – perguntou Susan, genuinamente perplexa.

– E quanto a Milton e Shakespeare? E os poetas da Bíblia?

– Dizem que Milton não se dava bem com a esposa e que Shakespeare não era muito respeitado. Quanto à Bíblia, é óbvio que as coisas eram diferentes naqueles dias sagrados, embora eu não simpatize muito com o rei Davi, diga o que quiser. Nunca soube de algo bom que tivesse vindo da poesia e rogo para que aquele menino abençoado supere isso. Senão, veremos o que o óleo de fígado de bacalhau pode fazer.

A SENHORITA CORNELIA INTERVÉM

No dia seguinte, a senhorita Cornelia foi à casa ministerial e interrogou Mary, que, sendo uma jovem de considerável discernimento e astúcia, contou a história de forma simples e verdadeira, sem absolutamente nenhuma queixa ou petulância. A senhorita Cornelia ficou mais impressionada do que esperava, mas considerou que tinha o dever de ser severa.

– Acha mesmo que está demonstrando gratidão a essa família que foi tão gentil com você, insultando e perseguindo uma das amiguinhas deles?

– Sim, foi muita maldade da minha parte – admitiu Mary sem hesitar. – Não sei o que me deu. Aquele velho bacalhau pareceu tão útil! Mas eu me arrependi profundamente, até chorei antes de dormir, juro que é verdade. Pode perguntar para Una. Eu não quis contar a ela o motivo da minha vergonha, e então ela chorou também, porque achou que alguém tinha ferido meus sentimentos. Maldição, não tenho nem sentimentos para serem feridos. O que me preocupa é que a senhora Wiley não veio me procurar. Não é do feitio dela.

A senhorita Cornelia também achou um tanto peculiar. Todavia, ela meramente advertiu Mary para não tomar liberdades com o bacalhau do ministro de novo e foi até Ingleside contar o resultado do interrogatório.

– Se a história da menina é verdade, é preciso investigar o assunto – disse. – Eu sei algumas coisas sobre a senhora Wiley, acredite em mim. Marshall a conhecia bem quando morava do outro lado do porto. Lembro que ele contou alguma coisa no verão passado sobre uma criada que a mulher tinha, provavelmente essa mesma Mary. Alguém lhe contou que a criança trabalhava à exaustão e mal tinha o que comer e vestir. Sabe, querida Anne, sempre evitei me envolver com o povo do outro lado do porto, porém vou mandar Marshall até lá para averiguar a verdade. Sabia que os filhos do ministro encontraram essa menina morrendo de fome no velho celeiro de James Taylor? Ela havia passado a noite toda lá, com frio, com fome e sozinha. Enquanto dormíamos nas nossas camas quentinhas depois de jantar.

– Pobrezinha – disse Anne, imaginando um de seus amados bebês nas mesmas circunstâncias. – Se ela estava sendo maltratada, senhorita Cornelia, ela não deveria voltar para aquele lugar. Já fui uma órfã em condições muito similares.

– Teremos que consultar o orfanato de Hopetown – disse a senhorita Cornelia. – De qualquer forma, ela não pode ficar na casa ministerial. Só Deus sabe o que aquelas pobres crianças podem aprender com ela. Pelo que sei, ela tem o hábito de praguejar. Agora, dá para acreditar que ela está lá há duas semanas e o senhor Meredith não se deu conta? Como pode um homem desses ter uma família? Ora, querida Anne, ele deveria ser um monge.

Duas noites depois, a senhorita Cornelia retornou a Ingleside.

– Inacreditável! A senhora Wiley foi encontrada morta na cama depois que aquela Mary fugiu. O coração dela dava sinais de fraqueza há anos, e o médico já tinha avisado que poderia acontecer a qualquer momento. Ela havia dispensado o empregado e não havia ninguém na casa. Alguns vizinhos a encontraram no dia seguinte. Eles notaram a ausência da criança, mas pensaram que a senhora Wiley a tinha enviado para a casa da prima em Charlottetown, como vinha dizendo que faria. Como a prima dela não compareceu no funeral, ninguém descobriu que Mary tinha sumido. As pessoas com quem Marshall conversou contaram coisas sobre a maneira como ela tratava a menina que fizeram o sangue dele ferver, como ele mesmo disse. Você sabe que Marshall fica enfurecido quando ouve falar de maus-tratos a uma criança. Disseram que ela a açoitava impiedosamente por qualquer coisa ou errinho. Teve gente que até pensou em escrever para as autoridades do orfanato, só que, como ninguém quis se meter nos problemas alheios, nada foi feito.

– Lamento que essa senhora tenha falecido – disse Susan com ferocidade. – Adoraria ir até lá e lhe falar poucas e boas. Bater em uma criança e deixá-la sem comer, querida senhora! Você sabe muito bem que defendo umas boas palmadas, mas não mais que isso. E o que vai ser dessa pobre criança agora, senhora Marshall Elliott?

– Suponho que vai voltar para Hopetown – disse a senhorita Cornelia. – Acho que ninguém por aqui está precisando de uma ajudante em casa. Vou visitar o senhor Meredith amanhã e dizer o que penso sobre essa situação.

– Não tenho a menor dúvida de que ela irá, querida senhora – disse Susan depois que a senhorita Cornelia se foi. – Nada a detém depois que enfia uma ideia na cabeça, mesmo que decidisse achatar a ponta do pináculo da igreja. Não compreendo como ela consegue falar dessa forma com um ministro, como se ele fosse uma pessoa comum.

Depois que a senhorita Cornelia foi embora, Nan Blythe desceu do balanço onde estivera estudando e escapuliu para o Vale do Arco-Íris. Os outros já estavam lá. Jem e Jerry brincavam de acertar um alvo lançando ferraduras velhas cedidas pelo ferreiro de Glen. Carl estudava formigas em uma elevação ensolarada. Walter, deitado de bruços entre as samambaias, lia para Mary, Di, Faith e Una um livro maravilhoso de mitos com histórias fascinantes sobre Preste João e o Judeu Errante[9], varinhas mágicas e homens com rabos, o Shamir, verme que partia rochas e abria caminho em direção a um rico tesouro, sobre as Ilhas Afortunadas e donzelas-cisnes. Walter ficou chocado ao descobrir que Guilherme Tell e Gelert também eram mitos, e a história do Bispo Hatto o deixaria acordado a noite toda. No entanto, as narrativas que ele mais amou foram sobre o Flautista de Hamelin e do Santo Graal. Ele as leu com empolgação, enquanto os sinos nas Árvores Enamoradas tilintavam sob a brisa de verão e o frescor das sombras da tarde que encobriam o vale.

– Diga, não são mentiras interessantes? – disse Mary com admiração quando Walter fechou o livro.

– Não são mentiras – disse Di, indignada.

– Você acha que são reais? – perguntou Mary, incrédula.

– Não... Não exatamente. São como as suas histórias de fantasmas. Elas não são verdadeiras, mas, como você não esperava que nós acreditássemos nelas, também não são mentiras.

– A história da varinha mágica não é mentira, de qualquer forma – disse Mary. – O velho Jake Crawford que mora do outro lado do porto sabe usá-las. Pessoas de todos os lugares mandam chamá-lo para cavar poços. E eu acho que conheço o Judeu Errante.

– Ah, Mary – disse Una, maravilhada.

– É verdade, juro pela minha vida. Um homem apareceu na casa da senhora Wiley no verão passado. Era tão velho que poderia ter qualquer idade. Ela lhe fez perguntas sobre postes de cedro, se eles durariam bastante. E ele disse "Durar bastante? Eles duram mil anos. Eu sei, pois eu

---

[9] Acredita-se que o Judeu Errante vivia em Jerusalém e, quando viu Jesus carregar a cruz, empurrou-o e disse: "Vá andando, vá logo". Por tal atitude, teria sido condenado a perambular pelo mundo até o fim dos dias. (N. T.)

já os usei duas vezes". Agora, se ele tinha dois mil anos, ele só poderia ser o Judeu Errante.

– Não acredito que o Judeu Errante se envolveria com uma pessoa como a senhora Wiley – disse Faith decididamente.

– Eu amo a história do Flautista de Hamelin – disse Di –, e a mamãe também. Sempre sinto muita pena do garotinho manco que não conseguiu acompanhar os outros e ficou de fora da montanha. Deve ter ficado tão desapontado! Ele provavelmente passou o resto da vida se perguntando que coisas maravilhosas perdeu, desejando ter entrado junto com os outros.

– A mãe dele deve ter ficado alegre – disse Una. – Imagino que ela era muito triste pelo filho ser manco. Acho que até chorava de noite. Mas, depois do ocorrido, ela não se sentiu mais triste, nunca mais. Ela ficou contente, pois foi por isso que ela não o perdeu.

– Algum dia – disse Walter pensativo, olhando para o horizonte – o Flautista virá por aquela colina até o Vale do Arco-Íris, tocando sua flauta com animação e doçura. E eu o seguirei pela praia, até o mar e para longe de todos vocês. Não acho que eu vou querer ir com ele. Jem vai e será uma grande aventura, mas não eu, porém serei obrigado. O chamado da música será hipnotizante e eu terei de segui-lo.

– Todos nós iremos – exclamou Di, contagiada pela imaginação de Walter, quase acreditando poder ver a figura zombeteira do mítico flautista se afastando do outro lado do vale.

– Não. Vocês vão se sentar aqui e esperar – disse Walter, com os olhos grandes e esplêndidos repletos de um brilho estranho. – Vocês vão nos esperar voltar. O que talvez não aconteça porque só poderemos voltar quando o Flautista parar. Pode ser que ele nos leve pelo mundo inteiro. Mesmo assim, vocês ficarão aqui e nos esperarão.

– Ah, basta! – disse Mary, estremecendo. – Não me olhe assim, Walter Blythe. Está me dando arrepios. Quer me fazer chorar? Posso até ver o pavoroso Flautista indo embora e levando vocês, enquanto nós, as garotas, ficamos aqui sozinhas. Não sei o porquê, pois nunca fui uma chorona, mas é só você começar com as suas histórias que eu tenho vontade de chorar.

Walter sorriu com triunfo. Ele gostava de exercitar seu poder nos colegas: brincar com os sentimentos, despertar medos, comover as almas, pois isso saciava algum instinto dramático nele. Todavia, por baixo de todo o triunfo, ele experimentava uma sensação misteriosa e sutil de medo. O Flautista de Hamelin parecera muito real para ele, como se o fino véu que ocultava o futuro tivesse sido erguido momentaneamente pelo vento sob o anoitecer estrelado do Vale do Arco-Íris, presenteando-o com um vislumbre dos anos vindouros.

Carl aproximou-se do grupo com um relatório do mundo das formigas, trazendo todos para o reino dos fatos.

– Formigas são muito interessantes – exclamou Mary, feliz por escapar do encanto sombrio do Flautista. – Carl e eu observamos aquele formigueiro no cemitério durante toda a tarde de domingo. Nunca pensei que insetos fossem tão complexos. São bichinhos invocados, e alguns gostam de começar uma briga sem motivo algum, pelo que vimos. Alguns são covardes e ficam tão assustados que se enrolam e se transformam em bolinhas, deixando que os outros lhe batam. Não encaram uma briga de jeito nenhum. Já alguns são preguiçosos e não trabalham. Nós vimos como fogem da labuta e vimos também uma formiga que morreu de tristeza porque outra foi morta. Ela não quis trabalhar nem comer, simplesmente morreu, juro por de... demais.

Um silêncio tenso recaiu sobre o vale. Todos sabiam que Mary não tinha a intenção de dizer "demais". Faith e Di trocaram olhares que deixariam a senhorita Cornelia orgulhosa. Walter e Carl pareciam desconfortáveis, e os lábios de Una começaram a tremer.

Incomodada, Mary levantou-se.

– Escapou... Estou sendo honesta, juro por... Digo, juro que é verdade, e eu engoli metade. Pelo visto, o povo daqui é muito sensível. Vocês deveriam ouvir os Wileys quando brigam.

— Damas não dizem essas coisas — disse Faith, com um recato que não lhe era característico.

— É errado — sussurrou Una.

— Não sou uma dama — disse Mary. — Que chances eu tive de me tornar uma dama? Mas vou tentar não dizer isso novamente. Prometo.

— Além disso — disse Una —, não espere que Deus responda às suas preces se você usar o nome Dele em vão, Mary.

— Não espero que Ele responda a elas de qualquer forma — disse Mary, a descrente. — Faz uma semana que venho pedindo a Ele para resolver esse assunto com os Wileys, e Ele ainda não fez nada. Vou desistir.

Nesse momento, Nan chegou esbaforida.

— Ah, Mary, tenho uma notícia para você. A senhora Elliott foi até o outro lado do porto e sabe o que ela descobriu? A senhora Wiley faleceu. Foi encontrada morta na cama dela na manhã após a sua fuga. Você nunca mais vai precisar voltar para lá.

— Morta! — disse Mary, estupefata. Então, ela estremeceu.

— Acha que as minhas preces têm algo a ver com isso? — exclamou, suplicante, para Una. — Se sim, nunca mais rezarei na vida. Ora, ela pode voltar para me assombrar.

— Não, não, Mary — reconfortou-a Una —, elas não tiveram nada a ver. Afinal, a senhora Wiley morreu bem antes de você começar a rezar.

— É mesmo — disse Mary, recuperando-se do pânico. — Mas levei um susto. Não gostaria de saber que matei alguém com as minhas preces. Nunca pensei em nada do tipo enquanto rezava. Ela não parecia ser do tipo de pessoa que morre. A senhora Marshall disse alguma coisa sobre mim?

— Disse que você provavelmente terá que voltar para o orfanato.

— Foi o que pensei — disse Mary com pesar. — E depois vão me entregar para outra pessoa, provavelmente alguém como a senhora Wiley. Bem, acho que conseguirei suportar. Sou forte.

— Rezarei para que não tenha que voltar — sussurrou Una enquanto voltava para a casa ministerial com Mary.

– Faça o que quiser – disse Mary decididamente –, mas juro que não rezarei, pois esse negócio de rezar me assusta. Veja no que deu. Se a senhora Wiley tivesse morrido depois que eu comecei a rezar, seria culpa minha.

– Oh, não seria, não – disse Una. – Gostaria de poder explicar melhor as coisas. Sei que o papai pode, se quiser falar com ele, Mary.

– Nem pensar! Não sei o que pensar do seu pai, essa é a verdade. Ele passa por mim em plena luz do dia e nunca me vê. Não sou orgulhosa, só que também não sou um capacho!

– Oh, Mary, é só o jeito do papai. Na maior parte do tempo ele tampouco nos vê. Ele só está pensando profundamente, é isso. E eu vou rezar para que você fique em Four Winds, pois eu gosto de você, Mary.

– Tudo bem. Só que eu não quero saber de mais ninguém morrendo por causa disso – disse Mary. – Também gostaria de ficar em Four Winds. Gosto do povoado, gosto do porto e do farol... e de vocês e dos Blythes. São os únicos amigos que eu já tive e detestaria perdê-los.

UNA INTERVÉM

A senhorita Cornelia teve uma conversa com o senhor Meredith que deixou em choque o cavalheiro distraído. Ela mostrou, sem muito respeito, a negligência dele ao permitir que uma criança abandonada como Mary Vance entrasse naquela casa e se relacionasse com os filhos dele sem inteirar-se de nada.

– Acho que não aconteceu nada de mal – concluiu. – Essa Mary até que não é uma criança ruim. Questionei seus filhos e os dos Blythes e, pelo que pude compreender, não há nada de ruim que possa ser visto sobre ela, com exceção do linguajar pouco refinado. Contudo, imagine se ela fosse uma daquelas crianças de que ouvimos falar. Você sabe muito bem o que aquela pobre criaturinha que Jim Flagg tinha contou e ensinou aos filhos dele.

O senhor Meredith sabia muito bem e ficou honestamente espantado com o próprio descuido.

– E o que devemos fazer, senhora Elliott? – perguntou, impotente. – Não podemos mandar embora aquela pobre criança. Ela precisa de cuidados.

— É claro. É melhor escrevermos para as autoridades de Hopetown o quanto antes. Enquanto isso, é melhor que ela fique aqui por mais alguns dias, até recebermos uma resposta. Entretanto, fique de olhos e ouvidos atentos, senhor Meredith.

Susan teria morrido de horror na hora se tivesse ouvido a senhorita Cornelia dar ordens a um ministro da igreja. A senhorita Cornelia foi embora radiando de satisfação pelo dever cumprido, e naquela noite o senhor Meredith chamou Mary até o escritório dele. A menina obedeceu, literalmente empalidecendo de medo, só que teve a maior surpresa de sua vida curta e sofrida. Aquele homem, que lhe causava tanto pavor, era a pessoa mais bondosa e gentil que ela já tinha conhecido. Antes que pudesse compreender o que acontecia, Mary descobriu-se desabafando todos os seus problemas e recebendo em troca tamanha simpatia e ternura que jamais imaginara. Ela saiu do escritório com uma expressão e um olhar tão tranquilos que Una quase não a reconheceu.

— Seu pai é uma boa pessoa quando está acordado — disse, com algo que se assemelhava muito a um soluço. — É uma pena ele não acordar com mais frequência. Ele disse que a morte da senhora Wiley não foi culpa minha e que eu deveria tentar pensar apenas nos pontos positivos dela, não nos negativos. Não sei quais eram os pontos positivos dela, a não ser manter a casa limpa e fazer uma manteiga de primeira. Só sei que quase fiquei sem braços de tanto esfregar o chão da cozinha dela, com aqueles nós na madeira. De qualquer forma, eu farei tudo que o seu pai disser depois disso.

Mary se mostrou uma companhia maçante nos dias seguintes, entretanto. Ela confidenciou a Una que, quanto mais pensava em voltar para o orfanato, mais detestava a ideia. Una tentou a todo custo pensar em uma maneira de evitar isso, mas foi Nan Blythe quem a salvou com uma sugestão inesperada.

— A senhora Elliott poderia acolher Mary. Ela tem uma casa enorme e faz tempo que o senhor Elliott quer que ela consiga uma ajudante. Seria um ótimo lugar para Mary. Só que ela teria de se comportar.

– Ah, Nan, acha mesmo que a senhora Elliott faria isso?

– Não custa perguntar – disse Nan. De início, Una achou que não conseguiria. Ela era tão tímida que pedir um favor a qualquer pessoa era uma agonia e também tinha muito medo da resoluta e enérgica senhora Elliott. Una gostava muito dela e adorava visitá-la, todavia pedir que adotasse Mary Vance parecia tamanha presunção que o espírito acanhado da menina se encolhia.

Quando as autoridades de Hopetown escreveram ao senhor Meredith pedindo que enviassem Mary sem mais delongas, a menina chorou até dormir no quartinho do sótão, fazendo com que Una desenvolvesse uma coragem desesperada. No começo da noite seguinte, ela escapuliu da casa ministerial em direção à estrada do porto. Do Vale do Arco-Íris ela podia ouvir risadas felizes, mas lá não era o seu destino. Estava terrivelmente pálida e compenetrada, tanto que nem notou as pessoas que encontrou. A velha senhora Flagg ficou muito zangada e disse que Una Meredith seria tão distraída quanto o pai quando crescesse.

A senhorita Cornelia morava no meio do caminho entre Glen e Four Winds Point, em uma casa cujo verde brilhante original havia ganho um tom acinzentado com o passar o tempo. Marshall Elliott havia plantado árvores ao redor dela, criado um canteiro de rosas e uma cerca de abetos. Estava bem diferente do que era anos atrás. As crianças de Ingleside e da casa ministerial gostavam de ir até lá. Era um belo passeio pela velha estrada do porto e sempre havia um pote de biscoitos cheio ao final dele.

O mar enevoado lambia com suavidade a areia da praia lá embaixo. Três barcos grandes cruzavam o porto como imensas gaivotas. Uma escuna entrava pelo canal. O mundo de Four Winds transbordava de uma cor brilhante, uma música sutil e um estranho glamour; todos deveriam estar muito contentes. Não obstante, quando Una chegou ao portão da senhorita Cornelia, suas pernas quase se recusaram a continuar.

A senhorita Cornelia estava sozinha na varanda. Una esperava que o senhor Elliott fosse estar ali. Ele era tão grande, generoso e vivaz que sua presença lhe daria o encorajamento necessário. Ela sentou-se em um banquinho que a senhorita Cornelia trouxe e tentou comer uma rosquinha que a anfitriã lhe deu. A guloseima ficou presa na garganta da menina, que tentou desesperadamente engoli-la antes que a senhorita Cornelia ficasse ofendida. Ela não conseguia falar e, ainda, estava lívida; seus olhos azuis-escuros pareciam tão angustiados que a senhorita Cornelia concluiu que a criança estava com algum problema.

– Qual é o problema, querida? É evidente que alguma coisa a está afligindo.

Una esforçou-se para engolir a última volta da rosquinha.

– Senhora Elliott, não gostaria de acolher Mary Vance? – implorou.

A senhorita Cornelia a encarou por alguns instantes.

– Eu? Acolher Mary Vance? Você quer que ela more comigo?

– Sim... Acolhê-la... Adotá-la – explicou, ansiosa, ganhando coragem depois que o gelo foi quebrado. – Oh, senhora Elliott, por favor. Ela não quer voltar para o orfanato, chora todas as noites por causa disso, pois tem medo de ser mandada para outro lugar ruim. É tão esperta! Não há nada que não saiba fazer. Sei que não se arrependeria se a adotasse.

– Nunca me ocorreu algo do tipo – disse a senhorita Cornelia, pega de surpresa.

– Pense com carinho nisso – implorou Una.

– Querida, não preciso de uma criada. Sou capaz de fazer todos os tipos de serviços que há por aqui. E eu nunca pensei em adotar uma menina se precisasse de ajuda.

O brilho se apagou no olhar de Una. Os lábios dela começaram a tremer. Ela voltou a se sentar no banquinho e começou a chorar, um retrato patético da decepção.

– Não... Querida, não chore – exclamou a senhorita Cornelia, aflita. Ela não suportava ver uma criança chorar. – Eu não disse que não. A ideia é tão nova que me pegou desprevenida. Preciso pensar melhor.

– Mary é tão esperta! – disse Una novamente.

– Ah! Foi o que ouvi dizer. Também fiquei sabendo que ela prageja. É verdade?

– Nunca a ouvi praguejar exatamente – hesitou Una, desconfortável. – Mas temo que ela possa fazer isso.

– Eu acredito em você! Ela sempre conta a verdade?

– Creio que sim, exceto quando está com medo de apanhar.

– E, ainda assim, você quer que eu a adote!

– Alguém precisa adotá-la – soluçou Una. – Alguém precisa cuidar dela, senhora Elliott.

– É verdade. Talvez seja o meu dever fazer isso – disse a senhorita Cornelia, com um suspiro. – Bem, tenho que conversar com o senhor Elliott. Então, não diga nada ainda. Pegue mais uma rosquinha, querida.

Una pegou e a comeu com um apetite melhor.

– Gosto muito de rosquinhas – confessou. – A tia Martha nunca as faz, mas Susan faz em Ingleside e às vezes ela nos dá um prato cheio para levarmos para o Vale do Arco-Íris. Sabe o que eu faço quando estou com desejo de rosquinhas e não posso comê-las, senhora Elliott?

– Não, querida. O quê?

– Eu pego o velho livro de receitas da mamãe e leio a receita de rosquinhas... E outras receitas. Elas parecem tão boas! Sempre faço isso quando estou com fome, especialmente quando temos "a mesma coisa" para o jantar. Aí eu leio as receitas de frango frito e ganso assado. A mamãe sabia fazer todas essas coisas gostosas.

– Aquelas crianças da casa ministerial vão morrer de fome se o senhor Meredith não se casar – disse a senhorita Cornelia com indignação para o marido depois que Una foi embora. – Todavia nunca se casa... O que vamos fazer? Será que nós devemos ficar com Mary, Marshall?

– Sim, adote-a – disse Marshall laconicamente.

– É típico de um homem – disse a esposa, frustrada. – Você diz "Adote-a", como se fosse tão simples e há centenas de coisas para se considerar, acredite em mim.

– Adote-a, e depois nós as consideraremos, Cornelia – falou o marido.

A senhorita Cornelia acabou decidindo ficar com a menina, e os primeiros a ficarem sabendo foram os moradores de Ingleside.

– Esplêndido! – disse Anne, encantada. – Estava torcendo para que você fizesse isso, senhorita Cornelia. Quero que aquela pobre criança tenha um bom lar. Eu já fui uma órfã desamparada como ela.

– Não acho que essa Mary seja ou será como você – respondeu a senhorita Cornelia com pesar. – Ela é bem diferente. Ainda assim, é um ser humano com uma alma imortal que precisa ser salva. Sou de poucas palavras e tenho pulso firme e vou cumprir com o meu dever agora que a decisão está tomada, acredite em mim.

Mary recebeu a notícia com imensa satisfação.

– É melhor do que eu esperava – disse.

– Você terá que tomar cuidado com o que fala com a senhora Elliott – disse Nan.

– Bem, eu posso fazer isso – retrucou Mary. – Sei comportar-me tão bem quanto você quando quero, Nan Blythe.

– E tampouco pode praguejar, Mary – apressou-se Una em dizer.

– Creio que ela morreria se eu fizesse isso – os olhos brancos de Mary brilharam com a ideia nada angelical. – Mas não precisa se preocupar, Una. Nada vai me escapar. Serei educada e gentil.

– E nada de mentiras – acrescentou Una.

– Nem mesmo para escapar de uma surra? – ponderou Mary.

– A senhora Elliott nunca lhe dará uma surra. Nunca! – exclamou Di.

– Não mesmo? – disse Mary, cética. – Se eu for para um lugar onde nunca apanho, estarei no Paraíso. Não contarei nenhuma mentira, fique tranquila. Não gosto de mentir; prefiro falar só a verdade se puder.

No dia antes de Mary ir embora da casa ministerial, eles fizeram um piquenique em homenagem a ela no Vale do Arco-Íris, e todos os filhos do ministro lhe deram algum de seus tesouros como recordação. Carl lhe deu sua arca de Noé; Jerry, seu segundo melhor berimbau de boca; Faith lhe deu uma escova de cabelos pequena com um espelho na parte de trás, que Mary sempre achara linda; e Una ficou em dúvida entre uma bolsa velha de contas e uma ilustração de Daniel na cova dos leões, e por fim deixou que Mary escolhesse. A menina queria muito a bolsa, mas sabia que Una a adorava, então disse:

– Eu fico com o Daniel; adoro os leões. Eu só queria que eles o tivessem devorado. Teria sido mais emocionante.

Na hora de dormir, Mary convenceu Una a dormir com ela.

– Pela última vez – disse. – Está chovendo nesta noite, e eu odeio dormir sozinha quando chove, por causa do cemitério. Em noites como esta, eu só consigo ver a chuva cair sobre as lápides velhas, e o vento na janela soa como se os mortos estivessem tentando sair e chorassem por não conseguirem.

– Eu gosto de noites chuvosas – disse Una ao se aninharem no quartinho do sótão –, e as garotas Blythes, também.

– Essas noites não me incomodam quando não estou perto de cemitérios. Eu choraria sem parar se estivesse aqui sozinha. Sinto-me muito mal por estar deixando vocês.

– Tenho certeza de que a senhora Elliott deixará você ir brincar no Vale do Arco-Íris – disse Una. – E você vai se comportar, não é mesmo, Mary?

– Oh, eu tentarei – suspirou Mary. – Não vai ser tão fácil ser boazinha por dentro e também por fora quanto é para você. Você não teve uma família tão desajustada como a minha.

– Eles devem ter tido algumas qualidades, e não apenas defeitos – argumentou Una. – Você deveria focar apenas nelas, e não nas coisas ruins.

– Não creio que eles tinham qualidades – disse Mary lugubremente. – Nunca ouvi falar de nenhuma. Meu avô tinha dinheiro, mas dizem que era um sem-vergonha. Não, vou ter que aprender sozinha e fazer o melhor que puder.

– E Deus vai ajudá-la se você pedir, Mary.

– Não tenho tanta certeza disso.

– Ah, Mary. Você sabe que nós pedimos a Deus que arranjasse um lar para você, e Ele nos escutou.

– Não sei o que Ele tem a ver com isso – retrucou Mary. – Foi você que plantou a ideia na cabeça da senhora Elliott.

– Mas foi Deus quem a plantou no coração dela. De nada teriam adiantado meus esforços se Ele não tivesse feito isso.

– Bem, talvez seja verdade – admitiu Mary. – Saiba que não tenho nada contra Deus, Una. Estou disposta a Lhe dar uma chance. Porém, sinceramente, acho que Ele é muito parecido com o seu pai. Ele é distraído e não repara em ninguém na maior parte do tempo, só que às vezes desperta de repente e é bondoso, gentil e sensível.

– Oh, Mary, não! – exclamou Una, horrorizada. – Deus não é nem um pouco como o papai, quero dizer, Ele é milhares de vezes melhor e mais bondoso.

– Se Ele for tão bom quanto o seu pai, já estará de bom tamanho – disse Mary. – Durante a conversa que tivemos, tive a sensação de que eu nunca mais cometeria nenhum pecado.

– Eu gostaria que você conversasse com o papai sobre Deus – suspirou Una. – Ele explicaria tudo muito melhor do que eu.

– Bem, farei isso da próxima vez que ele acordar – prometeu Mary. – Na noite em que conversamos, ele me mostrou claramente que minhas preces não mataram a senhora Wiley. Minha consciência está tranquila desde então, porém ainda estou rezando com cautela. Creio que a oração que sempre faço antes de dormir é suficiente. Sabe, Una, eu imagino que, se uma pessoa precisa mesmo rezar para alguém, que seja para o diabo. Deus já é bom, segundo o que vocês me contam, de forma que Ele nunca faria nenhuma maldade, mas, pelo que compreendi, o diabo é que precisa ser aplacado. O mais sensato seria dizer: "Querido diabo, não me tente. Deixe-me em paz, por favor". Não concorda?

– Oh, não, não, Mary. Estou segura de que não seria correto rezar para o diabo, porque ele é maligno. Isso poderia irritá-lo, tornando as coisas ainda piores.

– Bem, quanto a essa questão envolvendo Deus – disse Mary, com teimosia –, já que não conseguimos chegar a uma conclusão, é melhor não tocarmos no assunto até podermos averiguar quem está certa. Até lá, farei o melhor que puder por conta própria.

– Se a mamãe estivesse viva, ela poderia nos dizer – disse Una, com um suspiro.

– Quem dera – disse Mary. – Não sei o que vai ser de vocês quando eu for embora. De qualquer forma, tente manter a casa um pouco arrumada. É escandaloso o que as pessoas comentam. E, quando menos esperarem, o seu pai se casará novamente, e aí vocês estarão fritos.

Una se sobressaltou. A ideia de o pai se casar novamente nunca lhe ocorrera. A menina não gostou nem um pouco e ficou em silêncio pensando a respeito.

– Madrastas são criaturas terríveis – prosseguiu Mary. – Sei coisas sobre elas que fariam o seu sangue gelar. Os filhos do senhor Wilson, que moram de frente para a casa onde eu vivia, tinham uma madrasta. Era tão má com eles quanto a senhora Wiley era comigo. Seria horrível se vocês tivessem uma.

– Tenho certeza de que isso não acontecerá – disse Una, estremecendo. – O papai não se casaria com mais ninguém.

– Creio que ele não terá escolha – disse Mary sombriamente. – Todas as velhas solteironas da região estão de olho nele. Não se pode fazer nada contra elas. E o pior é que as madrastas sempre colocam os pais contra os filhos. Ele jamais daria atenção para vocês novamente, e ela o faria acreditar que vocês são todos maus.

– Gostaria que nunca tivesse dito isso, Mary – murmurou Una. – Agora estou me sentindo muito infeliz.

– Eu só queria alertá-la – disse Mary, um tanto arrependida. – Seu pai é tão avoado que talvez nunca pense em se casar de novo, mas é melhor estar preparada.

Muito tempo depois que Mary adormeceu serenamente, Una continuava acordada, com os olhos cheios de lágrimas. Oh, seria um desastre se o pai dela se casasse com alguém que o fizesse odiar Jerry, Faith, Carl e ela! Ela simplesmente não suportaria!

Mary não instilou nas crianças da casa ministerial o veneno que a senhorita Cornelia temia. Ainda assim, mesmo que com as melhores intenções, ela causara um estrago. Ela teve uma noite de sono sem sonhos, enquanto a chuva caía, o vento uivava ao redor da casa cinzenta e Una continuava insone. O reverendo John Meredith esqueceu-se completamente de ir para a cama, porque estava absorto em uma biografia de Santo Agostinho. A alvorada gris já despontava quando ele terminou a leitura e foi para o quarto, lutando com problemas de dois mil anos atrás. A porta do quarto das meninas estava aberta, e ele viu Faith adormecida, com o semblante róseo e formoso. Ele se perguntou onde Una estava. Talvez tivesse ido passar a noite com as filhas dos Blythes. Ela fazia isso ocasionalmente, o que era algo especial para a menina. John Meredith suspirou; sabia que o paradeiro da filha não deveria ser um mistério. Cecilia teria cuidado dela melhor.

Se ao menos Cecilia estivesse ali! Como ela era bela e alegre! Como a casa ministerial em Maywater vibrava com as canções dela! Ela havia partido abruptamente, levando consigo as risadas e as músicas e deixando o silêncio. Foi-se tão abruptamente que ele nunca superara a sensação de assombro. Como ela, tão linda e cheia de vida, podia morrer?

John Meredith nunca havia cogitado seriamente a possibilidade de um segundo casamento. Ele amava tanto a esposa que não acreditava ser capaz de envolver-se com qualquer outra mulher. Ele tinha uma vaga noção de que em pouco tempo Faith estaria grande o bastante para assumir o lugar da mãe na casa. Até lá, ele teria que fazer o melhor possível sozinho. John Meredith suspirou e foi para o quarto, onde a cama ainda estava desarrumada. A tia Martha havia se esquecido, e Mary não se atrevera a arrumá-la, porque a mulher a proibira de entrar no quarto do ministro. No entanto, o senhor Meredith não reparou que a cama estava do jeito que ele a deixara. Seus últimos pensamentos foram sobre Santo Agostinho.

AS GAROTAS LIMPAM A CASA MINISTERIAL

– Essa não – disse Faith, estremecendo ao sentar-se na cama. – Está chovendo. Odeio domingos chuvosos. Domingos já são chatos o suficiente quando faz sol.

– Não devemos pensar que o domingo é um dia chato – disse Una, tentando despertar, com a estranha convicção de que haviam perdido a hora.

– Mas é o que nós pensamos, sabe? – disse Faith com sinceridade. – Mary Vance diz que a maioria dos domingos é tão maçante que ela tem vontade de se enforcar.

– Devemos ter mais consideração pelos domingos do que Mary Vance – refletiu Una com remorso. – Somos os filhos do ministro da igreja.

– Queria que fôssemos os filhos do ferreiro – protestou Faith com raiva, caçando as meias. – Aí as pessoas não esperariam que fôssemos melhores do que as outras crianças. Vejam só os furos nestas meias: Mary remendou todas antes de ir embora, mas já estão em um estado lastimável. Una, levante-se, não posso fazer o café da manhã sozinha. Ah, como eu queria que o papai e o Jerry estivessem em casa...

Não achei que sentiria saudades do papai. Nós não o vemos muito quando está em casa. Ainda assim, tudo parece diferente. Vou correndo ver como a tia Martha está.

– Está melhor? – perguntou Una quando Faith voltou.

– Não, não está. Continua resmungando e queixando-se. Talvez devêssemos falar com o doutor Blythe. Ela se recusa a vê-lo; disse que nunca precisou de um médico na vida e que não iria começar agora. Acredita que os médicos vivem de envenenar as pessoas. Acha mesmo que é verdade?

– Não, é claro que não – disse Una, indignada. – Tenho certeza de que o doutor Blythe não envenenaria ninguém.

– Bem, nós teremos que esfregar as costas da tia Martha de novo depois do café. É melhor não aquecermos tanto as flanelas como ontem.

Faith riu ao se lembrar. Elas quase escaldaram as costas da pobre tia. Mary Vance saberia a temperatura exata das flanelas para aliviar o tormento. Mary sabia de tudo. Elas não sabiam nada e como poderiam aprender senão por meio de experiências infelizes como aquela à custa das costas doloridas da desafortunada tia Martha?

Na segunda-feira anterior, o senhor Meredith tinha ido para a Nova Escócia para passar férias curtas e levara Jerry consigo. Na quarta-feira, a tia fora acometida por uma misteriosa e recorrente enfermidade que ela chamava de "o tormento", que quase sempre atacava nos momentos mais inconvenientes. Mal podia levantar-se da cama, e qualquer movimento causava agonia. Recusava-se terminantemente a receber um médico. Faith e Una preparavam as refeições e cuidavam dela. Não se pode dizer muito sobre a comida, exceto que não era muito pior que a da tia Martha. Muitas mulheres na vila teriam ficado felizes em ajudar, mas a tia não queria que sua condição fosse descoberta.

– Vocês terão que cuidar de tudo até que eu melhore – gemeu. – Ainda bem que John não está aqui. Há carne cozida fria e pão suficientes, e vocês podem tentar preparar o mingau.

As meninas tentaram, sem sucesso. No primeiro dia, estava muito ralo; no segundo, estava tão grosso que podia ser cortado em fatias. Nos dois casos, passou do ponto.

– Detesto mingau – disse Faith com uma expressão de desgosto. – Quando eu tiver a minha casa, nunca farei mingau.

– O que os seus filhos comerão? – perguntou Una. – Crianças precisam comer mingau, do contrário não crescerão.

– Eles terão que encontrar outro jeito ou ficar raquíticos – retrucou Faith com teimosia. – Una, venha aqui e mexa a colher por mim enquanto eu arrumo a mesa. Se parar por um instante, essa coisa horrorosa vai queimar. São nove e meia; vamos nos atrasar para a escola dominical.

– Ainda não vi ninguém passar em frente de casa – disse Una.
– Provavelmente não haverá muita gente. Veja que aguaceiro. E, quando não há sermão, as pessoas de longe não trazem os filhos.

– Vá chamar o Carl – disse Faith.

Carl aparentemente estava com uma dor de garganta causada por ter se molhado ao entrar no pântano do Vale do Arco-Íris na tarde anterior, atrás de libélulas. Havia chegado em casa com as meias e as botas ensopadas e ficara até de noite sem trocá-las. Ele não conseguiu comer nada, e Faith o mandou de volta para a cama. Una e ela deixaram a mesa como estava e foram para a escola dominical. Não havia ninguém na classe e ninguém mais chegou. Elas esperaram até as onze horas e foram embora.

– Parece que também não tem ninguém na escola dominical metodista – disse Una.

– Que bom – disse Faith. – Detestaria pensar que os metodistas vão à escola dominical em um domingo chuvoso e os presbiterianos não. E hoje também não há sermão na igreja deles, então provavelmente a aula será à tarde.

Una fez um ótimo trabalho ao lavar os pratos, tendo aprendido com Mary Vance. Faith varreu o chão sem muito afinco e descascou as batatas para o jantar, cortando o dedo no processo.

– Gostaria de ter alguma coisa para o jantar além da mesma coisa – suspirou Una. – Não aguento mais isso! Os filhos dos Blythes não sabem o que é isso, e nós nunca comemos pudim. Nan diz que Susan desmaiaria se não tivesse pudim no domingo. Por que não somos iguais às outras pessoas, Faith?

– Não quero ser como as outras pessoas – riu Faith, enrolando o dedo machucado. – Gosto de ser eu mesma, é mais interessante. Jessie Drew cuida da casa tão bem quanto a mãe, mas você gostaria de ser estúpida como ela?

– Só que a nossa casa não é como deveria ser. Foi o que disse Mary Vance. Segundo ela, as pessoas comentam que é muito desarrumada.

Faith teve uma inspiração.

– Então nós a limparemos! Começaremos amanhã. É uma ótima oportunidade, já que a tia Martha está acamada e não poderá interferir. Deixaremos tudo limpo e impecável para quando o papai chegar, do jeito que Mary a deixou antes de ir embora. Qualquer um pode limpar, tirar o pó e lavar as janelas. As pessoas não terão mais motivos para falar de nós. Jem Blythe disse que são só as velhotas, mas as fofocas delas machucam como se todo mundo falasse de nós.

– Espero que faça sol amanhã – disse Una, entusiasmada. – Ah, Faith, vai ser esplêndido ter uma casa limpa como a das outras pessoas.

– Espero que o tormento da tia Martha dure até amanhã – disse Faith. – Ou não conseguiremos fazer nada.

O desejo singelo de Faith foi atendido. No dia seguinte, a tia Martha ainda não conseguia ficar de pé. Carl também continuava mal e concordou em ficar na cama. Faith e Una não faziam ideia de quão doente o menino realmente estava. Uma mãe zelosa teria chamado um médico prontamente, só que ali não havia nenhuma mãe, e o pobrezinho do Carl, com a garganta dolorida, a cabeça ardendo e as bochechas vermelhas, enrolou-se nas cobertas e sofreu sozinho, confortado pela companhia de um pequeno lagarto verde no bolso do pijama surrado.

O mundo estava banhado pelos raios de sol após a chuva. Era um dia perfeito para uma faxina na casa, e Faith e Una puseram as mãos à obra com alegria.

– Limparemos a sala de jantar e a de estar – disse Faith. – É melhor não nos intrometermos no escritório, e o andar de cima não tem importância. A primeira coisa que temos que fazer é colocar tudo lá fora.

E, assim, tudo foi retirado. A mobília foi levada para a varanda e o gramado, e a cerca do cemitério metodista ficou lindamente decorada com os tapetes. Una então começou a varrer impetuosamente, enquanto Faith lavava as janelas da sala de estar, quebrando um dos vidros e rachando dois no processo. Una avaliou o resultado duvidoso.

– Por algum motivo, não parece certo – disse. – As janelas da senhora Elliott e de Susan brilham e reluzem.

– Não tem problema. Elas deixam a luz do sol entrar do mesmo jeito – disse Faith, contente. – Elas só podem estar limpas depois de todo o sabão e água que eu usei, e é isso que importa. Agora são onze e meia, eu vou secar toda essa água no chão e nós iremos lá para fora. Você tira o pó da mobília e eu chacoalho os tapetes. Farei isso no cemitério; não quero que a sujeira vá para o jardim.

Faith adorou limpar os tapetes. Subir no túmulo do Hezekiah Pollock e bater e chacoalhar os tapetes foi muito divertido, ainda que o ancião Abraham Clow e a esposa a tenham encarado com reprovação ao passarem de charrete.

– Não é um espetáculo horrível? – disse Abraham Clow solenemente.

– Eu não teria acreditado se não tivesse visto com os meus próprios olhos – disse a esposa, ainda mais solenemente.

Faith agitou um capacho cheia de alegria para eles. Ela não se preocupou com o fato de o casal não ter retribuído o aceno. Todos sabiam que o ancião Abraham nunca mais foi visto sorrindo depois de ter sido nomeado superintendente da escola dominical, catorze anos atrás. Contudo, ela ficou chateada por Minnie e Adella Clow não a terem cumprimentado de volta. Faith gostava das duas. Junto com os Blythes,

Minnie e Adella eram suas melhores amigas na escola, e ela sempre ajudava Adella com as somas. Quanta gratidão! As amigas a ignoraram só porque ela estava chacoalhando tapetes em um cemitério velho onde, como Mary Vance dizia, nenhuma alma viva era enterrada há anos. Faith foi à varanda, onde encontrou Una muito desanimada, porque as filhas dos Clows tampouco acenaram para ela.

– Acho que estavam irritadas com alguma coisa – disse Faith. – Talvez estivessem com inveja porque nós brincamos muito com os Blythes no Vale do Arco-Íris. Bem, espere até as aulas recomeçarem e Adella me pedir que eu lhe mostre como fazer as somas! Aí estaremos quites. Venha, vamos colocar as coisas no lugar. Estou exausta e não acho que os cômodos ficarão muito melhores do que antes, por mais que eu tenha tirado muita poeira no cemitério. Eu detesto limpar a casa.

Já passava das duas horas quando as garotas terminaram a faxina dos cômodos. Comeram qualquer coisa na cozinha e decidiram limpar os pratos. Porém, Faith acabou encontrando um novo livro de histórias que Di Blythe havia lhe emprestado e esqueceu-se do mundo até o entardecer. Una levou uma xícara de chá requentado para Carl, mas o encontrou dormindo, então ela aconchegou-se na cama de Jerry e também adormeceu. Enquanto isso, uma história esquisita circulava por Glen St. Mary, fazendo com que os moradores perguntassem seriamente uns para os outros o que seria das filhas do ministro.

– Isso não é motivo para piadas, acredite em mim – disse a senhorita Cornelia para o marido, com um suspiro exasperado. – Mal pude acreditar. Miranda Drew ouviu a história na escola dominical metodista nesta tarde e eu simplesmente a ignorei. Entretanto, a senhora Abraham disse que ela e o marido viram com os próprios olhos.

– Viram o quê? – perguntou Marshall.

– Faith e Una Meredith não foram à escola dominical nesta manhã e limparam a casa – disse a senhorita Cornelia, beirando o desespero. – Quando o ancião Abraham voltava da igreja, depois de ter ficado um tempo a mais para arrumar os livros da biblioteca, ele as viu sacudir os tapetes no cemitério metodista. Nunca mais terei coragem de olhar nos olhos de um metodista. Imagine o escândalo!

E foi mesmo um escândalo, que foi ficando cada vez pior à medida que a história se espalhava, até que o povo do outro lado do porto ouviu dizer que as crianças da casa ministerial não só limparam a casa e lavaram as roupas em um domingo, como também fizeram um piquenique à tarde no cemitério durante a escola dominical dos metodistas. A única família que permaneceu inocentemente alheia à terrível fofoca foi a do próprio ministro, pois, no dia em que Faith e Una acreditavam piamente ser terça-feira, choveu de novo, assim como nos três dias seguintes. Ninguém foi à casa ministerial, e os moradores de lá não foram a lugar algum. As crianças cruzavam o enevoado Vale do Arco-Íris até Ingleside, mas toda a família Blythe, com exceção de Susan e do doutor, tinham ido visitar Avonlea.

— Este é o nosso último pão e a mesma coisa já acabou — disse Faith. — Se a tia Martha não melhorar logo, o que faremos?

— Nós podemos comprar pão na vila, e ainda temos o bacalhau que Mary secou — disse Una. — O problema é que nós não sabemos como cozinhá-lo.

— Ah, é fácil — riu Faith. — É só ferver.

E foi o que fizeram, só que, como elas não o deixaram de molho de antemão, ficou salgado demais. Eles ficaram com muita fome naquela noite e no dia seguinte, todavia os problemas deles acabaram. O sol voltou para o mundo, Carl melhorou, e o tormento da tia Martha desapareceu tão repentinamente quanto havia começado. O açougueiro visitou a casa ministerial e afugentou a fome. Para fechar com chave de ouro, os Blythes voltaram para casa e naquela tarde eles, os filhos dos Merediths e Mary Vance se divertiram mais uma vez no Vale do Arco-Íris, onde as margaridas pareciam flutuar sobre a grama como espíritos do orvalho e os sinos das Árvores Enamoradas tocavam magicamente no crepúsculo perfumado.

UMA DESCOBERTA TERRÍVEL

– Bem, agora vocês conseguiram – foi a saudação de Mary ao juntar-se a eles no Vale. A senhorita Cornelia estava em Ingleside, mantendo um conclave tenso com Anne e Susan, e Mary esperava que a conversa fosse longa, já que fazia duas semanas desde a última vez que ela teve permissão de brincar com os colegas no querido Vale do Arco-Íris.

– Conseguimos o quê? – perguntaram todos, menos Walter, que sonhava acordado, como de costume.

– Eu me refiro aos filhos do ministro – disse Mary. – Foi um absurdo o que vocês fizeram. Eu não teria feito isso por nada no mundo, e eu não fui educada em uma casa ministerial, eu não fui educada em lugar nenhum.

– O que foi que nós fizemos? – perguntou Faith, preocupada.

– O que fizeram? E ainda perguntam! É pavoroso como as pessoas fofocam. Creio que isso arruinará a reputação do pai de vocês na congregação. Ele jamais conseguirá restaurá-la, pobre homem! Todos o estão culpando, e não é justo. Se bem que nada é justo neste mundo. Vocês deveriam se envergonhar.

– O que nós fizemos? – perguntou Una mais uma vez, desesperada. Faith não disse nada, e seus olhos de um castanho dourado fulminavam Mary.

– Oh, não se façam de inocentes – disse Mary secamente. – Todo mundo sabe o que vocês fizeram.

– Eu não – interveio Jem, indignado. – É melhor você não fazer a Una chorar, Mary Vance. Do que você está falando?

– Suponho que vocês não saibam, uma vez que acabaram de voltar de viagem – disse Mary, diminuindo o tom consideravelmente. Jem sempre conseguia controlá-la. – O resto do vilarejo sabe, acreditem em mim.

– Sabe o quê?

– Que Faith e Una cabularam a escola dominical na semana passada e limparam a casa.

– Não é verdade – responderam veementemente Faith e Una.

Mary as encarou com altivez.

– Não pensei que vocês iriam negar, depois de terem me dado uma bronca por mentir. De que adianta negar? Todos sabem que é verdade. O ancião Clow e a esposa testemunharam. Estão dizendo que isso destruirá a igreja, mas isso já é um exagero. Vocês são pessoas boas.

Nan Blythe levantou-se e abraçou as perplexas Faith e Una.

– Elas foram boas o suficiente para acolher, alimentar e dar roupas para você quando estava passando fome no celeiro do senhor Taylor, Mary Vance – disse. – Você deveria ser grata.

– Eu sou grata – retrucou Mary. – Você saberia se tivesse me ouvido defender o senhor Meredith a todo custo. Eu dei um nó na língua de tanto falar bem dele nesta semana. Repeti e repeti que não é culpa dele, as filhas terem limpado a casa no domingo. Ele estava fora, e elas sabiam que não deveriam ter feito isso.

– Mas não é verdade – protestou Uma. – Nós limpamos a casa na segunda. Não é mesmo, Faith?

– Claro que sim – disse Faith, com os olhos faiscando. – Nós fomos à escola dominical, apesar da chuva, e não havia ninguém, nem mesmo o ancião Abraham, apesar de todo o papo sobre cristãos.

– Foi sábado que choveu – disse Mary. – Domingo foi um dia lindo. Eu não fui à escola dominical porque estava com dor de dente, mas todos os outros foram e viram as suas coisas no gramado. E o senhor Abraham e a esposa viram vocês chacoalhar os tapetes no cemitério.

Una sentou-se em meio às margaridas e começou a chorar.

– Olha, isso precisa ser esclarecido – disse Jem, resoluto. – Alguém cometeu um erro. Não choveu no domingo, Faith. Como você confundiu o sábado com o domingo?

– A reunião da igreja foi na quinta-feira à noite – exclamou Faith –, e o Adam caiu na panela de sopa na sexta quando o gato da tia Martha o perseguiu, o que arruinou o jantar, e no sábado apareceu uma cobra no celeiro, e Carl a recolheu com uma forquilha e levou para fora, e no domingo choveu. Ora essa!

– A reunião foi na quarta-feira – disse Mary. – O ancião Abraham não podia realizá-la na quinta e por isso foi mudada para quarta. Você está um dia adiantada, Faith Meredith, e vocês trabalharam no domingo.

De repente, Faith gargalhou.

– Pelo visto, sim. Que piada!

– Não é uma piada para o seu pai – disse Mary com seriedade.

– Vai ficar tudo bem quando as pessoas descobrirem que foi um engano – disse Faith, sem se preocupar. – Nós explicaremos tudo.

– Você pode se explicar até ficar sem ar – disse Mary –, só que uma mentira como essa viaja muito mais depressa do que você jamais conseguiria. Eu conheço mais do mundo do que você imagina. Além disso, muitas pessoas não vão acreditar que foi um engano.

– Elas acreditarão quando eu explicar tudo – disse Faith.

– Não dá para explicar para todo mundo – disse Mary. – Não, eu acho que você desgraçou o seu pai.

A noite de Una foi arruinada por causa daquela reflexão sombria; no entanto, Faith recusou-se a se deixar abater. Ela havia bolado um plano que iria resolver tudo. Assim, ela deixou o passado e seus erros para trás e tratou de desfrutar o presente. Jem foi pescar, e Walter saiu de seus devaneios para descrever os bosques do céu. Mary aguçou os ouvidos e ouviu respeitosamente. Apesar do receio do menino, ela adorava a maneira como ele "falava como nos livros". Sempre lhe dava uma sensação gostosa. Walter estivera lendo Coleridge[10] naquele dia e imaginou um céu onde:

> *Havia jardins reluzentes com riachos sinuosos*
> *Onde floresciam inúmeras árvores perfumadas*
> *E florestas tão ancestrais quanto as colinas*
> *Em meio a clareiras relvadas e ensolaradas.*

– Não sabia que existiam florestas no céu – disse Mary, respirando fundo. – Achei que só existiam ruas, e ruas, e mais ruas.

– É óbvio que há florestas – disse Nan. – A mamãe e eu não conseguimos viver sem árvores, então de que adiantaria ir para o céu se não existisse nenhuma árvore?

– Há cidades também – disse o jovem sonhador –, cidades esplêndidas, coloridas como o ocaso, com torres safiras e cúpulas irisadas. São feitas de ouro e diamante... Ruas inteiras de diamantes, ofuscantes como o sol. Nas praças há fontes de cristal beijadas pela luz, e o asfódelo floresce por todas as partes. É a flor do céu.

– Fantástico – disse Mary. – Vi a rua principal de Charlottetown uma vez e fiquei impressionada, mas suponho que seja nada em comparação com o céu. Bem, a maneira como você conta faz tudo parecer maravilhoso, porém não soa um pouco chato também?

---

10 S. T. Coleridge (1772-1834), poeta inglês. (N. T.)

– Ah, acho que poderemos nos divertir um pouco quando os anjos não estiverem olhando – disse Faith tranquilamente.

– O céu é cheio de diversão – declarou Di.

– Não é o que diz a Bíblia – exclamou Mary, que vinha lendo tanto o Livro Sagrado nas tardes de domingo sob o olhar atento da senhorita Cornelia que agora se considerava uma autoridade no assunto.

– A mamãe diz que a linguagem da Bíblia é figurativa – explicou Nan.

– Isso quer dizer que ela não é correta? – perguntou Mary, esperançosa.

– Não... Não exatamente... Acho que quer dizer que o céu será do jeitinho que você gostaria que fosse.

– Gostaria que fosse igualzinho ao Vale do Arco-Íris – disse Mary –, com todos vocês para conversar e brincar. Isso seria bom o suficiente para mim. De qualquer forma, só iremos para o céu depois que morrermos, ou talvez nem assim, então por que se preocupar? Aí vem Jem com um monte de trutas, e é a minha vez de fritá-las.

– Nós deveríamos saber mais sobre o céu do que Walter, já que somos filhos do ministro da igreja – disse Una, enquanto voltavam para casa naquela noite.

– Nós sabemos tanto quanto, só que Walter consegue imaginar – disse Faith. – A senhora Elliott disse que ele puxou isso da mãe.

– Gostaria que não tivéssemos confundido o dia de domingo – suspirou Una.

– Não se preocupe. Pensei em um plano ótimo para nos explicarmos para todo mundo. Espere até amanhã à noite.

UMA EXPLICAÇÃO
E UM DESAFIO

O reverendo doutor Cooper pregou em Glen St. Mary na noite seguinte, e a igreja presbiteriana ficou lotada de pessoas de todos os lugares. O reverendo doutor era notório por ser eloquente e, tendo em mente o velho ditado de que um ministro deve usar as melhores roupas na cidade e os melhores sermões no interior, ele fez um discurso muito erudito e impressionante. Entretanto, quando o povo foi embora naquela noite, não era sobre o sermão do doutor Cooper que todos comentavam. Eles haviam se esquecido completamente dele.

O doutor Cooper concluiu com um apelo fervoroso, limpou a perspiração da testa, disse o seu famoso "oremos". Houve então uma pausa breve. A igreja de Glen St. Mary ainda seguia o antigo costume de fazer a coleta após o sermão ao invés de antes, principalmente porque os metodistas haviam adotado a nova moda primeiro e a senhorita Cornelia e o ancião Clow se recusariam a seguir o exemplo deles. Charles Baxter e Thomas Douglas, que tinham a tarefa de passar os pratos da coleta, estavam prestes a ficar de pé. O organista sacou a partitura do hino, e o coral limpou a garganta. De repente, Faith Meredith levantou-se, caminhou até o púlpito e virou-se para a congregação espantada.

A senhorita Cornelia levantou-se e voltou a se sentar. O banco dela ficava no fundo, então ocorreu-lhe que, independentemente do que Faith tivesse a intenção de dizer ou fazer, ela não conseguiria chegar lá a tempo de detê-la. Não havia motivo para tornar a cena ainda pior. Com um olhar angustiado para a senhora Blythe e outro para o diácono Warren da igreja metodista, ela resignou-se com mais um escândalo.

– Se ao menos a criança estivesse bem vestida – resmungou a senhorita Cornelia mentalmente.

Faith, tendo manchado o melhor vestido de tinta, havia posto um vestido rosa velho e desbotado. Havia um rasgo na saia que fora remendado com uma linha escarlate, e a bainha estava por fazer, deixando à mostra uma faixa rosa que não desbotara, porém as roupas eram a última preocupação de Faith. De repente, ela ficou nervosa, pois o que havia parecido fácil em sua imaginação era bem difícil na realidade. Confrontada por todos aqueles olhos questionadores, a coragem de Faith quase falhou. As luzes eram muito fortes, e o silêncio, esmagador. Ela achava que não conseguiria falar, porém era necessário, precisava limpar a reputação do pai, só que as palavras não queriam sair.

O rostinho puro e alvo como uma pérola de Una a contemplava cheio de adoração do banco da casa ministerial. Os filhos dos Blythes estavam hipnotizados. Nos fundos, embaixo da galeria, Faith viu o sorriso doce e gracioso da senhorita Rosemary West e a expressão divertida da senhorita Ellen. Todavia, nada disso ajudou. Foi Bertie Shakespeare Drew quem a salvou. Sentado no banco da frente da galeria, o menino fez uma careta para Faith, que prontamente a devolveu na mesma moeda. Graças à raiva incitada pela careta de Bertie Shakespeare, ela se esqueceu do medo do público. Faith recobrou a voz e falou com clareza e bravura.

– Quero explicar uma coisa e quero fazer isso agora para que todos que escutaram as histórias possam me ouvir. As pessoas estão dizendo que Una e eu ficamos em casa no domingo passado e limpamos a casa em vez de ir à escola dominical. Bem, nós ficamos mesmo, mas não foi a nossa intenção. Nós confundimos os dias da semana. Foi tudo culpa do ancião Baxter (comoção no banco da família Baxter), porque ele trocou o dia da reunião, e aí nós pensamos que a quinta-feira era sexta-feira, e por aí vai, até acharmos que sábado era domingo. Carl e a tia Martha estavam de cama, e por isso não puderam nos avisar. Fomos à escola dominical debaixo daquela chuva no sábado e não encontramos ninguém lá, então resolvemos limpar a casa na segunda, para que as pessoas parassem de comentar como a casa ministerial é suja (comoção geral na igreja). Eu sacudi os tapetes no cemitério metodista porque era um lugar muito conveniente, e não porque pretendia desrespeitar os mortos. Não foram as pessoas mortas que fizeram um escândalo por causa disso, e sim as vivas. E nenhum de vocês deveria culpar o meu pai, porque ele estava viajando e não sabia de nada. Enfim, nós pensamos que fosse segunda. Ele é simplesmente o melhor pai que já existiu neste mundo, e nós o amamos de todo o coração.

A coragem de Faith esvaiu-se com um soluço. Ela desceu do púlpito e saiu correndo da igreja pela porta lateral. A noite estrelada e amistosa de verão a confortou, e a dor desapareceu de seus olhos e da garganta. Ela estava muito contente, pois conseguira explicar-se. Agora todo mundo sabia que a culpa não era do pai deles e que Una e ela não eram tão perversas a ponto de limpar a casa em um domingo.

As pessoas se entreolhavam envergonhadas dentro da igreja, até que Thomas Douglas levantou-se e caminhou pelo corredor com uma expressão determinada. O dever dele era claro: coletar as doações mesmo que o céu estivesse despencando. E o cumpriu. O coro cantou o hino com a convicção desoladora de que estavam fora do tom. O doutor Cooper concluiu e deu a bênção final com muito menos fervor do que de costume. O reverendo tinha senso de humor, e a performance de Faith o divertira. Além disso, John Meredith era bem conhecido nos círculos presbiterianos.

O senhor Meredith retornou para casa na tarde seguinte, mas, antes de sua chegada, Faith conseguiu escandalizar Glen St. Mary mais uma vez. Em razão da intensidade e da tensão de domingo, ela estava especialmente carregada do que a senhorita Cornelia chamou de uma "força diabólica" na segunda-feira, o que a levou a desafiar Walter Blythe a correr pela rua principal montado em um porco, enquanto ela montava outro. Os porcos em questão eram dois animais altos e delgados, supostamente do pai do Bertie Shakespeare, que vinham rondando a estrada da casa ministerial nas últimas semanas. Walter não queria andar por Glen St. Mary em um porco, todavia qualquer desafio proposto por Faith deveria ser aceito. Eles desceram a colina e atravessaram o vilarejo, Faith curvada sobre a montaria aterrorizada às gargalhadas, Walter vermelho de vergonha. Eles passaram pelo próprio ministro, que chegava em casa da estação, menos sonhador e distraído do que o usual (em razão de uma conversa que tivera com a senhorita Cornelia, que sempre conseguia desertá-lo temporariamente). Ele reparou nos dois e pensou que deveria mesmo ter uma conversa com Faith e explicar que tal conduta não era adequada. Também passaram pela senhora Alec Davis, que gritou horrorizada, e passaram pela senhorita Rosemary West, que riu e suspirou. Finalmente, antes que os porcos se enfiassem no quintal de Bertie Shakespeare Drew, de onde nunca mais sairiam, tamanho o trauma que sofreram, Faith e Walter pularam de suas costas no instante em que o doutor e a senhora Blythe passavam por ali.

– Então é essa a educação que você dá para os seus filhos – brincou Gilbert, fingindo seriedade.

– Talvez eu os mime um pouco – disse Anne contritamente. – Ah, Gilbert, quando penso na minha própria infância antes de ir para Green Gables, não tenho coragem de ser severa. Como eu era carente de amor e diversão! Eu era um burro de carga que nunca tinha a chance de brincar! Eles se divertem tanto com as crianças da casa ministerial!

– E quanto aos pobres porcos? – perguntou Gilbert.

Anne tentou ficar séria e falhou.

– Acha mesmo que eles se feriram? Imagino que nada possa machucar aqueles bichos. Eles foram uma praga para a vizinhança neste verão, e os Drews não fizeram nada. Enfim, vou falar com Walter, isso se eu não começar a rir.

A senhorita Cornelia foi até Ingleside naquela noite para desabafar sobre a noite de domingo. Para a sua surpresa, ela descobriu que Anne não via o feito de Faith da mesma forma que ela.

– Havia algo de corajoso e patético na atitude dela de levantar-se diante da igreja apinhada de gente e confessar – disse. – Dava para ver que a menina estava apavorada, mesmo assim estava determinada a salvar a reputação do pai. Foi admirável.

– Ah, é claro, a pobre criança teve boas intenções – suspirou a senhorita Cornelia –, só que ela não foi prudente e causou mais confusão do que a própria faxina da casa no domingo. As pessoas já estavam parando de falar sobre aquilo, e isso colocou mais lenha na fogueira. Rosemary West é como você: na saída da igreja, ela disse que aquele foi um ato de valentia de Faith, mas que também ficou com pena dela. A senhorita Ellen achou tudo uma grande piada e que não se divertia tanto em uma igreja há anos. É claro que elas não se importam, pois são episcopais. Já os presbiterianos, sim. E havia muita gente do hotel, e um monte de metodistas. A senhora Leander Crawford até chorou, de tão mal que se sentiu. E a senhora Alec Davis disse que aquela malcriada tinha que apanhar.

– A senhora Leander Crawford sempre chora na igreja – disse Susan com desdém. – Ela chora por tudo que o ministro diz. Apesar disso, raramente vemos o nome dela em uma lista de doações, querida senhora. Lágrimas são mais baratas. Um dia ela me disse que a tia Martha era uma dona de casa desleixada, e eu tive vontade de dizer, "todo mundo sabe que você foi vista preparando bolos na tina de lavar pratos, senhora Leander Crawford!". Todavia não falei nada, querida senhora, pois tenho muito respeito próprio para discutir com alguém do nível dela.

E eu poderia falar coisas ainda piores dela se fosse uma pessoa de fofocar. Quanto à senhora Alec Davis, se ela tivesse dito isso para mim, sabe o que eu teria falado? "Tenho certeza de que você adoraria dar umas palmadas na Faith, senhora Davis, só que você não terá a chance de bater na filha de um ministro da igreja nem neste mundo nem no que está por vir".

— Se ao menos a pobre Faith estivesse vestida decentemente — lamentou a senhorita Cornelia de novo —, não teria sido tão ruim. Só que aquele vestido era vergonhoso para subir no púlpito.

— Pelo menos estava limpo, querida senhora — disse Susan. — São crianças limpas. Podem até ser muito arteiros e imprudentes, e isso não vou negar, mas eles nunca esquecem de lavar atrás das orelhas.

— E pensar que Faith esqueceu que dia era domingo — persistiu a senhorita Cornelia. — Ela vai ser tão descuidada quanto o pai, acredite em mim. Suponho que Carl não teria cometido esse engano se não estivesse doente. Não sei o que ele teve; é muito provável que tenha comido aqueles mirtilos que crescem no cemitério. Se eu fosse metodista, tentaria manter o meu cemitério limpo, pelo menos.

— Sou da opinião de que Carl comeu aquelas ervas daninhas que crescem no muro — disse Susan, esperançosa. — Não creio que o filho de algum ministro comeria frutas que crescem em túmulos. Não seria tão ruim comer as ervas azedas que crescem no muro, querida senhora.

— A pior parte da performance de ontem à noite foi a careta que Faith fez para alguém na congregação antes de começar — disse a senhorita Cornelia. — O ancião Clow declarou que foi para ele. E você ouviu que ela foi vista montada em um porco hoje?

— Eu a vi. Walter estava com ela, e eu lhe dei um sermão breve, muito breve, em casa. Ele não disse muita coisa; deu a entender que a ideia foi dele, e não de Faith.

— Não acredito nisso — exclamou Susan, erguendo os braços. — É típico de Walter levar a culpa por alguém. E você sabe tão bem quanto eu, querida senhora, que aquela criança abençoada jamais teria pensado em montar um porco, mesmo sendo um poeta.

– Ah, não há dúvida de que isso foi invenção da mente de Faith Meredith – disse a senhorita Cornelia. – E digo que aqueles porcos velhos do Amos Drew finalmente tiveram o que mereciam. Mas a filha de um ministro!

– E o filho do doutor! – disse Anne, imitando o tom da senhorita Cornelia. Então ela riu. – Minha querida, eles são apenas crianças, e você sabe que eles nunca fizeram nada de mal. São apenas imprudentes e impulsivos, assim como eu também já fui. Eles vão crescer e se tornar mais sérios, assim como eu me tornei.

A senhorita Cornelia também riu.

– Há momentos, querida Anne, em que eu acho que a sua seriedade é como uma peça de vestimenta e que na realidade você está louca de vontade de fazer algo louco e pueril novamente. Bem, sinto-me aliviada. Por algum motivo, conversar com vocês sempre tem esse efeito em mim. É o oposto de quando visito Barbara Samson. Ela me faz sentir que tudo está mal e que sempre estará. Se bem que passar a vida inteira ao lado de um homem como Joe Samson não deve ser muito animador.

– É estranho pensar que ela se casou com Joe Samson depois de todas as chances que teve – comentou Susan. – Ela teve muitos pretendentes quando era moça e costumava se gabar para mim de ter vinte e um paqueras e o senhor Pethick.

– Quem era o senhor Pethick?

– Bem, era uma espécie de companhia permanente, querida senhora, mas não era exatamente um paquera. Ele não tinha nenhuma intenção real, na verdade. Vinte e um pretendentes, e eu nunca tive sequer um! Só que, depois de muito escolher, ela ficou com a pior opção. Em contrapartida, dizem que o marido faz biscoitos de fermento melhor do que ela e que é ele quem sempre os prepara quando recebem visitas.

– O que me faz lembrar que terei visitas para o chá amanhã e, por isso, preciso preparar o pão – disse a senhorita Cornelia. – Mary disse que podia prepará-lo, e disso não tenho dúvida. Porém, enquanto estiver viva e puder fazê-lo, eu amassarei o meu próprio pão, acredite em mim.

– Como vai Mary? – perguntou Anne.

– Não tenho do que reclamar – disse a senhorita Cornelia, com um ar melancólico. – Não está mais só pele e osso, é asseada e respeitosa, embora ainda seja um mistério para mim. Ela é uma garotinha astuta. Se vocês tentassem estudá-la por mil anos, não compreenderiam a profundidade da mente dela, acreditem em mim! E eu nunca vi alguém tão esforçado; não há tarefa que não possa realizar. A senhora Wiley pode ter sido cruel com ela, só que ninguém pode dizer que a menina não é boa no que faz, é uma trabalhadora nata. Às vezes eu me pergunto o que se cansa primeiro, as pernas ou a língua dela. Agora não tenho mais tarefas suficientes para evitar a ociosidade. Ficarei muito contente quando as aulas voltarem, porque então eu terei o que fazer. Mary não quer ir à escola, mas eu bati o pé e disse que ela precisa ir. Não permitirei que os metodistas digam que eu a impedi de ir à escola enquanto eu me refestelava no ócio.

A CASA NA COLINA

Havia um pequeno riacho gélido e cristalino que nunca deixava de correr em certa baixada oculta pelas bétulas do Vale do Arco-Íris, no extremo inferior próximo ao pântano. Poucas pessoas sabiam de sua existência. As crianças de Ingleside e da casa ministerial sabiam, é claro, uma vez que conheciam cada canto do vale mágico. Ocasionalmente iam até lá para matar a sede, e em muitas de suas brincadeiras ele figurava como a fonte de alguma história antiga. Anne o conhecia e adorava porque, de certo modo, ele a remetia à adorada Bolha da Dríade em Green Gables. Rosemary West também o conhecia; era também a sua fonte de velhos contos. Dezoito anos atrás, ela sentou-se ali em um entardecer e ouviu o jovem Martin Crawford balbuciar a confissão de um amor febril e juvenil. Ela também sussurrou uma confissão, e os dois se beijaram e fizeram promessas junto ao riacho. Os dois nunca mais voltaram ali. Pouco depois, Martin zarpou rumo ao seu destino fatal. Para Rosemary West, aquele continuou sendo um local sagrado, santificado pela juventude imortal e pelo amor. Sempre que passava ali por perto, ela travava uma batalha secreta com um sonho antigo, um sonho cuja dor há muito havia se dissipado, deixando apenas uma doçura inesquecível.

O riacho era um segredo. Era possível passar a três metros de distância sem suspeitar da existência dele. Duas gerações atrás, um imenso pinheiro havia caído quase sobre ele. Nada sobrara da grande árvore além do tronco, do qual brotavam samambaias viçosas, criando um telhado verde e uma cortina de renda para a água corrente. Um bordo crescia bem ao lado com um tronco curiosamente retorcido e nodoso, que rastejava pelo chão antes de elevar-se, formando um belo lugar para se sentar, e em setembro surgia uma faixa de ásteres de um azul pálido e esfumaçado ao redor da baixada.

John Meredith, ao pegar um atalho pelo Vale do Arco-Íris enquanto voltava para casa de suas visitas pastorais por Harbour Head, parou para tomar um pouco de água. Walter Blythe havia lhe mostrado o riacho poucos dias antes, ocasião em que os dois tiveram uma longa conversa sobre o tronco do bordo. John Meredith, por baixo de toda a timidez e aparente indiferença, tinha o coração de um garoto. Ele era chamado de Jack quando pequeno, e ninguém em Glen St. Mary acreditaria nisso. Walter e ele simpatizaram um com o outro e conversaram sem reservas. O senhor Meredith encontrara o caminho para alas sagradas e seladas da alma do menino de cuja existência nem mesmo Di sabia. Eles se tornaram amigos depois daquele papo amigável, e Walter nunca mais teve medo do ministro.

– Nunca imaginei que fosse possível ser amigo de um ministro – disse ele para a mãe naquela noite.

John Meredith bebeu nas mãos brancas e magras, cuja força sempre surpreendia aqueles que não as conheciam, e sentou-se no banco formado pelo tronco do bordo. Ele não estava com pressa para ir embora. Aquele era um belo lugar, e ele estava mentalmente cansado depois de uma ronda de conversas desestimulantes com muitas pessoas boas e estúpidas. A lua surgia. Somente aquele ponto do Vale do Arco-Íris era atravessado pelo vento e vigiado pelas estrelas, e do extremo mais longínquo vinha o som alegre das risadas e das vozes das crianças.

A beleza etérea dos ásteres sob o luar, o cintilar das águas, o murmúrio do riacho e a graça das samambaias agitando-se ao vento criavam uma atmosfera mágica ao redor de John Meredith. Ele se esqueceu das preocupações e dos problemas espirituais. Os anos retrocederam, levando-o de volta à época em que fora um jovem estudante de teologia e as rosas de junho, vermelhas e perfumadas, adornavam regiamente os cabelos negros de sua Cecilia. Sentado ali, ele sonhou como um garoto. E foi nesse momento propício que Rosemary West afastou-se da trilha lateral e parou ao lado dele naquele lugar perigoso e hipnótico. John Meredith levantou-se quando a viu, quando realmente a viu pela primeira vez.

Ele já a avistara uma ou duas vezes e apertara a mão dela distraidamente, como fazia com todo mundo que encontrava pelo corredor da igreja. Ele nunca a encontrara em nenhum outro lugar, porque a família West era episcopal e frequentava a igreja em Lowbridge e porque nunca tivera a oportunidade de visitá-la. Antes daquela noite, se alguém tivesse perguntado para John Meredith como era Rosemary West, ele não teria a mínima ideia, mas ele jamais iria se esquecer da aparência dela naquele momento, surgindo em meio à doce magia do luar sob o riacho.

Não se parecia nem um pouco com Cecilia, que sempre fora o seu ideal de beleza feminina. Cecilia era pequena, morena e vivaz, enquanto Rosemary West era alta, loira e plácida. Mesmo assim, John Meredith pensou que nunca tinha visto uma mulher tão linda.

Sem chapéu, seus cabelos dourados "da cor de balas de caramelo", como havia dito Di Blythe, estavam presos em rolinhos apertados. Tinha olhos azuis grandes e tranquilos que sempre pareciam amigáveis, uma testa alva e alta e um rosto delicado.

Rosemary West era o que todos consideravam uma "mulher doce". Tão doce que nem mesmo sua postura altiva e aristocrática lhe rendera a reputação de "arrogante", o que inevitavelmente teria acontecido com qualquer outra pessoa em Glen St. Mary. A vida a ensinara a ser corajosa, paciente, amorosa e tolerante. Ela havia visto o navio de seu grande amor partir do porto de Four Winds em direção ao horizonte. Todavia, por mais longa que tivesse sido sua vigília, ela jamais o viu regressar. Ainda que a espera tivesse acabado com a jovialidade de seu olhar, ela havia conservado a juventude admiravelmente. Talvez porque Rosemary ainda encarasse a vida com um fascínio otimista que muitos de nós abandonamos na infância, atitude que não só fazia com que ela parecesse jovem, como também proporcionava uma agradável ilusão de rejuvenescimento naqueles que conversavam com ela.

John Meredith se sobressaltou com a beleza dela, e Rosemary, com a presença dele. Ela jamais cogitara encontrar alguém naquele lugar remoto, muito menos o ministro presbiteriano de Glen St. Mary. Ela quase derrubou o monte de livros que trazia da biblioteca da vila e, para disfarçar o espanto, disse uma dessas mentirinhas que até a melhor das mulheres contam às vezes.

– Eu... Eu vim tomar um pouco de água – disse com hesitação, em resposta ao grave "boa noite, senhorita West" do senhor Meredith. Ela sentiu-se uma completa idiota e teve vontade de ir embora. Contudo, John Meredith não era um homem vaidoso e sabia que ela teria se assustado mesmo se tivesse se deparado com o ancião Clow inesperadamente. A confusão dela o tranquilizou, e ele se esqueceu de ser tímido; além do mais, até o mais tímido dos homens pode ser audacioso sob o luar.

– Permita-me pegar um copo para você – disse, sorrindo. Havia um ali perto, uma xícara trincada e sem asa que as crianças do Vale do Arco-Íris haviam escondido debaixo das raízes de um bordo, só que ele não sabia disso. Assim, ele aproximou-se de uma das bétulas, arrancou uma faixa da casca branca e habilmente a dobrou, produzindo um copo de três pontas que ele encheu de água e entregou para Rosemary.

Rosemary a pegou e tomou até a última gota para punir-se pela mentira, já que não estava com sede, e beber uma grande quantidade de água quando não se está com vontade pode ser uma provação. Ainda assim, a lembrança viria a se tornar muito prazerosa para Rosemary. Nos anos posteriores, aquela situação ganharia tons sacramentais, provavelmente pelo que o ministro fez quando ela lhe devolveu o copo. Ele o encheu de novo e também bebeu dele. Foi um mero acidente o fato de ele ter posto os lábios no mesmo lugar que ela colocou os dela, e Rosemary sabia disso. Contudo, aquilo teve um significado curioso para ela. Os dois haviam bebido do mesmo copo. Ela recordou que uma tia velha havia dito certa vez que, quando isso acontecia, as almas das duas pessoas estariam conectadas de alguma forma após a vida, para o bem ou para o mal.

John Meredith segurou o copo, sem saber o que fazer com ele. O mais lógico seria jogá-lo fora, mas por algum motivo ele não quis fazer isso. Rosemary estendeu a mão.

– Posso ficar com ele? – disse. – Você o dobrou com tanta maestria. Meu irmãozinho também fazia copos assim, e não vejo isso há muito tempo... desde que ele morreu.

– Aprendi quando era garoto, acampando durante um verão. Foi um velho caçador que me ensinou – disse o senhor Meredith. – Permita-me carregar seus livros, senhorita West.

Rosemary se surpreendeu dizendo outra mentira, alegando que não estavam pesados, mas o ministro os tomou dela com um gesto imperioso, e os dois foram embora juntos. Era a primeira vez que Rosemary ia ao riacho e não pensava em Martin Crawford. O encontro místico fora cancelado.

O atalho dava a volta no pântano e levava à grande colina arborizada no topo da qual Rosemary vivia. Além das árvores, eles podiam vislumbrar a lua alumbrando os campos do verão. No entanto, a vereda era estreita e encoberta pelas sombras das árvores que a bordeavam, e árvores nunca são tão amigáveis com os seres humanos depois do cair da noite como são durante o dia. Elas se voltam para longe de nós, cochichando e confabulando furtivamente. Se estendem a mão, é com um toque hostil, sorrateiro. As pessoas que caminham entre elas durante a noite sempre se aproximam de maneira instintiva e involuntária, tornando-se aliadas física e mentalmente contra certas forças desconhecidas que as espreitam. Nem mesmo um ministro avoado, que ainda era um homem jovem, apesar de acreditar que já tinha deixado o romance para trás, seria insensível ao charme da noite, da trilha e da companhia.

Nunca é seguro pensar que já vivemos o suficiente. Quando imaginamos que já terminamos a nossa história, o destino nos pega de surpresa ao virar a página e revelar mais um capítulo. Aquelas duas pessoas pensavam que seus corações pertenciam irrevogavelmente ao passado, entretanto ambas gostaram muito do passeio pela colina. Rosemary não achou o ministro de Glen tão reservado e calado quanto haviam lhe dito; ele não parecia ter dificuldade em falar livremente. As donas de casa do vilarejo teriam ficado maravilhadas ao ouvi-lo, mas muitas delas só faziam fofocas e comentavam o preço dos ovos, e John Meredith não tinha interesse em nada disso. Ele falou sobre livros, música, de acontecimentos pelo mundo e até da própria vida e descobriu que ela era capaz de compreendê-lo e responder. Aparentemente, Rosemary tinha um livro que o senhor Meredith desejava muito ler. Ela o ofereceu emprestado e, quando chegaram à velha casa na colina, ele entrou para buscá-lo.

A casa era uma construção antiquada e cinzenta, coberta de vinhas que filtravam a luz que saía da sala de estar, criando um efeito acolhedor. Era possível ver Glen lá de cima, o porto banhado pelo luar prateado, as dunas de areia e o oceano murmurante. Eles atravessaram um jardim onde o perfume de rosas parecia ser perene, mesmo quando não havia flores. Havia uma irmandade de lírios no portão, uma faixa de ásteres de cada lado do amplo sendeiro e uma fileira de pinheiros na borda da colina atrás da casa.

– Você tem o mundo inteiro diante da sua porta da frente – disse John Meredith, respirando fundo. – Que vista! Que panorama! Sinto-me sufocado lá em Glen, às vezes. Aqui é mais fácil de respirar.

– Hoje está tranquilo – disse Rosemary, rindo. – Se estivesse ventando, você ficaria impressionado. O vento traz aqui para cima todo o ar que é capaz de assoprar. Este lugar deveria se chamar Four Winds[11], e não o porto.

– Gosto do vento – disse ele. – Um dia sem vento me parece morto. Um dia ventoso me faz despertar. – Ele riu da própria frase. – Em dias calmos, eu me perco em devaneios. Você provavelmente conhece a minha reputação, senhorita West. Se eu não a cumprimentar da próxima vez que nos virmos, não pense que não tenho bons modos. Por favor, tenha em mente que é apenas a minha distração, perdoe-me e fale comigo.

Eles encontraram Ellen West na sala. Ela tirou os óculos, colocou-os sobre o livro que estava lendo e os encarou com um espanto e algo mais. Com cordialidade, ela apertou a mão do senhor Meredith, que se sentou enquanto Rosemary procurava o livro.

Ellen West era dez anos mais velha que Rosemary e tão diferente desta que era difícil acreditar que eram irmãs. Era morena e macilenta, com cabelos negros, sobrancelhas grossas e pretas e olhos de um azul claro e acinzentado como as águas do golfo quando sopra o vento Norte. Tinha um aspecto mais severo e intimidador, mas na verdade era muito divertida, dona de uma risada gorgolejante e de uma voz profunda e agradável com um sutil toque masculino. Ellen já tinha comentado com Rosemary que gostaria muito de conversar com o ministro presbiteriano de Glen, para ver se ele era capaz de articular alguma palavra se fosse encurralado por uma mulher. Agora a chance havia chegado, e ela abordou o tema da política mundial. Leitora ávida, a senhorita Ellen estava devorando um livro sobre o cáiser da Alemanha e quis saber a opinião do senhor Meredith.

– É um homem perigoso – foi a resposta.

---
11 "Quatro Ventos", em inglês. (N. T.)

– Concordo! – assentiu a senhorita Ellen. – Escreva o que estou dizendo, senhor Meredith: aquele homem ainda vai arranjar uma briga com alguém. Ele está morrendo de vontade e vai acabar ateando fogo no mundo.

– Não creio que ele precipitará uma grande guerra por capricho – disse o senhor Meredith. – Essas coisas ficaram no passado.

– Deus o abençoe por pensar assim, mas temo que ele seja bem capaz disso – murmurou Ellen. – Nunca é tarde para os homens e as nações agirem como asnos e começarem a guerrear. Os mil anos que antecedem a volta de Cristo[12] não estão perto de acabar, senhor Meredith, e sei que você concorda comigo. Quanto a esse cáiser, escreva o que estou dizendo: ele ainda vai causar muitos problemas – a senhorita Ellen bateu enfaticamente no livro com o longo dedo. – Sim, se o mal não for cortado pela raiz, as consequências serão terríveis. Nós estaremos vivos para presenciá-las, você e eu, senhor Meredith. E quem irá detê-lo? A Inglaterra deveria, só que não o fará. Quem irá detê-lo? Diga-me, senhor Meredith.

Ele não sabia dizer, e os dois mergulharam em um debate sobre o militarismo alemão que terminou bem depois que Rosemary retornou com o livro. Rosemary não disse nada, apenas sentou-se em uma cadeira de balanço atrás de Ellen e acariciou meditativamente um grande gato preto. John Meredith solucionava grandes problemas da Europa com Ellen, mas olhava com maior frequência para Rosemary, o que a irmã mais velha não deixou de notar. Depois que Rosemary o acompanhou até a porta, Ellen levantou-se e a encarou com um olhar acusador.

– Rosemary West, aquele homem está cortejando você.

Rosemary estremeceu. A fala de Ellen foi como um golpe que destruiu todo o encanto da noite. Todavia, ela não permitiria que a irmã percebesse sua decepção.

– Bobagem – ela riu, um tanto forçosamente. – Você vê um pretendente para mim em cada esquina, Ellen. Ora, ele só falou da esposa

---

12 Referência ao Novo Testamento, Apocalipse 20: 1-7. (N. T.)

enquanto caminhávamos, do quanto ela significava para ele, do vazio que ela deixou no mundo quando faleceu.

– Bem, talvez seja o jeito dele de cortejar – retrucou Ellen. – Cada homem tem um estilo diferente, até onde sei. Só não se esqueça da sua promessa, Rosemary.

– Não é preciso me lembrar disso – disse Rosemary, sentindo um leve cansaço. – Você se esquece que sou uma solteirona com uns bons anos nas costas, Ellen. A sua imaginação fraternal não permite que você enxergue que já não sou uma moça na flor da idade. O senhor Meredith só quer ser meu amigo, se é que quer mesmo. Ele se esquecerá de nós antes de chegar em casa.

– Não tenho nada contra a amizade entre vocês – concedeu Ellen –, mas lembre-se de que não pode passar disso. Sempre suspeito dos viúvos. Eles não são dados a ideias românticas, como amizade, preferindo ir direto ao assunto. E por que as pessoas chamam esse presbiteriano de tímido? Ele não é nem um pouco acanhado, ainda que seja distraído... Tanto que se esqueceu de se despedir de mim. Também é inteligente. Há poucos homens nos arredores capazes de ser racionais. Gostei da nossa conversa. Não me importaria de vê-lo com mais frequência, mas não se esqueça, Rosemary, nada de flertes.

Rosemary estava acostumada com as advertências da irmã sobre flertes, pois ela não podia conversar nem por cinco minutos com algum homem solteiro com mais de dezoito e menos de oitenta anos. Ela sempre rira dessas reprimendas, sem disfarçar o quanto as achava divertidas. Desta vez, porém, Rosemary ficou um pouco irritada. Quem ali estava flertando?

– Não seja boba, Ellen – disse com uma brusquidão incomum ao pegar a lamparina. Ela subiu as escadas sem dar boa noite.

Ellen balançou a cabeça e olhou para o gato preto.

– Por que ela ficou tão irritada, São Jorge? Sempre ouvi dizer que onde há fumaça, há fogo. Ela prometeu, e os Wests sempre cumprem com as suas palavras. Então, não importa se ele tem intenções de cortejá-la, São Jorge. Ela prometeu, não vou me preocupar.

Em seu quarto, Rosemary sentou-se diante da janela e contemplou por um bom tempo o jardim enluarado e o porto resplandecente ao longe. Sentia-se vagamente incomodada e inquieta. De repente, ela percebeu que estava farta dos sonhos desgastados. No jardim, as pétalas da última rosa foram espalhadas por uma brisa súbita. O verão terminara, e o outono havia chegado.

A SENHORA ALEC DAVIS FAZ UMA VISITA

John Meredith regressou lentamente para casa. De início ele pensou um pouco em Rosemary; no entanto, quando chegou ao Vale do Arco-Íris, já tinha se esquecido completamente dela e refletia sobre um ponto da teologia alemã que Ellen mencionara e passou pelo vale sem nem perceber. O charme do Vale do Arco-Íris não era páreo para a teologia alemã. Quando chegou à casa ministerial, ele foi direto para o escritório e pegou um livro grosso para verificar quem tinha razão, se era ele ou Ellen. Perdido em seus labirintos ele ficou até o amanhecer, tendo encontrado uma nova trilha de especulação que percorreu como um cão farejador até a semana seguinte, totalmente alheio ao mundo, à igreja e à família. Lia dia e noite, esquecia-se das refeições quando Una não o buscava e o arrastava até a mesa, e não voltou a pensar em Rosemary ou Ellen. A velha senhora Marshall, que morava do outro lado do porto, estava muito doente e mandou chamá-lo, só que a mensagem permaneceu intocada sobre a mesa, juntando poeira. Ela recuperou-se, todavia nunca o perdoou. Um casal jovem foi até lá para se casar, e o senhor Meredith, com os cabelos desgrenhados, de pantufa e roupão surrado, realizou o matrimônio. Ele iniciou a leitura e só quando chegou ao trecho "das cinzas às cinzas, do pó ao pó" foi que percebeu vagamente que estava lendo o texto para serviços fúnebres.

– Ora essa – comentou tranquilamente –, que estranho.

A noiva, que estava muito nervosa, começou a chorar. O noivo, que não estava nem um pouco nervoso, deu risada.

– Com licença, acho que o senhor está nos enterrando em vez de nos casar – disse.

– Só um minuto – disse o senhor Meredith, como se aquilo não tivesse importância. Ele então encontrou e leu a passagem correta. Pelo resto da vida, a noiva nunca chegou a se sentir realmente casada.

Ele se esqueceu da reunião da igreja de novo, o que não causou nenhum problema, uma vez que estava chovendo e ninguém compareceu. Ele teria até se esquecido da missa de domingo se não fosse pela senhora Alec Davis. A tia Martha entrou no escritório no sábado à tarde e disse que a senhora Davis estava na sala, aguardando para falar com ele. O senhor Meredith suspirou. A senhora Davis era a única mulher da congregação que ele decididamente detestava. Infelizmente, ela era também a mais rica, e os outros membros da administração o haviam alertado para não a ofender. O senhor Meredith não costumava pensar em assuntos mundanos como a sua remuneração, mas os outros membros eram mais práticos e também astutos. Sem mencionar o dinheiro, eles conseguiram instilar no senhor Meredith a convicção de que ele não deveria injuriar a senhora Davis. Do contrário, ele provavelmente teria se esquecido da visita assim que a tia Martha saiu. Irritado, ele fechou o tomo de Ewald[13] e foi até a sala.

A senhora Davis estava sentada no sofá, olhando ao redor com um ar de reprovação desdenhosa.

Que sala vergonhosa! Não havia cortinas nas janelas. A senhora Davis não sabia que Faith e Una haviam tirado as cortinas no dia anterior para

---
13 Georg Heinrich August Ewald (1803-1875), teólogo alemão. (N. T.)

usá-las como togas de juízes em uma brincadeira e se esqueceram de colocá-las de volta, o que provavelmente não teria abrandado seu julgamento. As persianas estavam rachadas e tortas; os quadros nas paredes estavam tortos; os tapetes, torcidos; os vasos, cheios de flores murchas; a poeira literalmente formava montinhos.

– A que ponto chegamos? – perguntou a senhora Davis para si mesma, comprimindo a boca feia.

Jerry e Carl estavam descendo pelo corrimão aos berros quando ela chegou. Eles não a viram e continuaram a brincar, e a senhora Davis se convenceu de que estavam fazendo de propósito. O galo de estimação de Faith percorreu o corredor, parou na porta da sala e olhou para ela. Como não gostou do que viu, ele não se aventurou a entrar. A senhora Davis soltou o ar pelo nariz com desprezo. Era uma bela casa ministerial, de verdade, onde galos passeavam pelos cômodos e encaravam as pessoas desavergonhadamente.

– Xô, saia daqui – ordenou a senhora Davis, ameaçando-o com a sombrinha esvoaçante e iridescente.

Adam foi embora. Era um galo inteligente, e a senhora Davis havia torcido o pescoço de tantos frangos ao longo de seus cinquenta anos que uma aura de carrasco pairava ao redor dela. Adam fugiu pelo corredor quando o ministro chegou.

O senhor Meredith ainda estava de pantufas e de roupão, com os cachos desleixados cobrindo a testa alta. Entretanto, ainda era o cavalheiro de sempre. A senhora Davis, com o vestido de seda e a touca emplumada, as luvas de pelica e a corrente de ouro, parecia a mulher vulgar e grosseira que era. Cada um sentiu o antagonismo da personalidade do outro. O senhor Meredith se encolheu, mas a senhora Davis preparou-se para entrar em ação. Ela estava ali para fazer uma proposta para o ministro e não pretendia perder tempo com meandros. Ela iria lhe fazer um favor, um grande favor, e, quanto antes ele se inteirasse disso, melhor. Ela passara o verão inteiro pensando nisso e finalmente havia tomado uma decisão. "Isso é tudo que importa", pensou a senhora Davis. Quando ela colocava uma coisa na cabeça, não havia como voltar atrás. Ninguém mais podia opinar, e ela sempre foi assim. Quando decidiu se casar com Alec Davis, ela se casou com ele e ponto final. Alec nunca soube como isso veio a acontecer, mas que importância tinha? A senhora Davis fez tudo do jeito dela. Neste caso, era a mesma coisa: a senhora Davis fez tudo do jeito que lhe apetecia. Agora, só restava informar ao senhor Meredith.

– O senhor poderia fechar aquela porta, por obséquio? – disse a senhora Davis, afrouxando os lábios o suficiente para falar com aspereza. – Tenho algo importante para dizer e não posso fazer isso com toda essa balbúrdia no corredor.

O senhor Meredith obedeceu à senhora Davis e em seguida sentou-se diante dela, porém ainda não estava totalmente focado na visitante. Sua mente ainda lutava com os argumentos de Ewald. A senhora Davis sentiu o distanciamento e ficou incomodada.

– Vim aqui informar, senhor Meredith – disse agressivamente –, que decidi adotar Una.

– Adotar... Una! – O senhor Meredith a encarou sem esboçar nenhuma expressão e sem entender nada.

– Sim. Venho pensando nisso há algum tempo. Desde a morte do meu marido, tenho cogitado a ideia de adotar uma criança, só que não consegui encontrar uma que fosse adequada. São muito poucas as que eu consideraria levar para dentro da minha casa. Eu não adotaria uma criança de um orfanato, que muito provavelmente é uma pária da pobreza, o que não me deixa com muitas opções. No outono passado, um pescador que mora no porto morreu e deixou seis filhos. Tentaram fazer com que eu ficasse com um deles, e eu deixei bem claro que não tinha intenção de adotar um lixo desses. O avô deles roubou um cavalo. Além disso, eram todos meninos, e eu queria uma menina, uma garota quieta e obediente que eu pudesse treinar para se tornar uma dama.

Una seria perfeita. Ela se transformaria em um tesouro se fosse bem cuidada, diferentemente de Faith. Eu jamais sonharia em adotar Faith, mas ficarei com Una e darei a ela um bom lar e uma boa educação, senhor Meredith. E, se ela for bem-comportada, ficará com todo o meu dinheiro quando eu morrer. Nenhum dos meus parentes ficará com um centavo sequer, já me decidi. Foi a vontade de provocá-los que me fez pensar em adotar uma criança, em primeiro lugar. Una terá boas roupas, uma boa educação e bons modos, senhor Meredith, além de aulas de música e de pintura. Enfim, eu a tratarei como se fosse minha própria filha.

Nesse momento, o senhor Meredith já tinha despertado. Havia um leve rubor nas bochechas dele e um brilho perigoso nos belos olhos negros. Aquela mulher, cuja vulgaridade e soberba exsudava de cada poro, estava mesmo pedindo que ele lhe desse sua Una? Sua pequenina, querida e melancólica Una, dona dos mesmos olhos azuis-escuros de Cecilia? A criança que a mãe moribunda segurara junto ao coração enquanto os outros filhos eram retirados do quarto aos prantos? Cecilia abraçou a filha até que as asas do anjo da morte se fecharam ao redor dela, separando-as. Ela então olhou para o marido por cima da cabecinha escura da criança.

– Cuide bem dela, John – rogou-lhe. – Ela é tão pequena e tão sensível. Os outros poderão se virar, mas o mundo a machucará. Ah, John, não sei o que será de você e dela. Vocês dois precisam tanto de mim! Mantenha-a perto de você, mantenha-a perto de você.

Aquelas quase foram suas palavras finais. Ela ainda proferiu mais algumas, inesquecíveis, destinadas somente para ele. E aquela era a criança que a senhora Davis anunciava friamente que desejava tirar dele. O senhor Meredith endireitou-se na cadeira e encarou a senhora Davis. Apesar do roupão surrado e das pantufas esfiapadas, algo nele fez a senhora Davis sentir um pouco da velha reverência pelo "hábito" com o qual ela fora criada. Afinal, havia algo de divino em um ministro da igreja, mesmo que fosse um ministro pobre, simplório e distraído.

— Agradeço pelas boas intenções, senhora Davis — disse o senhor Meredith com uma cortesia gentil, decisiva e um tanto intimidadora —, mas não posso lhe dar a minha filha.

A senhora Davis o encarou, inexpressiva. Ela nem sonhava em ouvir um não.

— Ora, senhor Meredith — disse, perplexa. — Você deve estar louco e não pode estar falando sério. Pense melhor na minha oferta, pense em tudo que eu posso dar a ela.

— Não preciso pensar melhor, senhora Davis. Isso está completamente fora de questão. Todas as vantagens mundanas que a senhora poderia proporcionar a ela não compensariam a perda do amor e do carinho de um pai. Agradeço mais uma vez. Esta é a minha resposta final.

A frustração e a raiva fizeram a senhora Davis perder o autocontrole. Seu rosto avermelhado e redondo ficou roxo.

— Achei que ficaria contente — disse, com a voz trêmula.

— E por que achou isso? — perguntou o senhor Meredith, com calma.

— Porque ninguém acredita que você se importa com algum de seus filhos — retrucou a senhora Davis com despeito. — É espantosa a sua negligência. Não se comenta outra coisa em Glen. Eles não comem, não se vestem adequadamente e não têm bons modos. Comportam-se tão bem quanto um bando de índios selvagens. Você nunca se lembra dos seus deveres como pai. Uma criança desconhecida instalou-se aqui por duas semanas, e você sequer reparou na presença dela, uma criança que xinga feito um marinheiro, pelo que me disseram. Você não teria se importado se ela tivesse transmitido sarampo para seus filhos. E Faith causou o maior furor ao levantar-se no meio do sermão para fazer um discurso! E ela também percorreu a rua principal montada em um porco... Bem diante dos seus próprios olhos, se não me engano. A forma como se comportam é inacreditável, e você nunca levanta um dedo para refreá-los ou ensinar-lhes alguma coisa. E, agora que estou me oferecendo para dar a um deles um bom lar e um bom futuro, você se recusa e me insulta. Que belo pai você é! E ainda tem coragem de falar de amor e carinho pelos filhos.

– Chega, mulher! – disse o senhor Meredith. Ele levantou-se e lançou um olhar que a fez tremer. – Chega. Não quero ouvir mais nada, senhora Davis. Você já disse o suficiente. Pode ser que eu tenha sido omisso em meus deveres como pai, mas você não tem o direito de falar assim comigo. Desejo-lhe uma boa tarde.

A senhora Davis não disse algo tão amigável como "boa tarde" antes de ir embora. Ao passar pelo ministro, um sapo grande e gordo que Carl havia escondido debaixo da cadeira quase pulou no pé dela. A senhora Davis gritou ao tentar não pisar no animal horroroso, perdeu o equilíbrio e derrubou a sombrinha. Ela não chegou a cair, todavia cambaleou pela sala de maneira nem um pouco digna e chocou-se com a porta com um baque que a fez estremecer da cabeça aos pés. O senhor Meredith, que não viu o sapo, imaginou que ela estava tendo algum tipo de ataque apoplético e correu para ajudá-la. Porém a senhora Davis pôs-se de pé e o afastou com um gesto furioso.

– Não se atreva a me tocar – disse, quase gritando. – Essa é mais uma das traquinagens dos seus filhos, eu presumo. Este não é um lugar apropriado para uma mulher decente. Dê-me a minha sombrinha. Já estou de partida. Jamais voltarei a cruzar a porta da sua casa ou da sua igreja.

O senhor Meredith recolheu a sombrinha mansamente e lhe entregou. A senhora Davis a agarrou e foi embora. Jerry e Carl haviam parado de deslizar pelo corrimão e estavam sentados nos degraus da varanda com Faith. Por um infortúnio, os três cantavam com toda a potência de suas vozes jovens e saudáveis *There'll be a hot time in the old town tonight*[14]. A senhora Davis acreditou que a música era voltada para ela, e somente ela, e parou e balançou a sombrinha na direção deles.

– O seu pai é um tolo, e vocês são três delinquentes que merecem uma surra daquelas!

---

14 Música popular norte-americana composta por volta de 1896. (N. T.)

– Ele não é um tolo! – exclamou Faith.

– Não somos delinquentes! – exclamaram os garotos, mas a senhora Davis já tinha ido embora.

– Deus, que louca! – disse Jerry. – E o que "delinquente" quer dizer, aliás?

John Meredith caminhou de um lado para o outro na sala por alguns minutos, então voltou para o escritório e se sentou. Só que não retomou a teologia alemã, pois estava muito perturbado para isso. A senhora Davis o trouxera para a realidade violentamente. Será que ele era mesmo um pai tão ausente e imprudente como ela o acusara de ser? Será que ele negligenciava tanto assim o bem-estar espiritual e material das quatro criaturinhas órfãs de mãe que dependiam dele? Os comentários da congregação dele eram tão ruins como a senhora Davis havia declarado? Deviam ser, para ela ter vindo pedir Una tão crente e confiante de que ele iria lhe entregar a filha com a despreocupação e a satisfação de quem se livra de um filhote de gato indesejado. E, se fosse assim, o que fazer?

John Meredith resmungou e continuou a caminhar pelo cômodo empoeirado e bagunçado. O que ele poderia fazer? Ele amava os filhos tão profundamente quanto qualquer outro pai e sabia, apesar do poder da senhora Davis ou de qualquer pessoa da laia dela de perturbar a sua convicção, que eles o amavam devotamente. Entretanto, será que estava preparado para cuidar deles? Melhor do que ninguém, ele conhecia as próprias fraquezas e limitações. O que eles precisavam era da presença, a influência e o bom senso de uma boa mulher. Mas como? Mesmo se pudesse contratar uma empregada, isso magoaria a tia Martha. Ela ainda acreditava que podia dar conta de tudo. Ele seria incapaz de ferir os sentimentos daquela pobre idosa que era tão gentil com ele e os filhos. E como ela havia cuidado da Cecilia! A esposa pedira para que ele a tratasse com muita consideração. De repente, ele lembrou-se de que a tia Martha havia sugerido que ele deveria casar-se novamente, certa vez. Ela não iria se ressentir de uma esposa da mesma forma que de uma empregada. Contudo, isso estava fora de questão. John Meredith não desejava se casar; ele não podia e não iria nutrir sentimentos por ninguém. Assim, o que poderia ser feito? Subitamente ocorreu-lhe ir até Ingleside e conversar sobre suas dificuldades com a senhora Blythe. Ela era uma das poucas mulheres com quem ele nunca se sentia acanhado ou intimidado. Era sempre tão simpática e compreensiva! Talvez ela tivesse alguma sugestão para resolver os problemas dele e, mesmo se não tivesse, o senhor Meredith sentia que precisava da companhia de um ser humano decente depois daquela dose intragável de senhora Davis. Era algo para tirar o gosto amargo da alma.

Ele vestiu-se às pressas e prestou mais atenção no jantar do que de costume. Ocorreu-lhe que a comida era péssima. Ele olhou para os filhos, eram todos corados e saudáveis, exceto Una, que nunca fora muito forte nem quando a mãe ainda estava viva. Eles riam e conversavam e certamente pareciam contentes. Carl estava especialmente feliz porque havia duas belas aranhas ao redor do prato dele. Suas vozes eram agradáveis, seus modos não eram tão ruins, eles eram generosos e gentis uns com os outros. Ainda assim, a senhora Davis dissera que o comportamento deles era o assunto preferido da congregação.

No instante em que o senhor Meredith saiu pelo portão, o doutor e a senhora Blythe passaram de charrete pela estrada que levava a Lowbridge. O ministro entristeceu-se. Não havia motivo para ir até Ingleside. E, mais do que nunca, ele precisava de um pouco de companhia. Ao olhar para a paisagem, desamparado, a luz do crepúsculo iluminou a janela da velha casa dos Wests na colina, reluzindo em tons rosados como um raio de esperança. Ele recordou-se da conversa que teve com as irmãs Wests e pensou que seria ótimo bater um papo com a mordaz Ellen e rever o sorriso lânguido, doce e calmo e os olhos azul--celeste de Rosemary. Como era mesmo aquele velho poema sobre o *sir* Philip Sidney[15]? "Conforto contínuo em um rosto"... descrição perfeita para ela. E ele precisava de um pouco de consolo. Por que não fazer uma visita? Ele lembrou-se do convite de Ellen para aparecer mais vezes e de que precisava devolver o livro de Rosemary, então era melhor levá-lo antes que esquecesse. Ele teve o pressentimento incômodo de que em sua própria biblioteca havia muitos livros que tinha pegado emprestado em ocasiões e lugares diversos e que ali foram esquecidos. Era seu dever evitar que isso acontecesse agora. Ele voltou para o escritório, pegou o livro e partiu em direção ao Vale do Arco-Íris.

---

15 O poeta inglês Mathew Roydon (1580-1622) escreveu o poema *"An Elegy; or, Friend's Passion for his Astrophel"* em homenagem ao amigo *sir* Philip Sidney (1554-1586), que também foi um proeminente poeta britânico. (N. T.)

MAIS FOFOCA

No dia do enterro da senhora Myra Murray, que morava do outro lado do porto, a senhorita Cornelia e Mary Vance foram até Ingleside no fim da tarde. Havia muitas coisas que a senhorita Cornelia desejava desabafar para aliviar a alma. O funeral precisava ser esmiuçado, obviamente. Susan e a senhorita Cornelia debateram o assunto entre elas, pois Anne não gostava desse tipo de conversa. Ela afastou-se e ficou admirando o fulgor outonal das dálias no jardim e o pôr do sol onírico e glamoroso de setembro além do porto. Mary Vance sentou-se ao lado dela, tricotando docilmente. O coração de Mary estava lá no Vale do Arco-Íris, de onde vinham os sons distantes e doces das risadas das outras crianças. Seus dedos, porém, estavam sob a supervisão da senhorita Cornelia. Antes de ir brincar, era preciso terminar uma quantidade específica de voltas na meia que estava fazendo. Ela trabalhava de boca fechada, mas com os ouvidos atentos.

– Nunca vi um defunto mais bonito – avaliou a senhorita Cornelia. – Myra Murray sempre foi muito linda; ela era dos Coreys de Lowbridge, e eles sempre foram famosos pela beleza.

– Eu disse ao passar pelo caixão: "pobre mulher, espero que esteja tão contente quanto aparenta" – suspirou Susan. – Ainda parecia a mesma. Estava com o vestido preto de seda que comprara para o casamento da filha há catorze anos. A tia dela lhe disse para guardá-lo para o funeral, mas Myra riu e falou: "eu posso até usá-lo no meu funeral, tia, só que antes quero aproveitá-lo bem". E posso dizer que ela o aproveitou. Myra Murray não era do tipo de mulher que ia ao próprio enterro antes de morrer. Sempre que eu a via divertir-se com os amigos, pensava "você é uma mulher deslumbrante, Myra Murray, e esse vestido lhe cai muito bem, mas é provável que ele venha a ser a sua mortalha". E veja que as minhas palavras se concretizaram, senhora Marshall Elliott.

Susan suspirou profundamente. Ela estava se divertindo à beça, pois funerais eram um assunto deleitável.

– Eu adorava me encontrar com Myra – disse a senhorita Cornelia. – Era sempre tão alegre e divertida! Você se sentia melhor só de apertar a mão dela. Myra sempre via o lado bom das coisas.

– É verdade – confirmou Susan. – A cunhada dela me contou que, quando o médico lhe deu a notícia de que não havia mais nada que pudesse ser feito, que ela não voltaria a sair da cama, Myra disse "já que é assim, ainda bem que as conservas estão todas prontas e não terei que encarar a faxina geral de outono. Sempre gostei de limpar a casa na primavera, mas detesto fazer isso no outono. Neste ano eu escapei, graças a Deus". Algumas pessoas chamariam isso de leviandade, senhora Marshall Elliott, e acho que a cunhada ficou um pouco envergonhada e disse que a enfermidade havia deixado Myra meio delirante. Eu falei "não, senhora Murray, não se preocupe. É só o jeito da Myra de ver o lado bom da situação".

– A irmã dela, Luella, era o oposto – disse a senhorita Cornelia. – Nada tinha um aspecto positivo para a Luella, tudo era preto, com tons cinzas. Passou anos anunciando que iria morrer dali a uma semana. "Não serei um fardo para vocês por muito mais tempo", dizia para a família com um gemido. E, se alguém se arriscava a falar de planos futuros, ela murmurava "ah, eu não estarei aqui para ver". Eu sempre concordava com ela quando a visitava, o que a enfurecia a ponto de sentir-se melhor por vários dias. Myra era tão diferente, estava sempre dizendo ou fazendo alguma coisa para que os outros se sentissem melhor. Talvez os maridos delas tivessem algo a ver com isso. O da Luella era um troglodita, acreditem em mim, enquanto Jim Murray era um sujeito decente para um homem. Ele parecia desolado no funeral. Raramente compadeço-me de um homem no enterro da esposa, mas ele estava digno de pena.

– Não é de se admirar. Não será fácil encontrar outra esposa como a Myra – comentou Susan. – Talvez ele nem tente, já que os filhos estão todos grandes, e Mirabel é capaz de cuidar da casa. De qualquer forma, não há como prever o que um viúvo pode ou não fazer, e eu não vou arriscar palpites.

– Sentiremos muito a falta de Myra na igreja – disse a senhorita Cornelia. – Era tão esforçada! Nenhuma tarefa era demais para ela. Se não conseguia superar uma dificuldade, ela tentava contorná-la; se não fosse possível, ela fingia que não havia problema algum, o que geralmente era verdade. "Chegarei ao fim da minha jornada de cabeça erguida", disse para mim certa vez. Bem, agora terminou.

– Você acha mesmo? – perguntou Anne subitamente, retornando da terra dos sonhos. – Não consigo imaginar que a jornada dela acabou. Você consegue imaginá-la sentada, de braços cruzados? Aquele espírito ávido e inquisitivo, com seu afã por aventuras? Não. Eu acho que a morte apenas abriu seus portões e ela os atravessou... rumo a novas aventuras.

– Talvez... Talvez – concordou a senhorita Cornelia. – Sabe, querida Anne, nunca fui muito adepta da doutrina do descanso eterno e espero que não seja heresia dizer isso. Quero trabalhar no céu da mesma forma como trabalho aqui. E tomara que haja um substituto celestial para tortas e rosquinhas, algo que precise ser feito. É claro que às vezes nos cansamos e, quanto mais velha ficamos, maior é o cansaço. Porém até a pessoa mais cansada de todas terá tempo para descansar na eternidade. Exceto, talvez, uma pessoa preguiçosa.

– Quando eu me reencontrar com Myra Murray – disse Anne –, quero vê-la vir até mim toda serelepe e sorridente, como sempre foi aqui.

– Oh, querida senhora – disse Susan, em um tom chocado –, acha mesmo que Myra vai estar rindo no céu?

– Por que não, Susan? Você acha que iremos todos chorar por lá?

– Não, querida senhora, não me entenda mal. Acho que não iremos nem rir nem chorar.

– E como seremos, então?

– Ah, querida senhora – disse Susan, encurralada –, acredito que seremos todos solenes e pios.

– E você acredita mesmo, Susan – disse Anne, compassível –, que Myra Murray e eu conseguiríamos ficar sérias e comedidas o tempo todo? O tempo todo, Susan?

– Bem – admitiu Susan, relutante –, atrevo-me a dizer que vocês teriam de sorrir de vez em quando, mas para mim é inconcebível que haja risadas no céu. A ideia me parece irreverente, querida senhora.

– Bem, voltando para a terra – disse a senhorita Cornelia –, quem poderia assumir as aulas da escola dominical que eram da Myra? Julia Crow está no lugar dela desde que Myra adoeceu, mas ela irá para a cidade no inverno, e nós teremos que arranjar outra pessoa.

– Ouvi dizer que a senhora Laurie Jamieson está interessada – disse Anne. – Os Jamiesons estão frequentando regularmente a igreja desde que se mudaram de Lowbridge para Glen.

– É fogo de palha! – exclamou a senhorita Cornelia com desconfiança. – Veremos daqui a um ano.

– Não se pode confiar nem um pouco na senhora Jamieson – disse Susan com seriedade. – Ela morreu uma vez, e, enquanto tiravam as medidas dela para o caixão, já com o corpo todo estendido, ela não voltou à vida? Querida senhora, não podemos depender de uma mulher dessas.

– Ela pode virar metodista a qualquer momento – disse a senhorita Cornelia. – Ouvi dizer que eles iam à igreja metodista em Lowbridge tanto quanto iam à presbiteriana. Ainda não os flagrei fazendo isso aqui, todavia não aprovo que a senhora Jamieson assuma as aulas. Porém, não podemos ofendê-los. Estamos perdendo muita gente, por morte e por mau gênio. A senhora Alec Davis deixou a igreja, e ninguém sabe o motivo. Ela avisou aos anciões que não contribuiria com mais nem um centavo para o salário do senhor Meredith. É claro que a maioria das pessoas acha que foram as crianças que a ofenderam, por algum motivo; no entanto, eu não acho que foi isso. Tentei arrancar alguma coisa da Faith e descobri que a senhora Davis foi à casa ministerial aparentemente de bom humor e foi embora completamente enfurecida, chamando-os de "delinquentes".

– Delinquentes, que absurdo! – disse Susan com raiva. – Por acaso ela se esqueceu de que o tio dela por parte de mãe foi suspeito de envenenar a esposa? Nada foi comprovado, querida senhora, e não se pode acreditar em tudo que se ouve. Mesmo assim, se eu tivesse um tio cuja esposa morreu sem nenhum motivo satisfatório, eu não sairia por aí chamando crianças de delinquentes.

– O problema é que a senhora Davis contribuía com uma grande quantia – disse a senhorita Cornelia –, e não se sabe como essa perda será reparada. E se ela fizer os outros Douglas se virar contra o senhor Meredith, como certamente tentará fazer, ele terá que ir embora.

– Não creio que a senhora Davis seja muito benquista pelo resto do clã – disse Susan. – É improvável que consiga influenciá-los.

– A família Douglas é muito unida. Se mexer com um, estará mexendo com todos. Não podemos perdê-los, tenho certeza, e eles pagam metade do salário. Pode-se dizer muitas coisas sobre eles, mas não que são mesquinhos. Norman Douglas costumava contribuir com cem dólares por ano antes de abandonar a igreja.

— E por que ele a abandonou? — quis saber Anne.

— Ele alegou que um dos membros da administração lhe passou a perna na venda de uma vaca. Há vinte anos não coloca os pés na igreja. A esposa costumava vir regularmente quando era viva. Coitadinha, ele não permitia que ela contribuísse com nada, a não ser um mísero centavo todos os domingos, e ela se sentia terrivelmente humilhada. Não sei se era um bom marido, embora ela nunca reclamasse; só sei que sempre parecia assustada. Norman Douglas não conseguiu a mulher que queria trinta anos atrás, e os Douglas nunca gostaram de ficar em segundo lugar.

— Quem era a mulher que ele desejava?

— Ellen West. Não chegaram a ficar noivos, creio eu, mas namoraram por cerca de dois anos. E então simplesmente romperam, e ninguém sabe o motivo. Alguma briga boba, suponho. E Norman casou-se com a Hester Reese antes de esfriar a cabeça, só para provocar Ellen, não tenho dúvida. Típico de um homem! Hester era muito bonita, mas não tinha muita força de espírito, e ele acabou com o pouco que ela tinha. Hester era muito dócil para Norman. Ele precisava de uma mulher capaz de enfrentá-lo. Ellen o teria mantido na linha, e ele a teria amado ainda mais por causa disso. Ele desprezava Hester, essa é a verdade, porque ela sempre fazia o que ele queria. Eu o ouvi dizer várias vezes, há muito tempo, quando ainda era um rapaz jovem: "eu quero uma mulher com personalidade, é dessas que eu gosto". E aí ele se casou com uma garota que não enfrentaria nem um ganso. Típico de um homem! A família Reese era um bando de vegetais. Eles pareciam que estavam vivos, mas não viviam de verdade.

— Russell Reese usou a aliança da primeira esposa para se casar com a segunda — recordou Susan. — Uma atitude econômica demais na minha opinião, querida senhora. E o irmão dele, John, mandou construir o próprio túmulo no cemitério do outro lado do porto com tudo que tem direito, menos a data de falecimento, e vai admirá-lo todos os domingos. A maioria das pessoas não consideraria isso divertido, todavia é evidente que ele acha. As pessoas têm noções muito diferentes de diversão. Quanto a Norman Douglas, ele é um perfeito pagão. Quando o último ministro perguntou por que ele nunca ia à igreja, disse: "muita mulher feia, pastor!". Querida senhora, eu gostaria de dizer para um homem desses, com toda a seriedade, "existe um lugar chamado inferno!".

– Oh, Norman não acredita nisso – disse a senhorita Cornelia. – Espero que, quando morrer, ele descubra o erro que cometeu. Pronto, Mary, você já tricotou oito centímetros, e agora pode ir brincar com as crianças por meia hora.

Mary não precisou que repetissem. Ela voou para o Vale do Arco-Íris com o coração tão leve quanto seus passos e contou tudo sobre a senhora Davis para Faith Meredith.

– E a senhora Elliott disse que ela vai fazer a família Douglas inteira se virar contra o seu pai e que terão que ir embora de Glen porque ele não terá mais salário – concluiu Mary. – Eu não sei o que acontecerá, eu juro. Se ao menos o velho Norman Douglas voltasse a frequentar a igreja e contribuir, não seria tão ruim. Só que ele não voltará, a família toda abandonará a igreja, e vocês terão que ir embora.

Faith foi dormir com o coração pesado naquela noite. A ideia de ter que deixar Glen era insuportável, e em nenhum outro lugar do mundo haveria amigos como os Blythes. O coraçãozinho dela fora esmagado quando eles tiveram de deixar Maywater. Ela vertera lágrimas amargas ao se despedir dos amigos e da casa ministerial onde a mãe havia vivido e morrido. Era impossível contemplar calmamente a ideia de mais uma separação, ainda mais difícil. Ela não podia deixar Glen St. Mary, o adorado Vale do Arco-Íris e aquele cemitério incrível.

– É horrível ser da família de um ministro – murmurou Faith contra o travesseiro. – Justo quando nos afeiçoamos a um lugar, somos arrancados pelas raízes. Eu nunca, nunca, nunca me casarei com um ministro, não importa o quão bonito ele seja.

    Faith sentou-se na cama e olhou pela janela coberta de hera. A noite estava tranquila, e o silêncio era quebrado apenas pela respiração suave de Una. Faith sentiu-se espantosamente sozinha no mundo. Ela podia ver Glen St. Mary sob os campos estrelados da noite de outono. No alto do vale, uma luz brilhava no quarto das meninas em Ingleside e outra no quarto de Walter. Ela se perguntou se o pobrezinho estava com dor de dente de novo e então suspirou, sentindo uma leve e passageira inveja de Nan e Di. Elas tinham uma mãe e um lar estável, não viviam à mercê de pessoas que se enraiveciam sem motivo e as chamavam de delinquente. Além do vilarejo, entre campos que repousavam em meio ao sossego, outra luz ardia. Faith sabia que vinha da casa do Norman Douglas. Diziam que ele ficava até altas horas da noite lendo. Mary havia dito que, se ele fosse convencido a voltar para a igreja, tudo ficaria bem. E por que não? A menina olhou para a estrela grande e baixa que pendia sobre o abeto no portão da igreja metodista e teve uma inspiração. Ela, Faith Meredith, sabia o que precisava ser feito e iria consertar tudo. Com um suspiro de satisfação, ela deu as costas para o mundo escuro e solitário e aconchegou-se junto à irmã.

OLHO POR OLHO

Com Faith, decidir era agir. Ela não perdeu tempo para colocar em prática sua ideia. Assim que voltou para a casa ministerial da escola no dia seguinte, ela partiu para Glen. Ao passar pelo correio, Walter Blythe juntou-se a ela.

– A mamãe me mandou até a casa da senhora Elliott – disse. – Aonde você vai, Faith?

– Tenho que resolver alguns assuntos da igreja – explicou, com orgulho. Ela não se deu ao trabalho de dar mais informações, e Walter sentiu-se deixado de lado. Caminharam em silêncio por um tempo. Era uma tarde ventosa e agradável, com um aroma resinoso e doce. Depois das dunas estava o mar gris, belo e tranquilo. O riacho de Glen carregava um monte de folhas douradas e carmesim, que poderiam ser canoas de fadas. Nos campos de trigo do senhor James Reese, com seus lindos tons de vermelho e marrom, uma assembleia de corvos estava em andamento, onde solenes deliberações referentes ao bem-estar do país dos corvos eram feitas. Faith cruelmente interrompeu a sessão ao subir na cerca e jogar um pedaço de madeira neles. No mesmo instante o ar encheu-se de asas negras agitadas e de grasnados indignados.

– Por que você fez isso? – perguntou Walter, em tom de reprovação. – Eles estavam se divertindo.

– Oh, detesto corvos – respondeu Faith. – São tão pretos e ardilosos que tenho certeza de que são uns hipócritas. Eles roubam ovos dos ninhos de pássaros menores, sabia? Vi isso acontecer no nosso gramado, na primavera passada. Walter, por que você parece tão pálido hoje? Teve dor de dente de novo ontem?

Walter estremeceu.

– Sim, uma dor horrível, não consegui dormir nem um minuto. Andei de um lado para o outro e imaginei que era um mártir cristão sendo torturado a mando de Nero. Isso ajudou um pouco no começo, só que a dor ficou tão insuportável que não consegui imaginar mais nada.

– Você chorou? – perguntou Faith ansiosamente.

– Não, mas eu me atirei no chão e gemi – admitiu Walter. – Aí as garotas vieram, e Nan colocou pimenta caiena no meu dente, o que só piorou a situação. Di me obrigou a fazer gargarejo com água gelada, só que não pude aguentar, então elas chamaram Susan. Ela disse que era bem feito por eu ter ficado no sótão gelado escrevendo aquele lixo de poesia. Aí ela foi até a cozinha e preparou uma garrafa de água quente, e isso fez a dor parar. Assim que a dor passou, falei para Susan que os meus poemas não eram um lixo e que ela não era ninguém para julgá-los. E ela disse que não, que graças a Deus não sabia nada de poesia, a não ser que era um monte de mentiras. E você sabe, Faith, que isso não é verdade. Esse é um dos motivos pelos quais eu gosto de escrever poesia: é possível dizer muitas coisas em versos que não seriam verdadeiras em prosa. Foi o que expliquei para Susan, e ela mandou eu fechar a matraca e ir dormir antes que a água ficasse fria, ou então ela deixaria eu descobrir se rimas curam dor de dente e que isso servisse de lição para mim.

– Por que você não vai ao dentista em Lowbridge para arrancar esse dente?

Walter estremeceu de novo.

– Eles querem me levar, mas eu não consigo. Vai doer demais.

– Você tem medo de um pouquinho de dor? – perguntou Faith depreciativamente.

Walter corou.

– Seria muito dolorido. Odeio sentir dor. O papai disse que não vai insistir, que vai esperar até que eu me decida.

– A dor seria momentânea, diferentemente da dor de dente – argumentou Faith. – Você já teve cinco crises. Se você for lá e arrancá-lo de uma vez, não terá mais noites ruins. Já tive que arrancar um dente. Eu gritei na hora, mas passou rápido, só ficou sangrando.

– O sangue é a pior parte. É tão feio – murmurou Walter. – Eu passei mal quando Jem cortou o pé no verão passado. Susan disse que fiquei mais branco que Jem. Também não suportei ver Jem sofrer. Alguém está sempre se ferindo, Faith; é terrível. Não suporto ver o sofrimento alheio. Tenho vontade de sair correndo e só parar quando não puder mais ver ou ouvir nada.

– Não tem sentido angustiar-se por causa da dor dos outros – disse Faith, jogando os cachos para trás. – É claro que, se você se machuca feio, precisa gritar, e sangue é mesmo uma coisa feia... E eu tampouco gosto de ver as outras pessoas sofrer. Só que não sinto vontade de fugir, e sim de ajudar. O seu pai precisa machucar as pessoas para curá-las, muitas vezes. O que seria delas se ele fugisse?

– Eu não disse que fugiria, disse que me dá vontade de fugir. São coisas diferentes. Também quero ajudar as pessoas. É que... Ah, quem dera não existissem coisas feias e pavorosas no mundo! Gostaria que tudo fosse belo e alegre.

– Bem, não vamos focar nas coisas que não são assim – disse Faith. – Afinal, é muito divertido estar vivo. Você não teria dor de dente se estivesse morto, mas, mesmo assim, não é muito melhor estar vivo do que morto? Eu acho, cem vezes melhor. Ah, lá vai o Dan Reese. Ele estava no porto, pescando.

– Odeio o Dan Reese – disse Walter.

– Eu também. Todas as garotas o detestam. Vou passar e não dar a mínima atenção para ele. Observe!

Faith seguiu em frente e passou por Dan com o queixo erguido e uma expressão de desprezo que lhe feriu a alma. Ele virou e gritou:

– Porquinha! Porquinha!! Porquinha!!! – a voz dele tinha um tom de insulto crescente.

Faith continuou andando com aparente indiferença. Contudo, seus lábios tremiam de raiva. Ela sabia que não perderia para Dan Reese em uma troca de insultos e desejou que Jem Blythe estivesse ali em vez de Walter. Se Dan Reese tivesse se atrevido a chamá-la de porquinha na frente de Jem, ele provavelmente teria acabado com a raça dele. Faith não esperava que Walter fizesse isso e não o culpava, pois ela sabia que ele não era de brigar com os outros garotos, assim como Charlie Clow, da estrada Norte. O estranho era que, enquanto ela considerava Charlie um covarde, nunca lhe ocorreu desprezar Walter; simplesmente o considerava um habitante de seu mundinho próprio, com costumes diferentes. Para Faith, era mais provável que um anjo de olhos estrelados a defendesse de Dan Reese do que Walter Blythe. Ela não culparia o anjo por não o fazer, assim como não culpava Walter. Todavia, a menina desejava que Jem ou Jerry estivesse ali, pois o insulto de Dan continuava a inflamar a sua alma.

Walter não estava mais pálido. O rosto dele estava vermelho, e os belos olhos, enevoados de vergonha e raiva, porém ele sabia que deveria ter defendido Faith. Jem teria feito Dan engolir as próprias palavras, e Ritchie Warren teria usado ofensas piores do que a de Dan. Só que Walter não conseguia, simplesmente não era capaz de falar palavrões, sabia que acabaria levando a pior e jamais faria a proeza de proferir o vocabulário vulgar e ofensivo que Dan Reese dominava ilimitadamente. Quanto à troca de sopapos, Walter não sabia lutar; ele abominava a ideia. Era bruto e doloroso e, o pior de tudo, era feio. Não compreendia a exultação de Jem em algum conflito ocasional. Ainda assim, ele gostaria de ser capaz de derrotar Dan Reese, pois estava profundamente envergonhado por Faith Meredith ter sido insultada e ele não ter tentado punir o culpado. Não tinha dúvida de que Faith o desprezava, pois ela não havia falado nada desde que Dan a xingara. Ele ficou feliz quando chegou a hora de se separarem.

Faith ficou igualmente aliviada, mas por um motivo diferente. Ela queria ficar sozinha porque de repente ficara nervosa por causa da sua missão. Seu ímpeto havia esmorecido, especialmente depois que Dan ferira seu respeito próprio. Ela precisava chegar até o fim, ainda que não estivesse entusiasmada o bastante. Iria pedir que Norman Douglas voltasse para a igreja, mas começava a temê-lo. O que parecera muito fácil e simples em Glen agora parecia muito diferente. Ela já tinha ouvido muito sobre Norman Douglas e sabia que até os garotos mais velhos da escola tinham medo dele. E se ele a insultasse? Ela ouvira que ele tinha esse hábito. Faith não suportava ser ofendida; era algo que a machucava muito mais do que um golpe físico. Mesmo assim, ela não desistiria. Faith Meredith nunca desistia. Se desistisse, o pai dela teria que deixar Glen.

Ao final da longa estrada, Faith chegou a uma casa grande e antiquada com uma fileira de choupos-da-Lombardia em guarda. Norman Douglas estava sentado na varanda de trás, lendo o jornal, com o enorme cachorro de estimação ao lado. Atrás dele, na cozinha, onde a ajudante chamada senhora Wilson preparava o jantar, pôde-se ouvir um estardalhaço nervoso de pratos, pois Norman Douglas e a senhora Wilson haviam acabado de discutir, e ambos estavam de péssimo humor. Consequentemente, quando Faith pisou na varanda e o anfitrião abaixou o jornal, ela descobriu-se diante dos olhos coléricos de um homem irritado.

Norman Douglas era bonito à própria maneira. Era dono de uma longa barba ruiva que cobria o peito largo e uma juba avermelhada, desgrenhada pelos muitos anos. A testa alta e branca não apresentava nenhuma ruga, e os olhos azuis ainda exibiam a chama tempestuosa da juventude. Era capaz de ser muito amigável quando queria, e também muito irascível. A pobre Faith, ansiosa por reverter a situação da igreja, encontrara-o em um de seus dias ruins.

Sem saber de quem se tratava, ele a encarou com desconfiança. Norman Douglas gostava de garotas espirituosas, vivazes e alegres. Naquele momento, Faith estava muito pálida. Ela era do tipo de pessoa cuja cor do rosto significava tudo. Sem o rubor nas bochechas, parecia apática e insignificante. O valentão que morava no coração de Norman Douglas despertou ao ver a garota envergonhada e medrosa.

– Quem diabos é você? E o que deseja aqui? – perguntou com a voz ressoante, franzindo a testa.

Pela primeira vez na vida, Faith não sabia o que dizer. Não imaginava que Norman Douglas fosse daquele jeito. Ela ficou paralisada de terror, e ele tornou a situação pior ao se dar conta disso.

– O que foi? – vociferou. – Parece que você queria dizer alguma coisa e aí ficou com medo. Qual é o seu problema? Vamos, fale! Não consegue falar?

Não. Faith não conseguia falar. Não saiu nenhuma palavra dos lábios dela. Porém, eles começaram a tremer.

– Pelo amor de Deus, não chore – gritou Norman. – Não suporto choradeira. Se tem algo a dizer, diga de uma vez. Céus, será que essa garota é burra? Não me olhe assim, sou um ser humano. Eu não vou morder você! Quem é você, afinal? Quem é você?

A voz de Norman poderia ser ouvida do porto. O trabalho na cozinha foi suspenso, e a senhora Wilson assistia de olhos e ouvidos bem abertos. Norman colocou as mãos grandes e morenas sobre os joelhos e inclinou-se para a frente, encarando o rosto lívido e assustado de Faith.

Ele parecia avultar sobre ela como um gigante malvado dos contos de fada. Ela sentia que ele iria devorá-la de uma vez, com ossos e tudo.

– Eu... sou... Faith... Faith Meredith – murmurou a menina quase inaudivelmente.

– Meredith, hã? Uma das filhas do ministro da igreja, não? Ouvi falar de vocês! Sim, ouvi falar! Montando porcos e desrespeitando o dia santo! Que boa gente! O que veio fazer aqui? O que quer com este velho pagão? Não peço favores a ministros e também não faço nenhum. Diga, o que deseja?

Faith desejou que estivesse a milhares de quilômetros dali. Ela balbuciou com a pura simplicidade:

– Eu vim pedir que o senhor volte para a igreja e que volte a contribuir.

Norman a atravessou com o olhar. Ele então inclinou-se para a frente.

– Sua menina atrevida! Quem mandou você vir até aqui? Diga, quem a mandou aqui?

– Ninguém – disse a pobre Faith.

– É mentira. Não minta para mim! Quem mandou você vir falar comigo? Não foi o seu pai. Ele tem a coragem de um rato, mas não enviaria a filha para fazer o que não se atreve. Suponho que foram algumas daquelas solteironas velhas de Glen, não foram? Diga, não foram?

– Não... eu... eu vim por conta própria.

– Acha que sou um idiota? – gritou Norman.

– Não, achei que fosse um cavalheiro – disse com franqueza a menina, sem a mínima intenção de ser sarcástica.

Norman levantou-se de chofre.

– Cuide da sua vida. Não quero ouvir mais nenhuma palavra. Se você não fosse uma criança, eu lhe ensinaria a não se meter onde não é chamada. Quando eu precisar de um ministro ou de um doutor, eu os mandarei chamar. Até lá, não quero me meter com eles. Entendeu? Agora, dê o fora, cara de queijo.

Faith deu o fora. Desceu às cegas os degraus da varanda, passou pelo portão do jardim e pegou a trilha de terra. Já estava na metade do caminho quando o medo passou e uma onda de raiva a dominou. Ao final da trilha, sentia uma fúria que nunca havia sentido antes. Os insultos de Norman Douglas ardiam na alma dela, alimentando um fogo escaldante. Ir para casa? Não ela! Ela iria voltar até lá e dizer poucas e boas para aquele ogro velho... Ele iria ver só! Ela iria lhe mostrar quem é que tinha cara de queijo!

Deu meia volta sem hesitar. A varanda estava deserta, e a porta, fechada. Faith a abriu sem bater e entrou. Norman Douglas estava sentado à mesa de jantar e ainda lia o jornal. Faith atravessou a sala com determinação, arrancou o jornal da mão dele, atirou-o no chão e o pisoteou. Então o encarou, com os olhos relampejando e as bochechas escarlates. Sua fúria juvenil era tão formosa que Norman Douglas quase não a reconheceu.

– O que a trouxe de volta? – rugiu, mais impressionado do que propriamente irritado.

Resoluta, ela olhou dentro daqueles olhos encolerizados que tão pouca gente era capaz de encarar por muito tempo.

– Voltei para dizer exatamente o que penso de você – disse Faith, em alto e bom som. – Você não me assusta. Você é um velhote rude, injusto, tirânico e intratável. Susan disse que você certamente irá para o inferno, o que é uma lástima, mas não tenho pena de você. Sua esposa demorou dez anos para ganhar um chapéu novo e não me admira que tenha morrido. De agora em diante, farei caretas para você sempre que puder. Já sabe o que irei fazer sempre que estiver atrás de você. Há uma figura do diabo em um dos livros do papai, e eu pretendo escrever o seu nome sob ela. Você é um vampiro velho e espero que tenha gafeira!

Faith não sabia o que era um vampiro e muito menos gafeira. Ela ouvira Susan usar tais expressões e inferiu pelo tom dela que eram coisas ruins. Só que Norman Douglas sabia o que a última significava.

Ele ouviu no mais absoluto silêncio a bronca de Faith. Quando ela parou para respirar, batendo o pé no chão, ele de repente desatou a rir. Batendo a mão no joelho, exclamou:

– E não é que você tem coragem mesmo? Gosto disso. Venha aqui, sente-se, sente-se!

– Não. – Os olhos de Faith tinham um brilho frenético. A menina achou que ele estava tirando sarro dela, que estava sendo tratada com desprezo. Ela teria preferido outra explosão de raiva, pois aquela atitude era ainda pior. – Não me sentarei na sua casa. Estou indo embora, mas estou feliz por ter voltado aqui e dito tudo que queria.

– Eu também, eu também! – riu Norman. – Gostei muito de você. Que rubor! Que brio! Eu a chamei de cara de queijo? Ora, você nem cheira a queijo. Sente-se. Se tivesse chegado com toda essa energia, garota! Então, você escreverá o meu nome debaixo da figura do diabo, certo? Só que ele é todo preto, menina, todinho, e eu sou mais vermelho. Não vai dar certo... Não vai dar! E quer que eu tenha gafeira? Santo Deus, menina, eu já tive quando era moço. Não deseje isso para mim novamente. Sente-se, fique à vontade. Vamos fazer as pazes.

– Não, obrigada – disse Faith com orgulho.

– Ah, vai se sentar, sim. Venha, sente-se. Peço desculpas, garota... Eu sinto muito. Fui um tolo e estou arrependido. Estou sendo sincero. Esqueça isso e me perdoe. Preste atenção, menina: se apertar a minha mão e fizer as pazes comigo, eu pagarei a quantia que costumava contribuir e irei à igreja no primeiro domingo de cada mês, só para deixar Kitty Alec de queixo caído. Sou o único da família que pode fazer isso. Negócio fechado?

Parecia um ótimo negócio. Faith descobriu-se apertando a mão do ogro e sentando-se à mesa dele. A onda de raiva havia passado, pois as ondas de raiva de Faith nunca duravam muito. Entretanto, seus olhos ainda tinham um brilho intenso, e as bochechas ainda estavam coradas por causa de toda a comoção. Norman Douglas olhou para ela com admiração.

– Pegue as suas melhores compotas, Wilson – ordenou –, e não fique emburrada, mulher, não fique emburrada. E daí se nós discutimos, mulher? Uma boa briga limpa o ar e deixa as coisas mais interessantes. Só que não pode haver lágrimas ou ressentimentos depois, mulher, nada de lágrimas ou ressentimentos; não suporto isso. Gosto de mulheres com temperamento forte, mas não de lágrimas. Aqui, menina, coma um pouco de carne com batatas, não se acanhe. Wilson tem um nome chique para isso, mas eu chamo de macanaccady. Qualquer coisa de comer que eu não consiga identificar eu chamo de macanaccady, e qualquer coisa de beber que me intrigue eu chamo de shallamagouslem. O chá da Wilson é shallamagouslem; posso jurar que ela o prepara com bardana. Não beba esse líquido horrível. Aqui, beba um pouco de leite. Como é mesmo o seu nome?

– Faith.

– Não gosto desse nome, não gosto! Não o suporto. Tem algum outro?

– Não, senhor.

– Não gosto desse nome, não mesmo. Não tem força. Além disso, me faz lembrar da minha tia Jinny. Ela batizou as filhas de Faith, Hope e Charity[16]. Faith não acreditava em nada, Hope era uma pessimista nata, e Charity, uma avarenta. Você deveria se chamar Rosa Vermelha, pois você lembra uma quando está brava. Vou chamá-la de Rosa Vermelha. Pois bem, você me fez prometer ir à igreja, não é mesmo? Só uma vez por mês, não se esqueça... uma vez por mês. Vamos lá, garota, não tem como me poupar dessa promessa? Eu costumava contribuir com cem dólares por ano e frequentar a igreja. Se eu prometer pagar duzentos por ano, você me livra dessa? Por favor!

– Não, não senhor – disse Faith, divertindo-se. – Quero que também vá a igreja.

---

16 Do inglês, respectivamente: Fé, Esperança e Caridade. (N. T.)

– Bem, trato é trato. Acho que posso ir doze vezes por ano. Que sensação vou causar no primeiro domingo! A velha Susan Baker falou que eu vou para o inferno. Você acredita nisso? Diga, acredita?

– Espero que não vá, senhor – gaguejou Faith, confusa.

– Por que você espera que não? Vamos, diga, por que espera que não? Me dê um motivo, garota... um motivo.

– Deve... deve ser um lugar... muito desconfortável, senhor.

– Desconfortável? Vai depender da sua ideia de desconforto, garota. Eu me cansaria dos anjos bem rápido. Imagine a velha Susan com uma auréola!

Faith imaginou e foi tão engraçado que precisou rir. Norman a encarou com um olhar de aprovação.

– Viu só o lado cômico? Oh, gostei de você... Você é ótima. Agora, voltando ao assunto da igreja... O seu pai sabe pregar?

– Ele faz sermões maravilhosos – disse a leal Faith.

– É mesmo? É o que veremos, mas eu estarei de olho nas falhas dele. É melhor ele ter cuidado com o que diz na minha presença. Vou estar atento a cada palavra, cada argumento dele. Estou disposto a me divertir um pouco com esse negócio de ir à igreja. Ele já chegou a pregar sobre o inferno?

– Nããão... Acho que não.

– Que pena. Gosto de sermões sobre o assunto. Diga a ele que, se quiser me manter de bom humor, é só fazer um belo de um sermão sobre o inferno a cada seis meses. E quanto mais enxofre tiver, melhor! Gosto deles fumegantes. E pense no deleite das solteironas. Eles lançariam olhares fulminantes ao velho Norman Douglas e pensariam "essa é para você, seu velho patife. É para lá que você irá". Darei dez dólares a mais cada vez que você fizer o seu pai pregar sobre o inferno. Aí vem a Wilson com a compota. Não parece apetitosa? Prove!

Faith engoliu obedientemente a colherada cheia que Norman lhe serviu. Por sorte, estava deliciosa.

– É a melhor compota de ameixa do mundo – disse Norman, enchendo um pires para ela. – Que bom que gostou. Vou lhe dar alguns potes para levar para casa. Não sou nem um pouco mesquinho, nunca fui. O diabo não pode me acusar disso, pelo menos. Não foi culpa minha o fato de Hester não ter tido um chapéu novo por dez anos. Foi dela mesma. Ela evitava comprar chapéus para poupar dinheiro e doá-lo para as missões na China. Nunca doei um centavo para as missões e nunca doarei. Jamais conseguirá me convencer! Cem por ano de contribuição, e ir à igreja uma vez ao mês, mas nada de estragar bons pagãos para convertê-los em pobres cristãos! Ora, garota, eles não entrariam nem no céu nem no inferno, ficariam impedidos de entrar em ambos os lugares... nos dois. Ei, Wilson, você não tem um sorriso? É espantosa a capacidade das mulheres de ficar de cara amarrada. Nunca fiquei emburrado na vida. Eu explodo na hora e depois... Puf! A raiva se vai, o sol volta a brilhar e volto a ficar dócil.

Norman insistiu em levar Faith para casa depois do jantar e encheu a charrete com maçãs, repolhos, batatas, abóboras e potes de compota.

– Tem um filhote de gato adorável no celeiro. Pode ficar com ele também se quiser. É só dizer.

– Não, obrigada – disse Faith decididamente. – Não gosto de gatos. Além disso, eu tenho um galo.

– Escutem só. Não se pode mimar um galo da mesma forma que um gatinho. Quem já ouviu falar em um galo de estimação? É melhor ficar com o bichano. Quero encontrar um bom lar para ele.

– Não, obrigada. A tia Martha já tem um gato, e ele mataria um filhote desconhecido.

Norman rendeu-se àquele argumento com enorme relutância. A viagem de volta foi bem animada. Depois de deixar a menina na porta da cozinha da casa ministerial e descarregar toda a carga, ele foi embora gritando:

– Uma vez por mês! É só uma vez por mês, não se esqueça!

Faith foi para a cama sentindo-se um pouco aturdida e sem fôlego, como se tivesse acabado de escapar de um redemoinho de vento genioso. Estava contente e satisfeita, pois eles não teriam que deixar Glen, o cemitério e o Vale do Arco-Íris. Ainda assim, ela dormiu preocupada com o fato de Dan Reese tê-la chamado de porquinha e que, agora que tinha encontrado um xingamento tão insuportável, ele iria chamá-la assim sempre que surgisse uma oportunidade.

UMA VITÓRIA DUPLA

Norman Douglas foi à igreja no primeiro domingo de novembro e causou toda a sensação que desejava. O senhor Meredith apertou a mão dele distraidamente na entrada da igreja e desejou que a senhora Douglas estivesse bem.

– Ela não estava muito bem dez anos atrás, quando eu a enterrei, mas imagino que esteja melhor agora – disse Norman com seu vozeirão, para o espanto e a diversão de todos os presentes, com exceção do próprio ministro, que já estava absorto em pensamentos, imaginando se havia enunciado o último parágrafo do sermão com a clareza necessária, alheio ao que Norman havia dito e ao que ele dissera para Norman.

Norman interceptou Faith no portão.

– Eu cumpri a minha promessa, veja só, Rosa Vermelha, cumpri a minha promessa. Estou livre até o primeiro domingo de dezembro. Que belo sermão, garota... Foi um ótimo sermão. O seu pai é mais inteligente do que aparenta. Só que ele se contradisse uma vez... Avise-o de que ele se contradisse. Aproveite para dizer que quero ouvir o sermão sobre o inferno em dezembro. É um ótimo jeito de fechar o ano velho, com um gostinho do inferno. E que tal um gostinho do céu para o sermão de Ano Novo? Embora não seja tão interessante quanto o inferno, garota... Não chega nem perto. Ainda assim, gostaria de saber a opinião do seu pai sobre o céu. Ele é uma pessoa capaz de raciocinar, o que é a coisa mais rara do mundo. Só que ele se contradisse, sim. Rá, rá! Eis uma pergunta que você pode fazer quando ele despertar novamente: será que Deus é capaz de fazer uma pedra tão pesada que nem mesmo Ele é capaz de erguer? Não se esqueça dela. Quero saber a opinião dele. Já deixei vários ministros confusos com essa dúvida, garota.

Faith ficou feliz ao escapar dele e correr para casa. Dan Reese, parado no portão em meio aos outros garotos, olhou para ela e preparou-se para gritar "porquinha", mas não se atreveu a fazê-lo ali. No dia seguinte, na escola, haveria uma ocasião melhor. Durante o recesso do meio-dia, Faith deparou-se com Dan no bosque de abetos atrás da escola, e o menino gritou:

– Porquinha! Porquinha! A garota do galo de estimação!

Walter Blythe de repente levantou-se da grama fofa atrás de um amontoado de pinheiros, onde estava lendo. Estava muito pálido, e seus olhos faiscavam.

– Cuidado com o que diz, Dan Reese! – disse.

– Ah, olá, senhorita Walter – retrucou Dan, nem um pouco abalado. Ele subiu na cerca e cantarolou:

"Covarde, covarde, você não é de nada!
Covarde, covarde, você não é de nada!"

– Você é uma coincidência! – exclamou Walter com desprezo, ficando ainda mais lívido. Ele tinha apenas uma vaga noção do que era uma coincidência, mas Dan não fazia a mínima ideia e achou que fosse algo peculiarmente ofensivo.

– Rá! Covarde! – gritou mais uma vez. – Sua mãe escreve mentiras! Mentiras! Mentiras! E Faith Meredith é uma porquinha! Porquinha! Porquinha! É a garota do galo de estimação! A garota do galo! A garota do galo! Rá! Covarde, covarde, co...

Dan não consegui terminar. Walter lançou-se na direção dele, percorreu a distância que os separava e derrubou-o da cerca de costas com um soco certeiro. O tombo repentino e inglório de Dan foi recebido com gargalhadas e uma salva de palmas de Faith. O menino levantou-se, roxo de raiva, e começou a subir a cerca. Foi então que o sino da escola tocou, e Dan sabia o que acontecia com os garotos que se atrasavam para a aula do senhor Hazard.

– Resolveremos isso depois – gritou. – Covarde!

– A hora que quiser – disse Walter.

– Ah, não, não, Walter – protestou Faith. – Não lute com ele. Não me importo com o que ele diz. Jamais me rebaixaria ao mesmo nível das pessoas como ele.

– Ele insultou você e a minha mãe – disse Walter, com a mesma calma mortal. – Esta tarde, depois da escola.

– Meu pai me mandou voltar direto para casa depois da aula para colher babatas – respondeu Dan, carrancudo. – Amanhã, sim.

– Tudo bem. Aqui, amanhã de tarde – concordou Walter.

– Vou arrebentar essa sua cara de mariquinha – prometeu Dan.

Walter estremeceu, não de medo da ameaça, e sim de repulsa pela feiura e vulgaridade dela. Mesmo assim, manteve a cabeça erguida e caminhou em direção à escola. Faith o seguiu, em um conflito de emoções. Ela detestava imaginar Walter lutando com um imbecil, mas... Ah, ele fora esplêndido! E ele iria lutar por ela, Faith Meredith, para punir o garoto que a insultara! É claro que ele iria ganhar; um olhar como o dele anunciava a vitória.

A confiança de Faith no campeão dela diminuiu um pouco ao anoitecer, no entanto. Walter passou o resto do dia na escola muito calado e distante.

— Se ao menos fosse Jem — suspirou Faith, quando se reuniu com os outros no túmulo do Hezekiah Pollock. — Ele é um verdadeiro lutador e poderia acabar com Dan em pouco tempo. Walter não sabe lutar muito bem.

— Tenho tanto medo de que ele se machuque — suspirou Una, que detestava brigas e não conseguia compreender a exultação sutil e secreta que pressentia em Faith.

— Walter não vai se machucar — disse Faith com tranquilidade. — Ele é tão grande quanto Dan.

— Só que Dan é mais velho — disse Una. — Quase um ano mais velho.

— Dan não é de brigar muito, se você parar para pensar — disse Faith. — Acho que, no fundo, ele é um covarde. Ele não achou que Walter fosse peitá-lo, do contrário não teria me xingado na presença dele. Oh, se você tivesse visto a expressão de Walter ao olhar para ele, Una! Eu até me arrepiei, de um jeito bom. Ele parecia o *sir* Galahad[17] naquele poema que o papai leu para nós no sábado.

— Detesto a ideia dos dois brigando e gostaria que isso pudesse ser evitado — disse Una.

— Ah, agora eles precisam lutar — exclamou Faith. — É uma questão de honra. Não se atreva a contar para ninguém, Una. Senão, nunca mais confidenciarei meus segredos a você.

— Não vou contar — concordou Una. — Mas não vou ficar para assistir à briga. Virei direito para casa.

— Ah, tudo bem. Eu tenho que estar lá. Do contrário, seria maldade, já que ele está brigando por mim. Vou amarrar uma fita com as minhas cores no braço dele, que é o que uma donzela faz com o seu cavaleiro. Que sorte a senhora Blythe ter me dado aquela linda fita azul para o cabelo de aniversário! Eu a usei apenas duas vezes, então está quase nova. Só queria ter certeza de que Walter vai ganhar. Será tão humilhante se ele não vencer!

---

17 Publicado em 1842, *Sir Galahad* é um dos vários poemas escritos pelo poeta britânico Alfred Tennyson (1809-1892) sobre a lenda do Rei Arthur. (N. T.)

Faith teria ficado ainda mais insegura se pudesse ver seu campeão naquele exato momento. Quando chegou em casa depois da escola, a ira justiceira de Walter tinha sido substituída por uma sensação desagradável. Ele teria que lutar contra Dan Reese no dia seguinte, apesar de não querer, pois era algo odioso. E Walter não conseguia parar de pensar nisso; a ideia não o deixava em paz nem por um minuto. Será que iria doer? Ele tinha um medo profundo de que fosse doer. Será que ele seria derrotado e humilhado?

Ele não conseguiu comer quase nada. Susan tinha feito uma enorme fornada dos seus biscoitos favoritos, com carinhas de macacos, mas ele só conseguiu engolir um. Jem comeu quatro. Walter se perguntou como ele conseguia. Como alguém era capaz de comer? E como eles conseguiam conversar alegremente enquanto comiam? Ali estava a mamãe, com os olhos brilhantes e as bochechas rosadas. Ela não sabia que um dos filhos teria de brigar no dia seguinte. Sombriamente, Walter imaginou se ela estaria assim tão contente se soubesse. Jem tinha tirado uma foto de Susan com a nova câmera, e o resultado foi compartilhado ao redor da mesa, o que a deixou muito indignada.

– Sei que não sou uma beldade, querida senhora, que nunca fui e que jamais serei – disse em um tom injuriado. – Porém, recuso-me a acreditar que sou tão feia quanto mostra essa fotografia.

Jem riu do comentário, e Anne riu novamente com ele. Walter não conseguiu suportar. Ele se levantou e foi para o quarto.

– Aquele menino está preocupado com alguma coisa, querida senhora – disse Susan. – Ele não comeu praticamente nada. Acha que ele está tramando outro poema?

O pobre Walter estava aflito demais para adentrar os reinos fantásticos dos versos. Ele apoiou os cotovelos no peitoril da janela aberta e pousou a cabeça sonhadora sobre as mãos.

– Vamos para a praia, Walter – gritou Jem ao entrar de supetão no quarto. – Os garotos vão queimar a grama nas dunas nesta noite. O papai disse que podemos ir. Vamos lá.

Em qualquer outra ocasião, Walter teria ficado animado. Ele adorava ver as fogueiras com a grama seca nas dunas. Só que, naquele dia, ele recusou o convite, e nenhum argumento ou súplica o faria voltar atrás. Desapontado, Jem foi para o seu museu pessoal no sótão e enfurnou-se em um livro. Ele não tinha interesse em fazer a longa caminhada no escuro até Four Winds Point sozinho. Logo ele se entreteve com os heróis das histórias antigas e se esqueceu da decepção, pausando ocasionalmente para se imaginar como um famoso general liderando as tropas até a vitória em algum importante campo de batalha.

Walter ficou na janela até a hora de dormir. Di entrou de mansinho no quarto, na esperança de descobrir o que estava acontecendo, mas o garoto não podia falar do assunto, nem com Di. Falar o traria para a realidade da qual ele queria fugir. Seus pensamentos já eram torturantes o suficiente. As folhas secas e murchas dos bordos farfalhavam do lado de fora, o brilho róseo havia desaparecido do céu prateado, e a lua cheia brilhava esplendorosamente sobre o Vale do Arco-Íris. Lá longe, as chamas avermelhadas pintavam uma composição gloriosa no horizonte além das colinas. Era o início de uma noite clara e tranquila, em que os sons longínquos podiam ser ouvidos nitidamente. Uma raposa uivava do outro lado do lago; uma locomotiva bufava na estação de Glen; um gaio-azul gritava no bosque de bordos; risadas ecoavam do jardim da casa ministerial. Como as pessoas eram capazes de rir? Como as raposas, os pássaros e as máquinas se comportavam como se nada fosse acontecer no amanhã?

– Ah, como eu queria que tudo isso já tivesse terminado – murmurou Walter.

Ele dormiu muito pouco naquela noite e teve dificuldade para engolir o mingau na manhã seguinte. Susan era generosa nas porções. O senhor Hazard o considerou um pupilo insatisfatório naquela manhã. A mente de Faith Meredith também parecia estar em outro lugar. Dan Reese não parou de fazer desenhos das garotas às escondidas na sua lousa, acrescentando cabeças de porco ou de galos e erguendo-os para cima para que todos vissem. A notícia da luta havia vazado, então Dan e Walter encontraram a maioria dos garotos e das garotas reunida no bosque de abetos depois da escola. Una tinha ido embora, mas Faith continuou ali depois que amarrou a fita azul no braço de Walter. O menino estava contente por Jem, Di e Nan não estarem entre os espectadores. Por algum motivo, eles não ouviram a história que circulava e tinham ido para casa. Walter encarou Dan destemidamente. No último instante, todo o medo desaparecera, todavia a ideia de ter que brigar ainda o revoltava. Era evidente que o rosto de Dan estava mais pálido sob as sardas do que o de Walter. Um dos meninos mais velhos deu o sinal, e Dan desferiu um soco no rosto de Walter.

Walter cambaleou um pouco. A dor do golpe reverberou por todo o seu corpo sensível momentaneamente, então ele não sentiu mais nada. Algo que jamais experimentara antes pareceu inundá-lo, seu rosto ficou escarlate, e os olhos arderam como duas chamas. Os alunos da escola de Glen St. Mary não imaginavam que a "senhorita Walter" podia ser assim. Ele lançou-se na direção de Dan como um animal selvagem.

As brigas entre os garotos da escola de Glen não tinham regras específicas. Era um verdadeiro toma-lá-dá-cá. Walter brigou com uma fúria e uma alegria que Dan não estava dando conta, e tudo terminou muito rapidamente. Walter só tomou conhecimento do que estava fazendo quando a névoa vermelha desapareceu de seus olhos e ele se descobriu ajoelhado sobre o corpo prostrado de Dan, cujo nariz (ah, o horror!) vertia sangue.

– Já foi o suficiente? – perguntou Walter entre os dentes cerrados.

A contragosto, Dan admitiu que sim.

– Minha mãe escreve mentiras?

– Não.

– Faith é uma porquinha?

– Não.

- Nem a garota do galo?
- Nem.
- E eu sou um covarde?
- Não.

Walter quis perguntar "e um mentiroso?". Contudo, a compaixão impediu que o humilhasse ainda mais. Além disso, todo aquele sangue era horrível.

- Pode ir, então - disse com desprezo.

Os garotos que estavam empoleirados na cerca bateram palmas calorosamente, e algumas das meninas choravam. Estavam com medo, pois já tinham visto garotos brigar antes, mas nada parecido com o que Walter fizera com Dan; houve algo de horripilante ali. Todas acharam que ele iria matar o menino. Agora que tudo havia terminado, elas soluçavam histericamente, com a exceção de Faith, que ainda estava tensa e com as bochechas coradas.

Walter não ficou ali para desfrutar da glória do vencedor. Ele pulou a cerca e desceu a colina correndo até o Vale do Arco-Íris. Não sentia a alegria da vitória, e sim certa calma pelo dever cumprido e pela honra vingada, misturada com o asco ao lembrar-se do nariz sangrento de Dan. A cena foi feia, e Walter detestava a feiura.

Ele começou a perceber que também estava um pouco ferido e dolorido. Tinha um corte em um dos lábios, que estava inchado, uma sensação muito estranha em um dos olhos. No Vale ele encontrou o senhor Meredith, que voltava de uma visita às irmãs Wests. O ministro olhou seriamente para ele.

- Pelo visto, você se meteu em uma briga, Walter.
- Sim, senhor - respondeu, esperando uma bronca.
- E qual foi o motivo?
- Dan Reese falou que a minha mãe escreve mentiras e que Faith é uma porquinha - respondeu Walter em um só fôlego.
- Ah! Então foi mais do que justificado, Walter.

– O senhor acha que é certo brigar? – perguntou Walter com certa curiosidade.

– Nem sempre e não com frequência, mas às vezes... Sim, às vezes – disse John Meredith. – Quando damas são insultadas, por exemplo, como foi o seu caso. Meu lema é nunca brigar, a menos que seja necessário. E, se for, lute com todas as forças. Apesar dos vários roxos, suponho que você tenha levado a melhor.

– Sim. Eu o obriguei a retirar tudo o que havia dito.

– Muito bem, muito bem. Não pensei que fosse um lutador, Walter.

– Nunca tinha brigado antes e evitei até o último instante. Só que... – disse Walter, determinado a contar a verdade – a sensação durante a briga foi boa.

Os olhos do reverendo John cintilaram.

– Você... ficou um pouco assustado... de início?

– Eu fiquei muito assustado – disse Walter com honestidade. – Mas não vou ficar assustado nunca mais, senhor. Ter medo das coisas é pior do que as próprias coisas. Vou pedir para o meu pai que me leve até Lowbridge para arrancar o meu dente.

– Muito bem, mais uma vez. "O medo é mais doloroso do que a dor que se teme". Sabe quem escreveu isso, Walter? Shakespeare[18]. Existe alguma sensação, emoção ou experiência do coração humano que aquele homem maravilhoso não conhecia? Quando chegar em casa, diga a sua mãe que estou orgulhoso de você.

Walter não contou aquilo para a mãe, entretanto, mas contou todo o resto, e ela o compreendeu e disse que estava feliz por ele ter defendido a honra dela e a de Faith. Anne então passou pomada nos ferimentos e água de colônia na cabeça dolorida do filho.

– Todas as mães são tão bondosas como você? – perguntou Walter, abraçando-a. – Você merece ser defendida.

---

18 Na verdade, a frase é de autoria do poeta britânico *sir* Philip Sidney (1554-1586). (N. T.)

A senhorita Cornelia e Susan estavam na sala quando Anne desceu as escadas, e elas ouviram toda a história com prazer. Susan, em particular, ficou imensamente satisfeita.

– Estou muito contente por ele ter se metido em uma briga de verdade, querida senhora. Talvez isso o faça esquecer-se dessa bobagem de poesia. E eu nunca, nunca gostei daquela víbora do Dan Reese. Não quer se sentar mais perto do fogo, senhora Marshall Elliott? Essas tardes de novembro podem ser muito geladas.

– Obrigada, Susan, não estou com frio. Passei na casa ministerial antes de vir para cá e me aqueci bastante. Se bem que tive de ir até a cozinha para isso, pois não havia fogo aceso em nenhum lugar. Parecia que um furacão tinha passado pela cozinha, acredite em mim. O senhor Meredith não estava em casa. Não consegui descobrir onde ele estava, mas suspeito que tenha ido à casa dos Wests. Sabe, querida Anne, dizem que ele as visitou durante todo o outono, e as pessoas estão começando a achar que ele está interessado em Rosemary.

– Rosemary seria uma esposa muito charmosa – disse Anne, colocando mais lenha na lareira. – É uma das moças mais agradáveis que já conheci. Ela pertence legitimamente ao povo que conhece José.

– Sim... Só que é uma episcopal – hesitou a senhorita Cornelia. – É claro que ainda é melhor do que ser uma metodista, mas eu acho que o senhor Meredith poderia encontrar uma boa esposa que fosse da mesma igreja. Todavia, é provável que esses rumores não sejam verdadeiros. Um mês atrás, eu lhe disse "o senhor deveria se casar novamente". Ele ficou chocado, como se eu tivesse proposto algo impróprio. "Minha esposa está morta, senhora Elliott", disse ele daquele jeito gentil e virtuoso. "É verdade, do contrário eu não daria esse conselho", eu falei. Então ele ficou ainda mais chocado. Assim, duvido dessa história com Rosemary. Se um ministro visita mais de uma vez uma casa onde mora uma mulher solteira, as más línguas dirão que ele a está cortejando.

– Tenho a impressão, se me permite dizer, de que o senhor Meredith é tímido demais para cortejar uma pretendente – disse Susan solenemente.

– Ele não é tímido, acredite em mim – retrucou a senhorita Cornelia. – Avoado, sim; tímido, não. E, por mais que seja distraído e sonhador, ele confia bastante em si mesmo, o que é típico de um homem, e não teria dificuldades em cortejar uma mulher nas ocasiões em que está realmente desperto. Não, o problema é que ele se ilude, achando que seu coração está enterrado, quando na verdade ele está batendo dentro do peito como o de qualquer outra pessoa. Ele pode estar interessado em Rosemary West e pode não estar. Se estiver, deveríamos nos alegrar. Ela é uma moça doce, uma ótima dona de casa e seria uma mãe dedicada para aquelas pobres crianças negligenciadas. E... – concluiu a senhorita Cornelia com resignação – a minha própria avó era episcopal.

MARY TRAZ MÁS NOTÍCIAS

Mary Vance, que fora à casa ministerial a pedido da senhora Elliott, saltitava pelo Vale do Arco-Íris a caminho de Ingleside, onde iria passar a tarde do sábado com Nan e Di. As duas tinham colhido goma dos abetos com Faith e Una no bosque, nos arredores da casa ministerial, e agora as quatro estavam sentadas sobre o pinheiro tombado próximo ao riacho. Todas mascavam com entusiasmo, é preciso admitir. As gêmeas de Ingleside não tinham permissão para mascar goma de abeto em nenhum outro lugar além do Vale do Arco-Íris, mas Faith e Una não eram reprimidas por semelhantes regras de etiqueta e faziam isso alegremente em qualquer lugar, dentro e fora de casa, para o horror de toda a vila. Faith já tinha sido vista mascando goma na igreja; então, ao perceber a gravidade da situação, Jerry lhe deu uma bronca de irmão mais velho que ela jamais esqueceu.

– Eu estava com tanta fome que tive de mastigar alguma coisa – protestou ela. – Você sabe muito bem qual foi o nosso café da manhã, Jerry Meredith. Eu simplesmente não consegui comer o mingau queimado, e meu estômago estava vazio, com uma sensação esquisita.

A goma ajudou muito, e eu nem a masquei com tanta força assim. Não fiz barulho e não a estalei nem uma vez.

– De qualquer forma, você não deveria mascar goma na igreja – insistiu Jerry. – Que isso não se repita.

– Você estava mascando goma na reunião da igreja na semana passada – exclamou Faith.

– Isso é diferente – defendeu-se Jerry. – As reuniões não são no domingo. Além disso, eu me sentei em um banco lá do fundo, no escuro, e ninguém me viu. Você estava bem na frente, onde todos podiam ver. E eu tirei a goma da boca na hora do último hino e a colei no banco da frente, mas fui embora e me esqueci dela. Voltei na manhã seguinte para buscá-la, só que não estava mais lá. Acho que Rod Warren a pegou. E era uma ótima goma.

Mary Vance entrou no Vale com o nariz empinado, vestia um gorro novo de veludo azul com uma roseta escarlate, um casaco azul marinho e um regalo de pele de esquilo. Estava muito orgulhosa das novas roupas e satisfeita consigo mesma. Seus cabelos estavam intricadamente frisados, seu rosto mais redondo, suas bochechas rosadas e seus olhos brilhantes. Não se parecia nem um pouco com a órfã abandonada e esfarrapada que os Merediths encontraram no celeiro velho dos Taylors. Una tentou não ficar com inveja. Ali estava Mary com um gorro novo de veludo, enquanto ela e a irmã eram obrigadas a usar as toucas cinza velhas e surradas novamente naquele inverno. Nunca alguém pensava em lhes comprar roupas novas, e elas não pediam ao pai por medo de que ele estivesse sem dinheiro e se sentisse mal. Mary disse certa vez que os ministros viviam sem dinheiro e que tinham "muita dificuldade" para chegar ao fim do mês. Desde então, Faith e Una preferiam andar em trapos a pedir qualquer coisa ao pai. Elas não se importavam muito com a própria precariedade, todavia era difícil ver Mary Vance vestida com tanto estilo e com ares de superioridade. O regalo novo de pele de esquilo era a gota d'água. As irmãs nunca tiveram um e se consideravam sortudas se podiam ter luvas sem buracos. A tia Martha não enxergava bem o suficiente para remendar os furos e, por mais que Una tentasse, ela era uma má costureira. Assim, elas não conseguiram expressar cordialidade ao cumprimentar Mary. A menina não se importou ou não se deu conta, mas Mary não era demasiadamente sensível. Com um pulinho ela sentou-se sobre o pinheiro e deixou o regalo ultrajante sobre uma rama. Una percebeu que o aquecedor de mãos era forrado com cetim vermelho, com bolas da mesma cor. Ela olhou para as próprias mãozinhas roxas e rachadas e se perguntou se algum dia teria a chance de colocá-las dentro de um regalo como aquele.

– Me dê um pedaço de goma – disse Mary afavelmente. Nan, Di e Faith tiraram dos bolsos um nó ou dois da cor do âmbar e deram para Mary. Una não se moveu; ela possuía quatro nós grandes e saborosos no bolso do casaco apertado e gasto e não pretendia dar nenhum a Mary Vance. Que ela fosse buscar a própria goma! Pessoas com regalos de pele de esquilo não tinham que esperar nada do mundo.

– Que dia lindo, não? – comentou Mary, balançando as pernas, talvez para exibir melhor as botas novas com os canos forrados de tecido. Una escondeu os pés. Havia um furo na ponta de uma das botas, e ambos os cadarços estavam cheios de remendos. Era o melhor par que tinha. Oh, aquela Mary Vance! Por que eles não a deixaram no velho celeiro?

Una jamais havia se sentido mal pelo fato de as gêmeas de Ingleside serem mais bem-vestidas do que ela e Faith. Elas usavam roupas belas e impecáveis com uma elegância natural e parecia que nunca pensavam nisso. De alguma forma, elas não faziam com que os outros se sentissem esfarrapados. Quando Mary Vance se aprumava, no entanto, ela parecia exalar roupas, caminhar em uma atmosfera de roupas e fazer com que todos só pensassem em roupas. Una, banhada pela luz cor de mel daquela graciosa tarde de dezembro, sentia-se profunda e miseravelmente envergonhada de tudo que vestia: a touca desbotada, que ainda por cima era a sua melhor; o casaco curto, com o qual já tinha enfrentado três invernos; a saia e as botas esburacadas; as roupas de baixo em péssimas condições. É claro que Mary havia se arrumado toda para fazer uma visita, enquanto que Una, não. Porém, mesmo se tivesse, ela não teria nada melhor para vestir, e era isso que machucava.

– Que delícia de goma! Ouça como estrala. Em Four Winds não há nada do tipo – disse Mary. – Às vezes me dá uma vontade louca de mascar. A senhora Marshall ficaria brava se me visse agora; ela diz que uma dama não deve mascar goma. Eu ainda não entendi direito o que uma dama pode ou não pode fazer, pois é um assunto que me intriga. Diga, Una, o que você tem hoje? O gato comeu a sua língua?

– Não – respondeu Una, que não conseguia tirar os olhos do regalo de pele. Mary inclinou-se, pegou o aquecedor e enfiou as mãos da amiga nele.

– Aqueça um pouco as suas mãozinhas – ordenou. – Elas parecem estar precisando. Não é um regalo maravilhoso? A senhora Elliott me deu de presente de aniversário na semana passada. No natal, vou ganhar uma echarpe de pele combinando. Foi o que eu a ouvi dizer para o senhor Elliott.

– A senhora Elliott é muito boa para você – disse Faith.

– Pode apostar! E eu sou boa para ela – respondeu Mary. – Trabalho feito uma escrava para fazer tudo do jeitinho que ela gosta, fomos feitas uma para a outra. Nem todo mundo conseguiria se dar tão bem com ela como eu. Ela é maníaca por limpeza, mas eu também sou, de forma que nós nos entendemos.

– Eu disse que ela nunca bateria em você.

– Disse mesmo. Ela jamais tentou relar um dedo em mim, e eu nunca menti para ela, nem uma vez, juro pela minha vida. Às vezes, ela me passa um sermão, só que isso nunca me aflige. Una, por que você tirou o regalo?

Una o colocara de volta sobre a rama.

– Minhas mãos não estão geladas, obrigada – disse secamente.

– Se é assim, então tudo bem. Estão sabendo? A velha Kitty Alec está frequentando a igreja novamente, dócil como um cordeirinho, e ninguém sabe o motivo. Todo mundo acha que é porque Faith convenceu Norman Douglas a voltar. A empregada dele disse que você foi até lá e lhe deu uma bela de uma bronca. É verdade?

– Eu fui à casa dele e pedi para que voltasse, sim – disse Faith com tranquilidade.

– Que audácia! – disse Mary, cheia de admiração. – Eu não teria me atrevido a fazer isso, e não sou nenhuma covarde. A senhora Wilson contou que houve uma discussão horrível, mas que você saiu vitoriosa e que ele acabou mudando de opinião. Diga, o seu pai vai pregar amanhã na igreja?

– Não irá. Trocou de lugar com o senhor Perry, de Charlottetown. O papai foi para a cidade nesta manhã, e o reverendo Perry chegará nesta noite.

– Achei mesmo que havia alguma novidade no ar, por mais que a velha Martha tenha se recusado a me dar satisfações. Ela não teria matado aquele galo por nada.

– Que galo? Como assim? – exclamou Faith, empalidecendo.

– Não sei que galo. Eu não o vi. Quando lhe entreguei a manteiga que a senhora Elliott mandou, ela disse que havia acabado de matar um galo no celeiro para o almoço de amanhã.

Faith levantou-se do tronco.

– Foi o Adam, não temos outro galo! Ela matou o Adam!

– Vamos, não perca as estribeiras. A Martha me explicou que o açougueiro não tinha nada nesta semana, que as galinhas estavam todas botando ovos e que ela precisava preparar alguma coisa.

– Se ela matou o Adam... – disse Faith, antes de correr para casa.

Mary deu de ombros.

– Faith vai enlouquecer. Ela gostava tanto do Adam! Ele já deveria ter ido para a panela há muito tempo, pois a carne deve estar dura como sola de sapato. Eu não gostaria de estar na pele da Martha. Faith foi embora espumando de raiva. Una, é melhor você ir atrás dela para tentar acalmá-la.

Mary havia caminhado alguns passos com as garotas de Ingleside quando Una subitamente virou-se e saiu correndo.

– Aqui, é para você – disse, com um sutil tom de arrependimento na voz, colocando todos os quatro nós de goma nas mãos de Mary. – E estou feliz por você ter ganhado um regalo tão bonito.

– Ora, obrigada – disse Mary, surpresa. Assim que Una se foi, ela voltou-se para as garotas da família Blythe. – Ela não é uma criaturinha peculiar? Mas tem um bom coração, é o que eu sempre digo.

POBRE ADAM!

Quando Una chegou em casa, Faith estava deitada de bruços na cama, inconsolável. A tia Martha havia matado Adam. Ele encontrava--se em uma travessa na dispensa naquele exato momento, amarrado e temperado, juntamente com o fígado, o coração e a moela. A tia Martha não deu a mínima para a dor e a fúria da menina.

– Precisávamos preparar alguma coisa para receber aquele ministro de fora – explicou. – Você já está bem grandinha para fazer todo esse escarcéu por causa de um galo velho. Mais cedo ou mais tarde, ele teria que ser morto, não se faça de desentendida.

– Vou contar o que você fez quando o papai voltar – soluçou Faith.

– Não incomode o coitado do seu pai. Ele já tem problemas suficientes. E sou eu quem cuida desta casa.

– Adam era meu, foi um presente da senhora Johnson, e você não tinha o direito de tocar nele – esbravejou Faith.

– Não seja malcriada. O galo está morto e fim de papo. Não vou servir ensopado de carneiro frio para um ministro da igreja que nem conheço. Fui muito bem-educada, por mais que tenha sido rebaixada na escala social.

Faith não desceu para jantar naquela noite nem foi à igreja na manhã seguinte. Na hora do almoço, porém, ela sentou-se à mesa, com os olhos inchados de tanto chorar e uma expressão fria.

O reverendo James Perry era um homem esguio e rubicundo, com um bigode branco eriçado, sobrancelhas brancas fartas e uma careca brilhante. Tinha poucos atrativos físicos e era uma pessoa muito fastidiosa e pomposa. No entanto, mesmo que ele se parecesse com o arcanjo Miguel e falasse na língua dos homens e dos anjos, Faith o teria detestado com todo o seu coração. Ele fatiou Adam com destreza, exibindo as mãos gordas e brancas e o deslumbrante anel de diamante. E também fez comentários joviais durante toda a performance. Jerry e Carl riram, e até Una esboçou um sorriso, como exigiam os bons modos. Faith, contudo, continuou de cara fechada. O ministro a considerou escandalosamente mal-educada, pois, quando ele fez um comentário bajulador para Jerry, Faith o interrompeu com grosseria para contradizê-lo. O reverendo juntou as sobrancelhas ao encará-la.

– Garotinhas não deveriam interromper os mais velhos – disse – e tampouco deveriam contradizer aqueles que sabem mais do que elas.

Aquilo deixou Faith em um estado de ânimo ainda pior. Ser chamada de "garotinha", como se ela não fosse maior que a gorduchinha Rilla Blythe de Ingleside! Era intolerável. E como comia aquele abominável senhor Perry! Ele até roeu os ossos do pobre Adam. Faith e Una mal tocaram na comida e olharam para os garotos como se fossem dois canibais. Faith sentia que, se aquela terrível refeição não terminasse logo, ela iria acabar jogando alguma coisa na cabeça lustrosa do reverendo. Felizmente, o senhor Perry considerou a torta de maçã borrachuda da tia Martha demasiada para seus poderes de mastigação e o repasto chegou ao fim, após um longo discurso de graças no qual o ministro agradeceu devotamente pela comida que a bondosa e gentil Providência havia provido para sustento e prazer temperado.

– Não foi Deus que proveu o Adam a você – murmurou Faith com rebeldia.

Os garotos se alegraram ao escaparem para o quintal, Una foi ajudar a tia Martha com os pratos, ainda que a velha rabugenta nunca aceitasse de bom agrado a tímida assistência da menina, e Faith dirigiu-se para o escritório, onde um fogo aconchegante ardia na lareira. Ela achou que conseguiria escapar do odioso senhor Perry, que havia anunciado suas intenções de tirar um cochilo à tarde, mas, assim que ela se instalou em um canto com um livro, ele entrou, parando diante da lareira, e começou a examinar o escritório bagunçado com um ar de reprovação.

– Os livros do seu pai estão em uma situação deplorável, minha garotinha – disse severamente.

Faith continuou taciturna no canto, sem dizer nada. Ela não iria falar com aquela... aquela criatura.

– Você deveria tentar colocá-los em ordem – continuou o senhor Perry, brincando com a corrente do belo relógio e sorrindo condescendentemente para Faith. – Você tem idade suficiente para tais tarefas. A minha filha tem só dez anos e já é uma excelente ajudante e companheira para a mãe. É uma criança muito doce. Gostaria que você tivesse o privilégio de conhecê-la; ela poderia ajudá-la de várias maneiras. Evidentemente, a você foi negado o inestimável privilégio de ter os carinhos e aprendizados de uma mãe. Uma triste carência, uma carência muito triste. Já conversei com o seu pai sobre esse assunto, chamando-lhe a atenção para os deveres dele, mas não houve resultados por enquanto. Tenho fé de que ele despertará para as responsabilidades antes que seja tarde demais. Enquanto isso, é seu dever e privilégio esforçar-se para ocupar o lugar da sua santa mãe. Você poderia ter grande influência sobre seus irmãos e a sua irmãzinha e poderia ser uma verdadeira mãe para eles. Receio que você não reflita sobre essas coisas como deveria. Minha querida criança, permita-se abrir os seus olhos para elas.

A voz pegajosa e complacente do senhor Perry escorria pelos ouvidos de Faith. Ele estava em seu elemento. Nada o satisfazia mais do que impor as leis morais, ser pedante e aconselhar. Não tinha a menor pretensão de parar e não parou. Parado diante da lareira, com os pés firmemente plantados sobre o tapete, ele despejava uma torrente de chavões. Faith não ouviu uma palavra sequer. Seus olhos castanhos olhavam com um deleite travesso e crescente a longa cauda do fraque preto dele. O senhor Perry estava parado muito próximo ao fogo. A cauda começou a ficar chamuscada... A cauda começou a soltar fumaça. Ele prosseguia, encorajado pela própria eloquência. A fumaça aumentou, e uma faísca minúscula voou da madeira e pousou na vestimenta. Ela ganhou vida, aumentando até formar um fogo sem chama. Faith não conseguiu mais se conter e começou a rir disfarçadamente.

O senhor Perry interrompeu-se, enfurecido pela impertinência. De repente, percebeu o cheiro de roupa queimada que enchia a sala. Ele virou-se e não viu nada. Então segurou a cauda do fraque e a puxou para a frente; já havia um buraco considerável em um dos lados no fraque novo dele. Chacoalhando o corpo, Faith ria descontroladamente da pose e da expressão dele.

– Você percebeu que meu fraque estava pegando fogo? – exigiu saber, furioso.

– Sim, senhor – respondeu ela com obediência.

– E por que não disse nada?

– O senhor disse que não era educado interromper os mais velhos – disse Faith, ainda mais obedientemente.

– Se eu fosse a sua mãe, eu lhe daria uma surra da qual você se lembraria pelo resto da vida, mocinha – disse o ministro da igreja muito, muito encolerizado, marchando para fora do escritório. O casaco do segundo melhor terno do senhor Meredith não lhe serviria, de maneira que ele teria de realizar o culto com o fraque chamuscado. O senhor Perry não percorreu o corredor com a usual consciência da honra que conferia ao recinto. Ele nunca mais concordou em trocar de púlpitos com o senhor Meredith e foi meramente civilizado com este quando se encontraram por alguns minutos na estação, na manhã seguinte. Não obstante, Faith sentiu uma satisfação sombria. Adam havia sido parcialmente vingado.

FAITH FAZ UMA AMIZADE

O dia seguinte foi difícil para Faith na escola. Mary Vance havia contado a história de Adam para todos os alunos, e os Blythes foram os únicos que não a acharam engraçada. Entre risadinhas, as meninas lhe disseram que era uma pena, e os garotos lhe escreveram mensagens sardônicas de condolências. A pobre Faith voltou da escola com a alma dolorida e angustiada.

– Vou até Ingleside para ter uma conversa com a senhora Blythe – soluçou. – Ela não rirá de mim, como todo mundo. Tenho que falar com alguém que entenda como estou me sentindo mal.

Ela atravessou correndo o Vale do Arco-Íris, que passara por maravilhas à noite. Uma leve camada de neve cobria os pinheiros, que sonhavam com a primavera e a alegria vindouras. A extensa colina estava tomada por um rico tom de púrpura das folhas das faias que haviam caído. A luz rósea do ocaso parecia beijar o mundo. De todos os lugares etéreos e mágicos, dotados de uma graça singular e encantada, o Vale do Arco--Íris era o mais lindo naquele crepúsculo invernal. Entretanto, o pobre e aflito coraçãozinho de Faith não notou toda aquela grandiosidade onírica.

Vale do Arco-Íris

Próximo ao riacho, ela surpreendeu-se com Rosemary West, sentada no tronco do pinheiro. Ela voltava das aulas de música em Ingleside. Estava há algum tempo ali no Vale do Arco-Íris, admirando sua beleza e passeando em devaneios. Talvez o tilintar suave e ocasional dos sinos das Árvores Enamoradas fosse a causa do sorriso furtivo em seus lábios. Ou talvez fosse o fato de que John Meredith raramente não fazia suas visitas vespertinas à casa cinzenta no topo da colina dominada pelos ventos.

Os sonhos de Rosemary foram invadidos por Faith Meredith, cheia de rebeldia e amargura. A menina parou abruptamente ao ver a senhorita West. Elas não se conheciam muito bem, apenas o suficiente para se cumprimentarem, e Faith também não queria conversar com ninguém, exceto a senhora Blythe. Sabia que seus olhos e o nariz estavam vermelhos e odiaria que uma desconhecida soubesse que ela estivera chorando.

– Boa noite, senhorita West – disse, desconfortável.

– Qual é o problema, Faith? – perguntou gentilmente Rosemary.

– Nada – respondeu a menina secamente.

– Ah! – Rosemary sorriu. – Você quer dizer nada que possa contar para os outros, não é mesmo?

Faith olhou para a senhorita West com um súbito interesse. Ali estava uma pessoa que entendia das coisas. E como era bonita! Como eram dourados seus cabelos sob o chapéu com plumas! Como suas bochechas eram rosa sobre o casaco de veludo! Como eram azuis e amigáveis seus olhos! Faith sentiu que a senhorita West poderia ser uma amiga adorável se ao menos fosse uma amiga, em vez de uma desconhecida!

– Eu... estava indo falar com a senhora Blythe – disse Faith. – Ela sempre compreende e nunca ri de nós. Sempre converso com ela. Ajuda bastante.

– Querida, sinto muito em avisar que a senhora Blythe não está em casa – disse a senhorita West, com simpatia. – Ela viajou para Avonlea e só voltará no fim da semana.

Os lábios de Faith começaram a tremer.

— Então, é melhor eu ir embora — disse, com tristeza.

— Imagino que sim, a menos que você ache que conseguiria se abrir comigo — disse a senhorita West gentilmente. — É tão bom poder falar sobre as coisas, eu sei. Creio que eu não seja tão compreensiva quanto a senhora Blythe, mas prometo que não rirei de você.

— Você não riria por fora — hesitou Faith. — Talvez... por dentro.

— Não, eu também não riria por dentro. Por que eu faria isso? Algo a magoou, e eu não gosto de ver as pessoas magoadas, não importa qual seja o motivo. Se você se sentir à vontade para me contar o que a magoou, ficarei feliz em ouvir, e, se preferir não me contar, está tudo bem, também, querida.

Faith olhou mais uma vez no fundo dos olhos da senhorita West. Eles eram muito sérios, não havia nenhum traço de riso fácil. Suspirando, a menina sentou-se no velho pinheiro ao lado da nova amiga e contou tudo sobre Adam e seu destino cruel.

— O senhor Perry é um ministro da igreja, só que ele deveria ser um açougueiro — disse Faith com amargura. — Ele gosta de cortar as coisas, pois ele adorou destrinchar o pobre Adam, simplesmente o fatiou como se fosse um galo qualquer.

— Cá entre nós, Faith, eu também não gosto muito do senhor Perry — confessou Rosemary, rindo. Não do Adam, e sim do senhor Perry, como a menina compreendeu com clareza. — Nunca gostei dele. Nós estudamos juntos, e ele morou em Glen quando era garoto, sabia? E naquela época ele já era odiosamente pedante. Oh, como as garotas detestavam segurar a mão gorda e suada dele nas brincadeiras! Mas devemos nos lembrar, querida, que ele não sabia que Adam era o seu bicho de estimação. Ele achou que se tratava de um galo comum. Devemos ser justas, mesmo quando somos terrivelmente magoadas.

— Suponho que sim — admitiu Faith. — Mas por que todo mundo acha engraçado eu ter amado tanto o Adam, senhorita West? Se ele tivesse sido um gato velho e horroroso, ninguém teria achado estranho. Quando o gatinho da Lottie Warren teve as patas cortadas pelo enfeixador, todo mundo ficou triste. Ela chorou durante dois dias na escola e ninguém riu, nem mesmo Dan Reese, e todos os amigos dela foram ao funeral e a ajudaram a enterrá-lo. Eles só não enterraram as patinhas do pobre animal porque não conseguiram encontrá-las. Foi uma tragédia, sem dúvida, porém não acho que foi tão traumatizante quanto ver o seu bichinho de estimação ser comido. Todo mundo está rindo de mim.

– Acho que é porque "galo" soa engraçado – disse Rosemary com seriedade. – Há algo de cômico na palavra. Agora, "frango" é diferente. Não soa tão caricato falar que se ama um frango.

– Adam era um franguinho adorável, senhorita West. Parecia uma bolinha dourada, costumava vir correndo e comer na minha mão. E continuou sendo gracioso quando cresceu, era branco como a neve, com um charmoso rabo branco e encurvado, ainda que Mary Vance achasse que fosse muito curto. Ele sabia o próprio nome e sempre vinha quando eu o chamava. Era uma ave muito inteligente. E a tia Martha não tinha o direito de matá-lo, pois ele era meu, não foi justo, não é mesmo, senhorita West?

– Não, não foi – afirmou Rosemary. – Nem um pouco. Eu tive uma galinha de estimação quando era pequena. Era a coisinha mais linda, com penas marrons e douradas cheias de pintas. Eu a amei da mesma forma que amei meus outros bichos de estimação. Ela não foi morta, morreu de velhice. A mamãe nunca a matou porque era a minha mascote.

– Se a minha mãe estivesse viva, ela não teria permitido que Adam fosse morto – disse Faith. – Aliás, o papai também não teria deixado se estivesse em casa. Tenho certeza disso, senhorita West.

– Também tenho certeza – disse Rosemary. O rubor de suas bochechas intensificou-se ligeiramente. Ela ficou constrangida, porém Faith não notou.

– Foi errado não ter dito ao senhor Perry que o fraque dele estava pegando fogo?

– Ah, muito errado – respondeu Rosemary, com os olhos dançantes. – Mas eu também teria sido travessa, Faith. Eu tampouco contaria que a roupa dele estava pegando fogo e acredito que não teria ficado com nem um pingo de culpa.

– Una disse que eu deveria ter contado, já que ele é um ministro.

– Querida, se um ministro da igreja não se comporta como um cavalheiro, ele não pode esperar que respeitemos a cauda do fraque dele. Eu adoraria ter visto o fraque de Jimmy Perry em chamas. Deve ter sido muito divertido.

As duas riram, mas Faith concluiu com um suspiro amargurado:

– Enfim, de qualquer forma, Adam está morto, e eu nunca mais vou amar nada.

– Não diga isso, querida. Sem amor, nós desperdiçaríamos boa parte da vida. Quanto mais amamos, mais rica a vida fica, mesmo que seja somente um bichinho peludo ou emplumado. Você gostaria de ter um canário, Faith? Um canarinho dourado? Se quiser, posso lhe dar um. Temos dois em casa.

– Oh, eu adoraria – exclamou Faith. – Amo pássaros. Mas será que o gato da tia Martha vai comê-lo? É tão trágico ter a sua mascote devorada! Não sei se suportaria uma segunda vez.

– Se pendurar a gaiola bem alto, acredito que o gato não o machucará. Eu ensinarei a você como cuidar dele e o trarei até Ingleside da próxima vez em que vier para cá.

Rosemary disse para si mesma: "será o assunto do momento para todas as fofoqueiras de Glen, entretanto isso não importa. Quero confortar esse pobre coraçãozinho".

Faith sentia-se reconfortada. A empatia e a compreensão eram muito, muito doces. Rosemary e ela ficaram sentadas sobre o velho pinheiro até que o sol avançou lentamente pelo vale branco e a Estrela Vespertina surgiu sobre o bosque de bordos. Faith contou todas as suas pequenas histórias e esperanças, gostos e desgostos, as idas e vindas da vida na casa ministerial, os altos e baixos da vida social na escola. Por fim, partiram dali como grandes amigas.

Como sempre, o senhor Meredith estava perdido em sonhos quando o jantar começou naquela noite. No entanto, um nome conseguiu infiltrar-se em suas abstrações e trazê-lo de volta à realidade. Faith estava contando sobre seu encontro com Rosemary.

– Eu a achei encantadora – disse Faith. – Tanto quanto a senhora Blythe, só que diferente. Senti vontade de abraçá-la, e foi ela que me deu um abraço gostoso, como se fosse aveludado. E ela me chamou de "querida". Fiquei eletrizada, era como se eu pudesse contar qualquer coisa para ela.

– Então, você gostou da senhorita West, Faith? – perguntou o senhor Meredith, com uma entonação um tanto estranha.

– Eu a amei! – respondeu Faith.

– Ah! – exclamou o senhor Meredith. – Ah!

A PALAVRA IMPOSSÍVEL

John Meredith caminhava pensativo pelo Vale do Arco-Íris sob o frio invernal da noite clara. As colinas longínquas cintilavam com o esplendor gelado da neve enluarada. Cada pinheiro jovem ao longo do vale cantava sua própria canção ao ritmo da harpa do vento e da geada. Os filhos dele e os dos Blythes deslizavam pela ladeira ao Leste e sobre o lago congelado. Eles se divertiam imensamente, e suas vozes alegres e seus gritos ainda mais alegres ecoavam por todo o vale, definhando em cadências mágicas entre as árvores. À direita, Ingleside resplandecia por entre o bosque de bordos com o fascínio que sempre parecem ter as luzes de uma casa onde sabemos que há amor, felicidade e acolhimento a todos os irmãos, sejam eles de sangue ou de espírito. De vez em quando, o senhor Meredith gostava muito de passar a tarde conversando com o doutor junto à lareira, de onde os famosos cães de porcelana de Ingleside vigiavam incessantemente como deidades. Contudo, ele não olhava para aquela direção. O senhor Meredith estava indo visitar Rosemary West e pretendia lhe dizer algo que brotara em seu coração no dia em que se conheceram e que havia desabrochado por completo na noite em que Faith demonstrou tão afetuosamente sua admiração por ela.

Ele percebera que nutria sentimentos por Rosemary, não como os que tinha por Cecilia, é claro – estes eram inteiramente diferentes. Ele não acreditava que voltaria a sentir aquele amor romântico, onírico e especial, mas Rosemary era linda, doce e adorável, muito adorável. Era a melhor das companhias, e ele não esperava que fosse ser tão feliz ao lado de mais ninguém como era junto dela. Rosemary seria a mulher ideal para o seu lar e uma boa mãe para seus filhos.

Durante os anos de viuvez, o senhor Meredith recebeu inúmeras indiretas de seus colegas de presbitério e de muitos paroquianos insuspeitos de terem segundas intenções, bem como de alguns suspeitos, de que deveria se casar de novo. E, em seus ocasionais momentos de bom senso, ele reconhecia que isso seria o mais sensato. Só que o bom senso não era o forte de John Meredith, e ter que escolher deliberadamente e a sangue frio uma mulher "adequada", como alguém que escolhe uma empregada ou um sócio, era algo de que ele era incapaz. Como ele odiava a palavra "adequada"! Ela o fazia lembrar-se de James Perry. "Uma mulher adequada, de idade adequada", dissera o untuoso colega de púlpito em uma de suas indiretas mais do que diretas, o que causou em John Meredith um desejo perfeitamente inacreditável de sair correndo e pedir em casamento a mulher mais jovem e inadequada que fosse possível encontrar.

A senhora Marshall Elliott era uma boa amiga, de quem ele gostava muito, mas, quando ela disse sem rodeios que ele deveria se casar novamente, foi como se ela tivesse arrancado o véu cobrindo o altar sagrado de sua vida mais íntima. Desde então, o senhor Meredith tinha certo receio dela. Ele sabia que havia mulheres em sua congregação "de idade apropriada" que se casariam com ele em um piscar de olhos. Tal fato transpassara suas abstrações logo após sua chegada à casa ministerial em Glen St. Mary. Eram mulheres bondosas, de confiança, pouco interessantes; uma ou outra era bela de verdade, mas a maioria não chegava a tanto, e John Meredith pensava em casar-se com alguma delas com a mesma frequência com que pensava em tirar a própria vida. Ele tinha certos ideais que vinham antes de qualquer necessidade aparente. Não pediria a nenhuma mulher que substituísse Cecilia a menos que pudesse lhe oferecer, no mínimo, um pouco da afeição e da devoção que tinha pela esposa. E onde, em seu limitado círculo de amizades femininas, ele encontraria tal mulher?

Rosemary West entrara na vida dele naquela tarde de outono, trazendo com ela uma atmosfera na qual o espírito dele se sentia em casa. Os dois desconhecidos formaram um laço de amizade por cima do abismo que os separava. Ele a conheceu melhor naqueles dez minutos às margens do riacho do que Emmeline Drew, Elizabeth Kirk ou Amy Annetta Douglas em um ano, ou talvez até em um século. Ele buscara consolo nela quando a senhora Alec Davis afrontara sua mente e seu espírito, e o encontrara. Depois daquele dia, ele fora com frequência à casa na colina, percorrendo as trilhas escuras do Vale do Arco-Íris pela noite de maneira tão sorrateira que os fofoqueiros de Glen nunca tinham certeza absoluta de que ele ia de fato visitar Rosemary West. Uma ou duas vezes ele fora surpreendido na sala dos Wests por outro visitante, e isso era tudo que sabiam as damas da Sociedade Assistencial. Ao inteirar-se disso, Elizabeth Kirk sufocou uma esperança secreta de que havia se permitido acalentar, sem a mínima alteração em seu semblante simplório, e Emmeline Drew decidiu que, da próxima vez que se encontrasse com certo solteirão de Lowbridge, ela não iria esnobá-lo como já havia feito. E, é claro, se Rosemary West quisesse, ela conquistaria o ministro sem nenhuma dificuldade, pois era mais jovem, e os homens a consideravam bonita. Além disso, as irmãs Wests tinham dinheiro!

— Espero que ele não seja tão distraído a ponto de pedir Ellen em casamento por engano — foi a única coisa maliciosa que ela se permitiu dizer de sua compreensiva irmã. Emmeline não guardou rancor de

Rosemary. No fim das contas, um solteirão sem complicações era muito melhor do que um viúvo com quatro filhos. Foi o *glamour* da senhorita Cornelia que temporariamente cegara Emmeline.

Um trenó com três ocupantes aos gritos passou a toda velocidade pelo senhor Meredith em direção ao lago. Os longos cachos de Faith esvoaçavam ao vento, e sua risada se destacava das outras. John Meredith os seguiu com o olhar cheio de carinho. Alegrava-o saber que os filhos eram tão próximos dos Blythes, que eles tinham uma amiga tão sábia, gentil e carinhosa como a senhora Blythe. Só que eles necessitavam de algo mais, e essa necessidade seria suprida quando ele levasse Rosemary West para a velha casa ministerial como sua esposa. Nela havia um nítido instinto maternal.

Ele não costumava fazer visitas no sábado à noite, que ele geralmente dedicava à revisão cuidadosa do sermão de domingo. No entanto, escolhera aquela noite porque sabia que Rosemary estaria sozinha em casa. Ele havia passado muitos momentos agradáveis na casa da colina e nunca, desde aquela primeira noite na primavera, encontrara Rosemary sozinha. Ellen sempre estivera presente.

A presença dela não chegava exatamente a incomodá-lo. Ele gostava muito de Ellen West e a considerava uma grande amiga. Ellen tinha uma visão de mundo quase masculina e um senso de humor que ele, com sua tímida e secreta apreciação pelo cômico, achava muito agradável. John Meredith compartilhava do interesse dela pela política e pelos acontecimentos no mundo. Não havia nenhum homem em Glen, nem mesmo o doutor Blythe, com uma compreensão tão grande desses assuntos.

– Acho que, enquanto estivermos vivos, devemos nos interessar pelas coisas – dissera. – Do contrário, não vejo muita diferença entre os vivos e os mortos.

Ele gostava da voz agradável, profunda e ressoante de Rosemary, gostava da risada calorosa com que concluía uma história divertida e bem-contada. Ela nunca lhe dava conselhos sobre os filhos como os outros faziam, nunca o entediava com fofocas, e seus comentários nunca eram maliciosos ou mesquinhos. Era sempre esplendorosamente sincera. O senhor Meredith, que havia adotado o sistema da senhorita Cornelia de classificar as pessoas, considerava que Ellen pertencia ao povo que conhece José. Em suma, uma mulher admirável para se ter como cunhada. Ainda assim, um homem não quer nem a mais impressionante das mulheres por perto na hora de fazer um pedido de casamento. E Ellen estava sempre por perto, mas não insistia em conversar com o senhor Meredith o tempo todo e deixava que Rosemary tivesse sua cota justa da atenção dele. Em muitas noites, inclusive, Ellen havia se excluído quase completamente, sentando-se em um canto afastado com o São Jorge no colo, permitindo que o senhor Meredith e Rosemary conversassem, cantassem e lessem livros juntos. Às vezes, eles quase se esqueciam da presença dela. Todavia, se a conversa ou a escolha de um dueto mostrasse qualquer traço do que Ellen considerava ser romântico, ela prontamente o cortava pela raiz e excluía a irmã pelo resto da noite. Mas nem o dragão mais feroz e bem-intencionado consegue impedir a linguagem sutil dos olhares, sorrisos e silêncios eloquentes, e assim prosseguiam os avanços do ministro.

Não obstante, se ele pretendia alcançar seu objetivo, teria de ser quando Ellen estivesse ausente, e ela raramente saía de casa, em especial no inverno. Ellen jurava que o lugar mais agradável do mundo era ao lado daquela lareira. Passear não lhe interessava muito. Gostava da companhia das pessoas, mas dentro da própria casa. O senhor Meredith estava prestes a tomar a atitude drástica de escrever a Rosemary revelando suas intenções quando Ellen anunciou casualmente que iria a uma festa de bodas de prata no sábado seguinte. Ela havia sido dama de honra da noiva. Apenas os convidados originais compareceriam, de modo que Rosemary não iria junto. O senhor Meredith ouviu com atenção especial, e um brilho surgiu em seus olhos sonhadores. As duas irmãs notaram e foram surpreendidas pelo pressentimento de que o senhor Meredith viria até o topo da colina no sábado seguinte.

– É melhor que ele tome uma atitude de uma vez por todas, São Jorge – disse Ellen com severidade para o gato preto, depois que o senhor Meredith foi embora e Rosemary subiu para o quarto sem dizer nada. – Ele pretende pedi-la em compromisso, São Jorge, não resta dúvida. Então é melhor que ele descubra o quanto antes que não pode tê-la, pois é bem provável que ela aceite, Jorge. Só que ela me prometeu e precisa manter a palavra. De certa forma, tenho muita pena dele, Jorge. Não conheço um homem melhor do que ele para se ter como cunhado, se fosse conveniente ter um. Não tenho nada contra o senhor Meredith, Jorge, exceto que ele se recusa a ver que o cáiser é uma ameaça à paz na Europa. Uma mulher pode dizer o que quiser para um homem circunspecto como ele e ter a certeza de que não foi incompreendida. Um homem assim é mais precioso do que rubis, Jorge, ainda mais raro. Mesmo assim, não pode ter Rosemary, e suponho que ele dará as costas para nós duas quando descobrir. E nós sentiremos saudade dele, sentiremos uma saudade imensa dele, Jorge, mas ela fez uma promessa, e eu vou me certificar de que ela a cumpra! – A resolução de Ellen era tão ameaçadora que seu semblante chegava a se deformar. No andar de cima, Rosemary chorava sobre o travesseiro.

O senhor Meredith encontrou sua dama sozinha e muito bonita. Rosemary não fez nenhum preparativo especial para a ocasião. Ela queria se arrumar, mas considerou um disparate aparecer assim para um homem que pretendia recusar. Ela colocou um vestido escuro simples, com o qual parecia uma rainha. A emoção suprimida lhe conferia uma cor brilhante ao rosto, e seus grandes olhos azuis pareciam duas piscinas de luz, menos plácidas do que de costume.

Rosemary não via a hora de a visita terminar. Ela esperara o dia inteiro, aflita. Estava quase certa de que John Meredith gostava muito dela, a seu modo, e também tinha quase certeza de que não era da mesma forma que ele gostava do primeiro amor. Ela sentia que a recusa seria uma profunda decepção, todavia não achava que chegaria a abalá-lo. Mesmo assim, ela odiava ter de rechaçá-lo, odiava pelo bem dele e, sendo absolutamente sincera, pelo próprio bem. Ela sabia que poderia tê-lo amado se fosse permitido, sabia que a vida seria vazia se ele se recusasse a continuar sendo amigo dela. Sabia que poderia ser bem feliz com ele e que ele poderia fazê-la muito feliz. No entanto, entre ela e a felicidade havia os portões da prisão da promessa que fizera a Ellen anos atrás. Rosemary não se lembrava do pai, que morrera quando ela estava com três anos de idade. Ele era um homem severo e reservado, muitos e muitos anos mais velho que a jovem e bela mãe dela. Cinco anos depois, o irmão de doze anos delas também faleceu, e as duas garotas passaram a viver sozinhas com a mãe. Elas nunca participaram livremente da vida social de Glen ou de Lowbridge, embora, aonde quer que fossem, a sagacidade e a personalidade de Ellen e a doçura e a beleza de Rosemary as tornassem bem-vindas. Ambas tiveram o que era chamado de "decepção" na juventude. O mar não devolvera o amor de Rosemary, e Norman Douglas, que na época era um gigante belo e vivaz de cabelos ruivos, famoso por montar como um selvagem e por suas estrondosas, ainda que inofensivas, escapadas, brigara com Ellen e a abandonara em um acesso de raiva.

Não faltaram candidatos para o lugar de Martin e de Norman, porém nenhum deles atraía a atenção das irmãs Wests, que aos poucos deixavam para trás a mocidade e a formosura sem nenhum arrependimento aparente. Eram devotadas à mãe, que sofria de invalidez crônica. As três viviam em um mundinho de interesses caseiros, livros, bichos de estimação e flores que as deixava felizes e satisfeitas.

A morte da senhora West, que ocorreu no aniversário de vinte e cinco anos de Rosemary, foi um golpe duro para ambas. A princípio, as duas sentiram-se intoleravelmente solitárias. Ellen, em especial, continuou por muito tempo de luto e sofrendo. Suas longas e sorumbáticas contemplações eram interrompidas apenas por crises de choro tempestuosas e violentas. O velho doutor de Lowbridge disse a Rosemary que receava por uma melancolia permanente ou algo pior.

Certa vez, depois que Ellen passara o dia inteiro prostrada, recusando-se a falar e a comer, Rosemary ajoelhou-se ao lado da irmã.

– Oh, Ellen, você ainda tem a mim – disse, implorante. – Não sou nada para você? Nós sempre nos amamos tanto!

– Eu não terei você para sempre – disse Ellen, rompendo o silêncio com brusquidão. – Você se casará e me abandonará. Ficarei sozinha. Não consigo suportar essa ideia... Não consigo. Prefiro a morte.

– Eu jamais me casarei – prometeu Rosemary. – Nunca, Ellen.

Ellen inclinou-se e olhou inquisitivamente dentro dos olhos de Rosemary.

– Promete solenemente? Prometa sobre a Bíblia da mamãe.

Rosemary cedeu de imediato, desesperada por agradar Ellen. E por que não? Ela sabia que nunca iria querer se casar com ninguém. O amor dela fora levado junto com Martin Crawford para as profundezas do mar; então, sem amor, ela não se casaria com ninguém. Por isso ela aceitou no ato, mesmo com Ellen convertendo a promessa em um ritual sinistro. Elas uniram as mãos sobre a Bíblia, no quarto que fora da mãe, e juraram uma para a outra que jamais se casariam e sempre viveriam juntas.

O estado de Ellen melhorou naquele instante. Ela logo recobrou a alegria usual. Durante dez anos, elas viveram alegremente na antiga casa sem serem perturbadas por questões matrimoniais. A promessa não lhes pesava. Ellen não deixava de lembrar a irmã toda vez que um indivíduo do sexo masculino elegível cruzava o caminho delas, todavia ela nunca se sentiu de fato preocupada até John Meredith entrar pela porta da sala naquela noite. Quanto a Rosemary, a obsessão de Ellen com o juramento sempre foi motivo de riso até pouco tempo atrás. Agora, tratava-se de um cárcere atroz, autoimposto e irrevogável. Por causa dela, Rosemary teria de dar as costas para a felicidade.

Era verdade que o amor tímido e doce que havia sentido pelo namorado da juventude ela jamais voltaria a sentir por alguém. Mas também sabia que poderia dar a John Meredith um amor muito mais rico e maduro. Ela sabia que ele tocava em recônditos de sua natureza que Martin não havia alcançado, que talvez nem existissem na garota de dezessete anos que ela fora. E ela teria de recusá-lo naquela noite, teria de mandá-lo de volta para a casa solitária, para a vida vazia e para os problemas angustiantes porque, dez anos atrás, ela prometera sobre a Bíblia da mãe que não se casaria.

John Meredith não aproveitou a oportunidade de imediato; pelo contrário, ele falou durante duas horas inteiras sobre assuntos nada românticos. Até sobre política tentou conversar, embora não fosse do interesse de Rosemary. Ela começou a achar que havia se enganado, e de repente seus medos e expectativas pareceram grotescos. Ela sentiu-se incoerente e tola, a vivacidade desapareceu de seu rosto, e o brilho apagou-se de seus olhos. John Meredith não tinha a menor intenção de pedi-la em casamento.

Então, inesperadamente, ele pôs-se de pé, atravessou a sala e, parado ao lado da cadeira dela, fez o pedido. O cômodo parecia terrivelmente estático. Até o São Jorge parou de ronronar naquele momento. Rosemary podia ouvir o próprio coração bater e tinha certeza de que John Meredith também podia ouvi-lo.

Agora era a hora de dizer não com gentileza e firmeza. Há dias ela preparara uma resposta formal de recusa, mas naquele momento as palavras desapareceram completamente da mente dela. Rosemary precisava dizer não e percebeu que não seria capaz. Era uma palavra impossível. Agora ela sabia que a questão não era que poderia ter amado John, e sim que, de fato, o amava. Ter de afastá-lo da sua vida era realmente angustiante.

Era preciso dizer alguma coisa. Ela inclinou a cabeça dourada para trás e, balbuciando, pediu que ele lhe desse alguns dias para pensar.

John Meredith ficou um tanto surpreso. Ele não era mais vaidoso do que qualquer outro homem decente, mas esperava que Rosemary West dissesse sim. Era quase evidente que ela nutria os mesmos sentimentos por ele. Então... por que aquela dúvida, aquela hesitação? Ela não era uma colegial para não ter certeza do que queria. Ele foi surpreendido pelo choque da decepção e do desânimo. John Meredith atendeu ao pedido dela com sua infalível cortesia e foi embora.

– Darei minha resposta daqui a alguns dias – disse Rosemary, com os olhos baixos e as bochechas incandescentes.

Ela voltou para o quarto assim que a porta bateu, torcendo as mãos.

O SÃO JORGE
SABE DE TUDO

À meia-noite, Ellen West voltava caminhando das bodas de prata dos Pollock. Ela havia ficado um pouco mais depois que os outros convidados se foram para ajudar a noiva de cabelos grisalhos a lavar a louça. A distância entre as duas casas não era grande, e a estrada estava em boas condições, de maneira que a caminhada sob o luar lhe agradou.

A noite foi agradável. Ellen, que não ia a uma festa há anos, divertiu-se muito. Todos os outros convidados eram do antigo grupo de amigos dela e não havia nenhum representante da juventude intrusivo para estragar a festa, já que o único filho do casal estudava em uma faculdade muito longe e não pôde estar presente. Norman Douglas também compareceu. Eles se reencontraram socialmente pela primeira vez depois de muitos anos, embora ela o tivesse visto na igreja naquele inverno uma ou duas vezes. O reencontro não despertou nenhum sentimento no coração de Ellen. Ela havia se acostumado a imaginar, nas raras vezes em que pensava no assunto, como podia ter se interessado por ele ou ter se sentido mal por causa do casamento que não dera certo. Independentemente disso, foi bom revê-lo. Ela havia se esquecido do quanto ele podia ser cativante e estimulante. Nenhuma ocasião era tediosa quando Norman Douglas estava presente. Todos se surpreenderam quando ele chegou, pois era de conhecimento geral que ele nunca ia a lugar algum. Os Pollocks o chamaram porque ele era um dos convidados originais, sem a menor expectativa de que ele fosse. Ele levou uma prima de segundo grau, Amy Annetta Douglas, com quem foi muito atencioso durante o jantar. Ellen sentou-se na frente dele, e os dois tiveram uma animada discussão, durante a qual nem todos os gritos e gracejos de Norman Douglas foram capazes de enervar Ellen, que acabou saindo vitoriosa com tanta compostura que ele ficou em silêncio por dez minutos. Ao final desse tempo, ele murmurou em meio à barba avermelhada "vivaz como sempre, vivaz como sempre" e começou a atormentar Amy Annetta, que ria de maneira abobalhada de suas provocações em vez de responder a elas com mordacidade, como fizera Ellen.

Ellen revivia esses momentos enquanto caminhava para casa, degustando-os com deleite. O ar enluarado estava salpicado pela geada, e a neve estalava sob seus pés. Lá embaixo estava o vilarejo de Glen e, mais além, o porto encoberto pela brancura. Uma luz estava acesa no escritório da casa ministerial. Então, John Meredith já estava em casa. Será que ele pedira Rosemary em casamento? E de que forma ela recusara? Ellen sentiu que jamais saberia, por mais curiosa que estivesse. Ela não tinha dúvida de que a irmã nunca contaria algo sobre aquela noite, e ela tampouco se atreveria a perguntar. Ela deveria se contentar com o fato de Rosemary ter dito não. Afinal, era a única coisa que importava.

– Espero que ele tenha o bom senso de aparecer de vez em quando para uma visita amigável – disse para si mesma. Ela detestava tanto estar sozinha que pensar em voz alta era uma de suas artimanhas para escapar da solidão indesejada. – É horrível nunca ter uma companhia masculina com cérebro para conversar de vez em quando. E o mais provável é que nunca volte a se aproximar de casa. É o mesmo caso de Norman Douglas. Eu gosto dele e adoraria ter um bom debate acalorado com ele de vez em quando, mas ele nunca viria me visitar, por medo de as pessoas pensarem que ele está me cortejando de novo. Por medo de que eu pensasse isso, principalmente, por mais que agora ele seja mais desconhecido do que John Meredith. Parece um sonho a época em que quase chegamos a ser um casal. Enfim, a verdade é que há dois homens em Glen com quem eu gosto de conversar, e, com todas essas fofocas e essa tolice de pedido de casamento, é provável que eu nunca mais os veja. Eu – acrescentou Ellen, dirigindo-se às estrelas imóveis com um rancor enfático –, eu poderia ter feito do mundo um lugar melhor.

Ela parou no portão com uma sensação vaga e repentina de alarme. A sala ainda estava iluminada, e, projetadas na persiana, havia as sombras de uma mulher que andava sem parar de um lado para o outro. O que Rosemary estava fazendo acordada àquela hora da noite? E por que estava agindo feito uma louca?

Ellen entrou sem fazer barulho. Ao abrir a porta do *hall* da frente, Rosemary veio ao seu encontro. Estava corada e afoita. Uma atmosfera de tensão e paixão a envolvia.

– Por que não está dormindo? – quis saber Ellen.

– Venha aqui – disse Rosemary gravemente. – Quero lhe contar uma coisa.

Com calma, Ellen tirou o xale, os sapatos para neve e seguiu a irmã até a sala aquecida e iluminada pela fogueira. Apoiou a mão sobre a mesa e esperou. Estava muito elegante, em seu estilo sóbrio e austero. O novo vestido preto de seda, com sua cauda e a gola em V, que ela fizera especialmente para a festa, realçava sua figura proeminente e majestosa. Levava no pescoço um espesso colar de contas âmbares que era herança de família. Entretanto, seus olhos azuis eram gélidos e cortantes como o céu da noite de inverno. Esperou em um silêncio que Rosemary só conseguiu romper com um esforço convulsivo.

– Ellen, o senhor Meredith esteve aqui nesta noite.

– E?

– E... E... ele me pediu em casamento.

– É o que eu esperava. E você recusou, logicamente.

– Não.

– Rosemary. – Ellen cerrou o punho e deu um passo involuntário adiante. – Está me dizendo que você aceitou?
– Não... Não.
Ellen recobrou o autocontrole.
– Então, o que você disse?
– Eu... pedi alguns dias para pensar.
– Não vejo a necessidade disso – disse Ellen com um frio desdém –, sendo que só há uma resposta possível.
Rosemary estendeu as mãos em um gesto de súplica.
– Ellen – disse, desesperada –, eu amo John Meredith e quero ser a esposa dele. Você poderia me libertar da nossa promessa?
– Não – respondeu Ellen, pois estava morta de medo.
– Ellen... Ellen...
– Ouça, aquela promessa não foi ideia minha. Foi você quem a ofereceu.
– Eu sei... Eu sei. Só que na época eu não achava que poderia voltar a amar alguém.
– Foi ideia sua – repetiu Ellen, impassível. – Você prometeu sobre a Bíblia da nossa mãe. Foi mais que uma promessa, foi um juramento, e agora você quer desonrá-lo.
– Estou pedindo que me liberte, Ellen.
– Não. Para mim, promessas são sagradas. Eu não farei isso. Quebre a promessa, se quiser, seja uma traidora, mas não darei o meu consentimento.
– Você está sendo muito dura comigo, Ellen.
– Dura? E quanto a mim? Já pensou na minha solidão aqui se você me deixar? Seria insuportável... Eu iria enlouquecer. Não posso viver sozinha. Eu não fui uma boa irmã para você? Eu já me opus a algum de seus desejos? Eu não lhe dei tudo que queria?
– Sim... Sim.
– Então por que pretende me deixar por esse homem que você conhece há menos de um ano?

– Eu o amo, Ellen.

– Amor! Está falando como uma colegial, e não como uma mulher de meia-idade. Ele não a ama, só quer uma empregada e uma governanta. Você não o ama, só quer o título de senhora... Você não passa de mais uma dessas mulheres de cabeça fraca que consideram uma desgraça ser chamada de solteirona. Essa é a verdade.

Rosemary estremeceu. Ellen não podia, ou não queria, compreender. Não havia sentido discutir.

– Então, você não dará o seu consentimento, Ellen?

– Não. E não tocarei mais no assunto. Você prometeu e precisa manter a sua palavra. Isso é tudo. Vá para a cama. Olha que horas são! Você está esgotada e cheia de fantasias. Amanhã, pensará com mais clareza, e não quero mais ouvir falar de toda essa bobagem. Vá!

Rosemary recolheu-se sem dizer mais nada, pálida e desanimada. Ellen andou freneticamente de um lado para o outro por alguns minutos e então parou diante da cadeira onde o São Jorge dormia calmamente. Um sorriso relutante surgiu em seu semblante perturbado. A morte da mãe fora a única circunstância em sua vida em que ela não conseguiu mitigar a tragédia com a comédia. Até quando Norman Douglas a abandonou, por assim dizer, ela foi capaz de rir de si mesma tanto quanto chorar.

– Lágrimas vão rolar, São Jorge. Sim, acredito que teremos alguns dias tempestuosos. Bem, nós os suportaremos, Jorge. Nós já lidamos com crianças tolas antes. Rosemary ficará deprimida por um tempo, mas logo superará, e tudo voltará a ser como era antes. Ela prometeu, precisa manter a promessa, e essa é a última vez que tocarei no assunto com você, com ela ou com qualquer outra pessoa, Jorge.

Ellen, contudo, ficou acordada até o amanhecer.

No entanto, Rosemary não ficou emburrada. Ela estava pálida e quieta no dia seguinte, mas Ellen não detectou nenhuma diferença nela. Aparentemente, ela não guardava rancor da irmã. Chovia muito, de forma que ninguém cogitou ir à igreja. À tarde, Rosemary trancou-se no quarto e escreveu uma carta para John Meredith. Ela não confiava em si mesma para dizer "não" em pessoa e acreditava que ele não aceitaria a resposta se suspeitasse de que ela estava relutante e tampouco suportaria as súplicas dele. Ela precisava convencê-lo de que não sentia nada por ele e só conseguiria fazer isso por carta. Rosemary escreveu a carta de recusa mais seca e fria que podia imaginar. Com o mínimo de civilidade, ela não dava a menor brecha ou esperança para o mais ousado dos enamorados, e John Meredith estava longe disso. Ele refugiou-se dentro de si mesmo, magoado e mortificado, ao ler a carta dela no dia seguinte em seu escritório empoeirado. Todavia, por baixo de toda aquela melancolia, ele teve uma espantosa revelação. John Meredith achava que não amava Rosemary com a mesma intensidade com que amara Cecilia. Agora, ao perdê-la, ele sabia que não era verdade. Ela era tudo para ele, tudo! E ele precisava tirá-la da sua vida; até mesmo a amizade era impossível naquele momento. A vida revelava-se diante dele em uma aridez intolerável. John Meredith precisava seguir em frente. Ele ainda tinha o trabalho, os filhos, mas já não podia mais contar com o coração. Passou o resto da noite sentado no escritório escuro, frio e desconfortável com a cabeça entre as mãos. No topo da colina, Rosemary teve uma dor de cabeça e foi para a cama mais cedo, enquanto Ellen comentava com o São Jorge, que ronronava desdenhosamente para a tolice dos seres humanos, que não sabiam que uma almofada macia era a única coisa que realmente importava:

– O que seria das mulheres se as dores de cabeça não tivessem sido inventadas, São Jorge? Mas não se preocupe. Vamos fazer vista grossa por algumas semanas. Admito que não me sinto à vontade, Jorge. É como se eu tivesse afogado um filhote de gato. Só que ela prometeu, São Jorge, foi ideia dela. *Basmala*[19]!

---

19 Termo de origem árabe que significa "Em nome de Deus, o Clemente, o Misericordioso". (N. T.)

O CLUBE
DA BOA CONDUTA

Uma chuva leve caiu o dia inteiro, uma chuva delicada e bela de primavera, que parecia sussurrar sobre anêmonas e as violetas que despertavam. O porto, o golfo e a praias adjacentes ficaram envoltos por uma névoa perolada, mas agora, de tardezinha, a chuva havia cessado, e o vento levara a neblina para o mar aberto. Nuvens adornavam o céu sobre o porto como pequenas rosas em chamas. As colinas longínquas estavam escurecidas pelo pródigo esplendor dos narcisos e do escarlate. Uma grande estrela prateada vigiava sobre as dunas de areia. Um vento enérgico e dançante soprava do Vale do Arco-Íris, trazendo consigo o aroma dos pinheiros e dos pântanos. Ele cantarolava por entre os velhos abetos e agitava os admiráveis cachos de Faith, sentada sobre o túmulo de Hezekiah Pollock com os braços sobre os ombros de Mary Vance e Una. Carl e Jerry estavam sentados de frente para elas em outro túmulo. Todos estavam loucos para fazer travessuras depois de ficarem trancados o dia inteiro.

– O ar está brilhando, não é mesmo? Depois de ter sido lavado pela chuva – disse Faith alegremente.

Mary Vance a encarou sombriamente. Sabendo o que sabia ou o que achava que sabia, Mary achava Faith frívola demais. Mary tinha algo a falar e pretendia dizê-lo antes de ir embora. A senhora Elliott a mandara levar alguns ovos frescos à casa ministerial e recomendou que não ficasse mais do que meia hora. O tempo estava quase se esgotando, então esticou as pernas e falou abruptamente:

– Deixem o ar para lá e me ouçam. Vocês da casa ministerial terão que se comportar melhor nesta primavera, é tudo o que posso dizer. Vim aqui nesta tarde só para avisar. É terrível o que estão falando de vocês.

– O que nós fizemos agora? – exclamou Faith, surpresa, tirando o braço dos ombros de Mary. Os lábios de Una começaram a tremer, e sua alma sensível se encolheu. Mary era sempre brutalmente franca, e Jerry começou a assoviar, só de provocação. Ele queria que Mary percebesse que ele não dava a mínima para as broncas dela. O comportamento deles não era da conta dela. Que direito tinha de adverti-los?

– O que fizeram agora? O que vocês fazem o tempo todo! – retrucou Mary. – Assim que a confusão sobre algum dos seus feitos morre, vocês aprontam uma nova. Tenho a impressão de não fazem ideia de como os filhos de um ministro da igreja deveriam se comportar!

– Talvez você possa nos dizer o que fazer – cutucou Jerry, com um sarcasmo mortal.

No entanto, o sarcasmo não surtia muito efeito em Mary.

– Eu posso dizer o que acontecerá se não aprenderem a andar na linha. O conselho pedirá a resignação do pai de vocês. Aí está, senhor Jerry sabe-tudo, foi o que a senhora Alec Davis contou para a senhora Elliott. Eu ouvi. Sempre fico de ouvidos atentos quando ela vem para o chá. Ela comentou que as coisas estão indo de mal a pior e que, embora isso seja de se esperar, já que não há ninguém para educar vocês, a congregação não tolerará essa situação por muito mais tempo, e algo precisa ser feito. Os metodistas vivem rindo de vocês, e isso fere os sentimentos dos presbiterianos. Ela falou que vocês precisam de uma boa dose de vara de marmelo. Deus, se isso tornasse as pessoas boas, eu seria uma santa. Não estou contando isso para ferir os seus sentimentos. Tenho pena de vocês... – Mary era mestra na arte da condescendência. – Sei que não tiveram muitas oportunidades, dadas as coisas do jeito que são, mas os outros não fazem tantas concessões como eu. A senhorita Drew disse que Carl levou um sapo dentro do bolso para a escola dominical na semana passada e que o bicho saltou enquanto ela passava a lição. Por que você não deixa os seus "inseptos" em casa?

– Eu o guardei de volta – disse o menino. – Ele não feriu ninguém, era só um pobre sapinho! Quem dera a velha Jane Drew desistisse das aulas. Eu a odeio. O próprio sobrinho dela levou uma pelota de tabaco no bolso e nos ofereceu um pedaço para mascar enquanto o ancião Clow pregava. Acho que isso é pior do que um sapo.

– Não, porque sapos são mais inesperados. Causam mais comoção. Além disso, ninguém flagrou o sobrinho dela. E aquela competição de reza que você armou na semana passada causou um escândalo. Todo mundo só fala disso.

– Ora, os Blythes também participaram – exclamou Faith, indignada. – Foi sugestão da Nan Blythe, em primeiro lugar, e Walter foi o vencedor da competição.

– Bem, vocês levaram a fama, de qualquer forma. Não seria tão ruim se não tivesse sido no cemitério.

– Acho que um cemitério é um ótimo lugar para se rezar – retrucou Jerry.

– O diácono Hazard passou bem na hora que vocês estavam rezando – disse Mary –, e ele viu e ouviu vocês, com as mãos cruzadas sobre o estômago, gemendo depois de cada frase. Ele achou que estavam zombando dele.

– E eu estava – declarou Jerry descaradamente. – Só não sabia que ele estava passando por ali, é claro. Foi um acidente infeliz. Eu estava rezando com afinco, pois sabia que não tinha chances de ganhar. Então decidi me divertir como podia. Walter Blythe é imbatível na hora de rezar. Aliás, ele sabe rezar tão bem quanto o papai.

– Una é a única de nós que realmente gosta de rezar – refletiu Faith.

– Bem, se rezar escandaliza tanto as pessoas, é melhor não fazermos mais isso – suspirou Una.

– Deus do Céu, vocês podem rezar o quanto quiserem, só que não no cemitério e sem transformar em uma brincadeira. Foi isso que causou todo esse furor, e também tomar chá entre os túmulos.

– Nós não fizemos isso.

– Bem, então fazer bolhas de sabão entre os túmulos. Alguma coisa vocês fizeram. Os moradores do outro lado do porto juram que vocês tomaram chá, mas estou disposta a acreditar na sua palavra. Dizem, ainda, que vocês usaram esse túmulo de mesa.

– Bem, a Martha não nos deixou soprar bolhas de sabão dentro de casa. Ela ficou muito irritada naquele dia – explicou Jerry. – E essa velha placa de pedra dá uma ótima mesa.

– Não foi lindo? – exclamou Faith, com os olhos brilhando com a lembrança. – Elas refletiam as árvores, as colinas e o porto como se fossem mundos mágicos e, quando as sacudíamos, elas se soltavam e flutuavam pelo Vale do Arco-Íris.

– Todos menos uma, que voou e estourou no pináculo da igreja metodista – disse Carl.

– Fico feliz por termos feito isso pelo menos uma vez, antes de descobrirmos que é errado – disse Faith.

– Não teria sido errado soprar bolhas no jardim – disse Mary impacientemente. – Parece que eu não consigo colocar nem um pouco de juízo na cabeça de vocês. Vocês já ouviram inúmeras vezes que não devem brincar no cemitério. Os metodistas são muito sensíveis em relação a isso.

– Nós esquecemos – disse Faith com pesar. – E o jardim é muito pequeno e está cheio de lagartas e outros bichos. Não podemos ir até o Vale do Arco-Íris o tempo todo. Aonde mais poderíamos brincar?

– A questão é o que vocês fazem no cemitério. Não teria problema se vocês ficassem apenas sentados, conversando tranquilamente, como estamos fazendo agora. Bom, não sei o que vai acontecer, só sei que o ancião Warren vai conversar com o pai de vocês. O diácono Hazard é primo dele.

– Gostaria que eles não incomodassem o papai por nossa causa – disse Una.

– Bem, as pessoas acham que ele deveria se preocupar um pouco mais com vocês. Eu, não, eu o compreendo. Ele é como uma criança, em certos aspectos, e precisa de alguém que cuide dele tanto quanto vocês. Enfim, acho que logo ele conseguirá alguém se os rumores forem verdadeiros.

– Como assim? – perguntou Faith.

– Vocês não ficaram sabendo de nada? É sério? – quis saber Mary.

– Não, não. Do que se trata esses rumores?

– Ah, como vocês são inocentes! Ora, todo mundo está comentando. O seu pai está cortejando Rosemary West. Ela vai ser a sua madrasta.

– Não acredito – murmurou Una, corando intensamente.

– Bem, não tenho certeza de nada. Só estou repetindo o que ouvi por aí, mas seria bom. Aposto que Rosemary West colocaria vocês na linha, apesar de toda doçura e dos sorrisos. Elas são sempre assim, até conquistarem um marido, e vocês precisam mesmo aprender bons modos com alguém. Vocês estão envergonhando o pai de vocês, e eu sinto pena dele. Penso muito nele depois daquela noite em que conversamos tão amigavelmente. Nunca mais voltei a falar palavrões ou a mentir. Gostaria de vê-lo feliz e realizado, com roupas decentes, boas refeições e filhos comportados, e aquela velhota da Martha posta no devido lugar. O jeito como ela olhou para os ovos que eu trouxe! "Espero que estejam frescos", disse. Eu desejei que estivessem podres. Certifiquem-se de que ela dê um ovo para cada um de vocês no café da manhã, inclusive para o seu pai. Reclamem se ela não o fizer, pois eles são para isso. Só que eu não confio na velha Martha. É bem capaz que ela os dê para o gato.

Mary cansou-se de falar, e um breve silêncio recaiu sobre o cemitério. As crianças da casa ministerial não tinham vontade de falar. Estavam digerindo as ideias novas e um tanto intragáveis sugeridas por Mary. Jerry e Carl estavam perplexos, mas, afinal, que importância tinham? Era improvável que fossem verdadeiras. Faith, no geral, ficou contente. Apenas Una ficou realmente chateada; ela teve vontade de ir embora e chorar.

"Haverá estrelas na minha coroa?", cantou o coro da igreja metodista, dando início aos ensaios.

– Quero apenas três – disse Mary, cujo conhecimento teológico havia aumentado notavelmente desde que fora morar com a senhora Elliott[20]. – Somente três, dispostas sobre a minha cabeça como um diadema, com a maior no centro e as menores de cada lado.

– Existem tamanhos diferentes de almas? – perguntou Carl.

– É claro. Ora, as almas dos bebês são muito menores do que as dos adultos. Bem, está ficando tarde, e preciso voltar para casa. A senhora Elliott não gosta que eu fique fora depois que escurece. Quando eu morava com a senhora Wiley, a noite e o dia eram a mesma coisa. Não fazia diferença para mim, assim como não faz para um gato. Parece que isso foi cem anos atrás. Agora, reflitam sobre o que eu disse e tentem se comportar, pelo bem do seu pai. Eu sempre apoiarei e defenderei vocês, não tenham dúvida. A senhora Elliott diz que nunca conheceu alguém como eu, tão leal aos amigos. Eu até respondi para a senhora Alec Davis quando ela falou de vocês, o que me rendeu uma bronca da senhora Elliott. A justa Cornelia tem uma língua afiadíssima, mas no fundo ficou contente, pois ela detesta Kitty Alec e adora vocês. Eu sei ler as pessoas.

Mary foi embora, muito satisfeita consigo mesma, deixando para trás uma turminha muito deprimida.

– Mary Vance sempre diz alguma coisa que nos deixa mal quando nos visita.

– Quem dera a tivéssemos deixado morrer de fome naquele velho celeiro – disse Jerry com ressentimento.

---

[20] Referência ao Novo Testamento, Apocalipse 12:1: "E viu-se um grande sinal no céu: uma mulher vestida do sol, tendo a lua debaixo dos seus pés, e uma coroa de doze estrelas sobre a sua cabeça". (N. T.)

– Ah, que maldade, Jerry – repreendeu Una.

– Já que temos a fama, é melhor fazermos jus a ela – respondeu Jerry, sem nenhum arrependimento. – Se as pessoas acham que somos maus, então sejamos maus.

– Só se isso não for prejudicar o papai – ponderou Faith.

Jerry sentia-se incomodado, pois ele adorava o pai. Pela janela sem cortinas do escritório, eles podiam ver o senhor Meredith sentado à mesa. Não parecia estar lendo ou escrevendo. Ele estava com a cabeça entre as mãos, e sua postura passava a impressão de cansaço e derrota. De repente, as crianças também a notaram.

– Atrevo-me a dizer que ele está preocupado por nossa causa – disse Faith. Gostaria que pudéssemos viver sem que as pessoas falassem de nós. Oh! Jem Blythe! Que susto você me deu!

Jem Blythe havia se aproximado de mansinho e se empoleirado ao lado das meninas. Ele estivera vasculhando o Vale do Arco-Íris e havia encontrado o primeiro ramo de florezinhas brancas e em forma de estrelas para a mãe. As crianças da casa ministerial ficaram caladas depois que ele chegou. Naquela primavera, Jem tinha começado a distanciar-se deles, de certa forma. Ele estava estudando para os exames de admissão na Queen's Academy e ficava na escola depois das aulas para ter lições extras. Além disso, suas tardes eram tão atarefadas que ele quase não se juntava mais a eles no Vale do Arco-Íris. Parecia distanciar-se, rumo à vida adulta.

– O que deu em vocês hoje? – perguntou. – Parecem tão sérios.

– Um pouco – concordou Faith com tristeza. – Você também não estaria muito animado se soubesse que está desgraçando seu pai e fazendo com que as pessoas falem da sua família.

– Quem está falando de vocês agora?

– Todo mundo, segundo Mary Vance. – Faith desabafou todos os problemas com o atencioso Jem. – Sabe, não temos ninguém para nos educar, por isso nos metemos em encrencas, e as pessoas pensam que somos maus – concluiu tristemente.

– Por que vocês não educam uns aos outros? – sugeriu Jem. – Vou dizer o que podem fazer. Vocês deveriam formar um Clube da Boa Conduta e punir uns aos outros quando fizerem algo de errado.

– É uma boa ideia. Só que algumas coisas que parecem inofensivas para nós são simplesmente terríveis para os outros. Como saber a diferença? Não podemos incomodar o papai o tempo todo. E, de qualquer forma, ele se ausenta com frequência por causa do trabalho.

– Na maior parte dos casos, vocês perceberiam se parassem para pensar antes de agir e se perguntassem o que a congregação diria – explicou Jem. – O problema é que vocês fazem as coisas sem pensar. A mamãe diz que vocês são muito impulsivos, assim como ela costumava ser. O Clube da Boa Conduta ajudaria bastante se forem justos e honestos na hora de punir uns aos outros quando as regras forem quebradas. O castigo teria de ser realmente doloroso ou não surtiria efeito.

– Como uma cintada?

– Não exatamente. Vocês teriam que pensar em formas diferentes de castigo de acordo com cada pessoa. Vocês não puniriam uns aos outros, mas sim a si mesmos. Eu li sobre esse tipo de clube em um livro. Tentem e vejam se funciona.

– Nós vamos – disse Faith. Quando Jem foi embora, eles concordaram em tentar. – Se as coisas não estão certas, temos que tentar corrigi-las – disse Faith resolutamente.

– Temos que ser justos e honestos, como Jem disse – disse Jerry. – Será um clube para nos educarmos, já que não há mais ninguém para isso. Não podemos ter muitas regras. Vamos definir uma só, e, se algum de nós quebrá-la, a punição será severa.

– Mas como?

– Pensaremos nisso à medida que avançarmos. Faremos uma sessão do clube aqui no cemitério todas as noites para conversarmos sobre o dia, e, se acharmos que fizemos alguma coisa errada ou que possa desonrar o papai, o responsável será castigado. Essa é a regra. Todos nós decidiremos o tipo da punição, que deve ser apropriado para o delito, como diz o senhor Flagg. E o culpado terá que arcar com as consequências sem protestar. Vai ser divertido – concluiu Jerry.

– Foi você quem sugeriu que fizéssemos bolhas de sabão – disse Faith.

– Mas isso foi antes de formarmos o clube – apressou-se em dizer. – A regra começará a valer nesta noite.

– E se não conseguirmos chegar a um consenso sobre o que é certo ou sobre o castigo? Digamos que dois de nós pensem de um jeito, e os outros dois, de outro. Deveria haver cinco pessoas em um clube como esse.

– Pediremos para que Jem Blythe seja o nosso árbitro. Ele é o garoto mais correto de Glen St. Mary. Ainda assim, acho que somos capazes de resolver a maioria dos nossos dilemas. Precisamos manter o clube no mais absoluto segredo. Não digam uma palavra para Mary Vance; ela iria querer participar e nos educar.

– Acho que não precisamos estragar todos os dias com castigos – opinou Faith. – Vamos dedicar um dia aos castigos.

– Sábado seria o melhor, pois a escola não interferiria – sugeriu Una.

– E estragar o único dia livre da semana! – exclamou Faith. – Nem pensar! Não, que seja sexta-feira. É dia de peixe, e nós detestamos peixe. Assim, concentraremos todas as coisas desagradáveis em um dia só.

– Besteira – disse Jerry autoritariamente. – Um esquema desses não funcionaria. Castigaremos uns aos outros conforme as coisas vão acontecendo para nos mantermos em dia. Agora, todos compreenderam? Este é um Clube da Boa Conduta, com o propósito de nos educarmos. Todos nós concordamos em punir os comportamentos ruins e sempre pararmos para pensar se alguma atitude prejudicará o papai de alguma forma, não importa o que aconteça. Qualquer um que tentar fugir da responsabilidade será expulso e não poderá mais brincar com os outros no Vale do Arco-Íris. Jem Blythe será o árbitro em caso de disputas. Chega de levar insetos para a escola dominical, Carl, e chega de mascar goma em público, senhorita Faith, por favor.

– Chega de zombar dos anciões ou ir às reuniões da igreja metodista – retrucou Faith.

– Ora, não há mal algum em ir a uma reunião dos metodistas – protestou Jerry, surpreso.

– Não foi o que disse a senhora Elliott. Ela falou que os filhos do ministro só podem ir a eventos dos presbiterianos.

– Que inferno, não vou deixar de ir às reuniões dos metodistas – exclamou Jerry. – São dez vezes mais divertidas do que as nossas.

– Você falou uma palavra feia – acusou Faith. – Agora, terá que se castigar.

– Não enquanto tudo não estiver acertado. Estamos apenas combinando as coisas. O clube só estará formado depois que colocarmos as regras no papel e assinarmos. É preciso uma constituição e um estatuto. E você sabe que não há nada de errado em ir a uma reunião da igreja.

– Nós não devemos punir somente o que for errado, mas também qualquer coisa que possa prejudicar o papai.

– Isso não fará mal a ninguém. Você sabe que a senhora Elliott é uma fanática. Ninguém mais vê nenhum problema nisso. Eu sempre me comporto nas reuniões. Pergunte ao Jem ou à senhora Blythe. Eu me aterei à opinião deles. Vou buscar um papel e a lamparina, e nós todos assinaremos.

Quinze minutos depois, o documento foi solenemente assinado sobre o túmulo de Hezekiah Pollock, no centro do qual se encontrava a esfumaçada lamparina da casa ministerial, com as crianças ajoelhadas ao redor. O senhor Clow passava por ali naquele momento e, no dia seguinte, toda a vila ficou sabendo que os filhos do ministro fizeram outra competição de reza no cemitério e que depois perseguiram uns aos outros em meio aos túmulos com a lamparina. Tal adendo provavelmente foi inferido pelo fato de que, terminada a reunião, Carl pegou a lamparina e caminhou com cautela pelo vale para examinar seu formigueiro. Os outros já tinham ido para a cama em silêncio.

– Acha mesmo que o papai vai se casar com a senhorita West? – perguntou Una para Faith, insegura, depois que terminaram as orações.

– Não sei, mas eu adoraria – respondeu Faith.

— Ah, eu não – disse Una, chocada. – Ela é muito bondosa. Mas Mary Vance disse que se tornar uma madrasta muda completamente às pessoas. Elas ficam bravas, malvadas e odiosas, fazem os pais se voltar contra os filhos. Disse que é sempre assim e que nunca viu nenhuma exceção.

— Eu acredito que a senhorita West jamais tentaria fazer isso – exclamou Faith.

— Mary disse que todas fazem. Ela sabe tudo sobre madrastas, Faith. Ela já conheceu centenas delas, e você nunca viu nenhuma. Ah, Mary me contou coisas de gelar o sangue. Ela soube de uma que açoitou os ombros nus das filhinhas do marido até sangrarem e depois as trancou em um porão frio e escuro a noite toda. Ela disse que todas adoram fazer coisas desse tipo.

— Não creio que a senhorita West faria isso. Você não a conhece como eu, Una. Lembre-se daquele lindo passarinho que ela me deu. Eu o amo ainda mais que o Adam.

— É que ser uma madrasta as transforma. Mary falou que é inevitável. As surras não me preocupam, mas não suportaria se o papai nos odiasse.

— Você sabe que nada faria o papai nos odiar. Não seja boba, Una. Atrevo-me a dizer que não há nada que se temer. Provavelmente, se nosso clube der certo e nós nos educarmos o suficiente, o papai não pensará em se casar com ninguém. E, se ele se casar, eu sei que a senhorita West será um amor conosco.

Entretanto, Una não tinha a mesma convicção e chorou até dormir.

UM IMPULSO CARIDOSO

Durante duas semanas, as coisas transcorreram bem no Clube da Boa Conduta. Tudo parecia funcionar admiravelmente. Nem uma única vez Jem Blythe foi convocado. Nem uma única vez as crianças da casa ministerial foram o centro das fofocas de Glen. Quanto às pequenas infrações domésticas, eles ficaram de olho uns nos outros e se submeteram aos castigos, que geralmente consistiam em uma ausência voluntária das alegres picardias das tardes de sábado no Vale do Arco-Íris ou ir para a cama cedo em uma noite de primavera em que a juventude ansiava pela liberdade. Faith, por ter cochichado na escola dominical, obrigou-se a passar um dia inteiro sem falar nem uma única palavra, a menos que fosse absolutamente necessário, e concluiu a pena com êxito. Foi uma infeliz coincidência o senhor Baker, que morava do outro lado do porto, ter escolhido aquela noite para visitar a casa ministerial e Faith ter atendido à porta. Sem responder nada às saudações joviais dele, ela afastou-se em silêncio para chamar o pai. O senhor Baker ficou um pouco ofendido e comentou com a esposa, ao chegar em casa, que a filha mais velha do senhor Meredith era uma criaturinha muito tímida e amuada, cuja falta de educação a impedia de responder quando lhe dirigiam a palavra. Isso não teve nenhuma consequência grave; no geral, as punições não causavam nenhum dano a eles mesmos ou a terceiros. Todos começaram a se convencer de que, no fim das contas, era muito fácil educarem a si mesmos.

– Acho que logo as pessoas vão perceber que somos capazes de nos comportar tão bem quanto qualquer outra criança – disse Faith, jubilosa. – Não é difícil quando nos esforçamos.

Ela e Una estavam sentadas sobre o túmulo de Pollock. Aquele tinha sido um dia frio e chuvoso de primavera, e o Vale do Arco-Íris estava fora de questão para as meninas, embora os meninos da casa ministerial e de Ingleside estivessem pescando por lá. A chuva havia cessado, mas um vento de gelar os ossos soprava impiedosamente do mar ao oeste. A primavera chegava com atraso, apesar dos indícios preliminares, e ainda havia uma camada dura de neve e gelo no canto norte do cemitério. Estremecendo de frio, Lida Marsh passou pelo portão da casa ministerial. Ela morava na vila dos pescadores, e há trinta anos seu pai tinha o costume de enviar alguns arenques da primeira leva da primavera para o ministro. Era um homem imprudente e beberrão que nunca ia à igreja, porém, contanto que enviasse os peixes à casa ministerial todas as primaveras, como o pai dele fizera antes, ele tinha a confortável convicção de que estava quite com o Ser Supremo. Ele não contaria com uma boa temporada de pesca se não enviasse os primeiros frutos da estação.

Apesar de ter dez anos, Lida parecia mais jovem, por ser uma criança mirrada. Naquela tarde, ao vencer a timidez e aproximar-se das garotas da casa ministerial, ela parecia nunca ter sentido nada na vida além de frio. Seu rosto estava arroxeado, e seus olhos azuis claros estavam vermelhos e aquosos, usava um vestido estampado esfarrapado e um xale de lã andrajoso arramado sobre os ombros e os braços. Ela havia percorrido descalça os cinco quilômetros desde o porto, em uma estrada que ainda apresentava neve e lama. Suas pernas e pés estavam tão roxos quanto o rosto, mas Lida não se importava. Ela estava acostumada com o frio, e já fazia um mês que andava por aí descalça, como todas as muitas crianças da vila dos pescadores. Não havia autopiedade em seu coraçãozinho ao sentar-se no túmulo e sorrir alegremente para Faith e Una. As irmãs retribuíram o sorriso. Elas já haviam se encontrado com Lida uma ou duas vezes no verão anterior, quando foram ao porto com os Blythes.

– Olá – cumprimentou Lida –, não está um frio de lascar? Nem os cachorros saíram hoje, não é mesmo?

– E por que você saiu de casa? – perguntou Faith.

– O papai mandou eu trazer alguns peixes – respondeu Lida. A menina estremeceu, tossiu e levantou os pés. Lida não estava prestando atenção no que fazia e tampouco queria a compaixão das duas. Ela ergueu os pés para não pisar na grama úmida ao redor do túmulo. Contudo, Faith e Una instantaneamente foram engolfadas por uma onda de pena. Ela parecia estar com tanto frio e ser tão pobre...

– Ah, por que você está descalça em uma tarde tão fria? – exclamou Faith. – Seus pés devem estar congelados.

– Quase – disse Lida com orgulho. – Foi uma caminhada penosa até aqui.

– Por que não vestiu sapatos e meias? – perguntou Una.

– Porque eu não tenho. Os que eu tinha ficaram gastos depois que o inverno acabou – disse com indiferença.

Por um momento, Faith ficou paralisada. Era terrível, pois ali estava uma garotinha, praticamente uma vizinha, morrendo de frio porque não tinha sapatos ou meias naquela primavera cruel. A impulsiva Faith não conseguiu pensar em mais andar além do horror daquela situação. Ela imediatamente tirou os sapatos e as meias.

– Aqui, vista-os – disse, forçando a menina perplexa a pegá-los. – Rápido ou vai acabar adoecendo e morrendo. Tenho outros, vista--os agora.

Lida, recuperando-se da surpresa, agarrou os presentes com um brilho nos olhos opacos. Ela os vestiu depressa, antes que alguém aparecesse e exigisse que fossem devolvidos. Em instantes ela cobriu as pernas fracas com as meias e calçou os sapatos de Faith, protegendo os tornozelos grossos.

– Muito obrigada – agradeceu –, mas a sua família não vai ficar brava?

– Não, e não me importaria se ficasse – disse Faith. – Acha que sou capaz de ver alguém morrer de frio e não fazer o que está ao meu alcance para ajudar? Não seria correto, especialmente porque meu pai é um ministro da igreja.

– Vai querê-los de volta? Faz muito frio no porto, mesmo quando aqui em cima está calor – disse Lida astutamente.

– Não, é claro que você pode ficar com eles. Foi essa a minha intenção; tenho outro par de sapatos e muitas outras meias.

Lida pretendia ficar mais um pouco e bater um papo com as garotas. Porém, agora ela achava melhor ir embora antes que alguém viesse e a obrigasse a tirar as botinhas. Então, ela partiu em meio ao crepúsculo gélido, tão silenciosa e sorrateira como havia chegado. Assim que se afastou o suficiente da casa ministerial, ela sentou-se, tirou os sapatos e as meias e os guardou na cesta. Ela não queria usá-los naquela estrada suja. Lida pretendia guardá-los para ocasiões especiais. Nenhuma outra menina do porto tinha meias pretas de caxemira e sapatos tão elegantes, quase novos. Ela estava equipada para o verão e não tinha nenhum receio. Aos olhos dela, os moradores da casa ministerial eram fabulosamente ricos, e com certeza aquelas garotas tinham um monte de sapatos e meias. Em seguida, ela correu até a vila e brincou com os garotos na frente da loja do senhor Flagg, chapinhando em uma poça de lama com os mais bagunceiros, até a senhora Flagg sair e os mandar embora.

– Faith, acho que você não deveria ter feito isso – disse Una, com um leve tom de reprovação, depois que Lida foi embora. – Agora você vai ter que usar suas melhores botas, e logo elas vão ficar gastas.

– Não me importo – disse Faith, ainda sob o delicioso efeito de ter praticado uma boa ação a um semelhante. – Não é justo eu ter dois pares de sapatos e a coitadinha da Lida Marsh não ter nenhum. Agora, nós duas temos um par. Você sabe perfeitamente bem, Una, que o papai disse, no sermão do domingo passado, que a verdadeira felicidade não está em receber ou ganhar, e sim em oferecer. Nunca estive tão feliz em toda a minha vida. Imagine Lida neste exato momento, voltando para casa com os pezinhos quentes e confortáveis.

– Você sabe que não tem outro par de meias pretas de caxemira – disse Una. – O seu outro par tinha tantos furos que a tia Martha disse que não podia mais remendá-las e as cortou para usar de trapos. Só sobraram aqueles dois pares de meias listradas que você detesta tanto.

Toda a animação de Faith se esvaiu. A satisfação dela murchou como um balão furado. Ela ficou em silêncio por alguns minutos, chateada, contemplando as consequências de seu ato.

– Ah, Una, não tinha pensado nisso – disse com pesar. – Nem passou pela minha cabeça.

Os pares que haviam restado eram de meias grossas, pesadas e desconfortáveis, azuis e vermelhas, que a tia Martha tricotara para Faith no inverno. Eram indiscutivelmente horrendas. Faith as odiava como nunca havia odiado algo antes; com certeza, ela não as usaria. Ainda estavam intocadas, na gaveta da cômoda.

– Pois vai ter que usá-las, agora – disse Una. – Imagine como os garotos na escola vão rir delas. Você se lembra de como eles tiraram sarro das meias listradas de Mamie Warren, chamando-a de poste de barbeiro, e no seu caso será ainda pior.

– Não vou usá-las – disse Faith. – Andarei descalça, por mais frio que esteja.

– Você não pode ir à igreja descalça amanhã. Pense no que as pessoas vão dizer.

– Então, ficarei em casa.

– Você sabe muito bem que a tia Martha vai obrigar você a ir.

Faith sabia. A única coisa que a tia Martha se dava ao trabalho de insistir era para que fossem à igreja, fizesse sol ou chuva. Como se vestiam, ou se estavam vestidos, não era problema dela. Tinham que ir. Assim ela havia sido criada há setenta anos e assim pretendia educá-los.

– Você não tem um par que possa me emprestar? – implorou a pobre Faith.

Una balançou a cabeça.

– Não, você sabe que só tenho aquele par de meias pretas. Que está tão apertado que mal consigo calçá-las. Elas tampouco serviriam em você, nem as cinza. Além disso, estão cheias de remendos.

– Recuso-me a usar as meias listradas – disse Faith com teimosia. – O desconforto é ainda maior do que a feiura. Elas me fazem sentir como se minhas pernas fossem gordas como barris, e como coçam!

– Bem, não sei o que você pode fazer.

– Se o papai estivesse em casa, eu pediria para ele comprar um par novo antes de a loja fechar, mas ele só vai voltar tarde da noite. Pedirei segunda-feira e não irei à igreja amanhã. Vou fingir que estou doente, e a tia Martha vai ser obrigada a me deixar ficar em casa.

– Isso seria mentir, Faith – exclamou Una. – Você não pode mentir, sabe que seria horrível. O que o papai diria se soubesse? Lembra-se do que ele disse depois que a mamãe morreu? Ele disse para sempre sermos honestos, mesmo se falhássemos em outras coisas. Que não devemos mentir, nem com palavra nem com ações, que confia que nunca faremos isso. Você não pode fazer isso, Faith. Use as meias listradas, só desta vez. Ninguém vai notá-las na igreja. Não é como na escola. E o seu vestido novo marrom é tão comprido que elas nem aparecerão. Não foi uma sorte a tia Martha tê-lo deixado tão grande, com espaço para você crescer, por mais que você tenha detestado o resultado final?

– Não vou usar aquelas meias – repetiu Faith. Ela esticou as pernas brancas, levantou-se do túmulo e deliberadamente caminhou sobre a grama fria até a faixa de neve, onde ficou parada, com os dentes cerrados.

– O que está fazendo? – exclamou Una, horrorizada. – Você vai ficar doente.

– É o que estou tentando – respondeu Faith. – Quero ficar incrivelmente doente amanhã. Assim, não terei que mentir. Vou ficar aqui enquanto puder aguentar.

– Faith, você pode até morrer ou pegar uma pneumonia. Por favor, Faith. Vamos entrar em casa, para que coloque alguma coisa nos pés. Ah, aí vem o Jerry. Ainda bem. Jerry, faça com que Faith saia da neve. Olhe só os pés dela.

– Deus do céu! Faith, o que você está fazendo? – quis saber Jerry. – Está maluca?

– Não. Vá embora! – gritou Faith.

– É algum tipo de castigo? Se for, não está certo. Você vai ficar doente.

– Eu quero ficar doente. Não estou me punindo. Vá embora.

– Onde estão os sapatos e as meias dela? – perguntou ele para Una.

– Ela os deu para Lida Marsh.

– Lida Marsh? Por quê?

– Porque a Lida não tinha nenhum, e os pés dela estavam congelando. E agora Faith quer ficar doente para não ter que ir à igreja amanhã e usar as meias listradas. Jerry, ela pode até morrer.

– Faith, saia da neve, ou então eu vou tirar você daí – ameaçou Jerry.

– Pode tirar – desafiou Faith.

Jerry avançou e segurou os braços da irmã. Ele puxou de um lado, e Faith puxou do outro. Una correu e a empurrou por trás. Faith gritava para que Jerry a deixasse em paz. O menino gritava para que ela parasse de ser idiota, e Una chorava. A algazarra que faziam era imensa, bem ao lado da cerca que fazia divisa com a estrada. Henry Warren e a esposa passaram por ali, viram e ouviram o rebuliço. Em pouco tempo, a população de Glen ficou sabendo que os filhos do ministro tiveram uma briga feia no cemitério, usando um linguajar impróprio. Enquanto isso, Faith havia permitido que os irmãos a puxassem, porque seus pés estavam tão doloridos que ela já estava pronta para sair dali, de qualquer forma. Os três se reconciliaram antes de entrar em casa e foram para a cama. Faith dormiu como um querubim e acordou sem nenhum traço de resfriado. Ela percebeu que não poderia fingir que estava enferma, ao recordar-se daquela conversa com o pai de tempos atrás. Ainda assim, estava determinada a não usar aquelas meias abomináveis na igreja.

OUTRO ESCÂNDALO E OUTRA "EXPLICAÇÃO"

Faith chegou cedo na escola dominical e sentou-se no canto antes que os outros chegassem. Assim, a terrível verdade só foi revelada quando a menina deixou o banco próximo da porta e caminhou até o banco reservado à casa ministerial, terminada a aula. A igreja já estava quase cheia, e todos próximos ao corredor viram que a filha do ministro estava de botas, mas sem meias!

O vestido marrom novo de Faith, que a tia Martha tinha feito com uma estampa antiquada, era absurdamente longo para ela; mesmo assim, ele não alcançava o cano das botas. Era possível ver claramente uns bons cinco centímetros de pernas brancas.

Faith e Carl estavam sozinhos no banco. Jerry tinha subido na galeria para sentar-se com um amigo, e as irmãs Blythes haviam levado Una com elas. Os filhos do senhor Meredith tinham o costume de "sentarem por toda a igreja", e muitas pessoas achavam isso impróprio. A galeria, em especial, onde rapazes irresponsáveis se reuniam, cochichavam e eram suspeitos de mascar tabaco durante o sermão; não era um lugar adequado para o filho de um ministro. Só que Jerry odiava o banco da casa ministerial na primeira fila da igreja, bem debaixo dos olhos do ancião Clow e da família dele. Ele escapava de lá sempre que podia.

Carl, absorto na observação de uma aranha que tecia sua teia na janela, não reparou nas pernas de Faith. Ela foi embora depois da igreja junto com o pai, que também não chegou a reparar nisso. Faith colocou as odiosas meias antes que Jerry e Una chegassem, de forma que nenhum dos moradores da casa ministerial percebeu o que ela tinha feito. No entanto, os outros habitantes de Glen St. Mary não ignoraram o fato. Os poucos que não o presenciaram ouviram seu relato. Não se falou em outra coisa naquele dia. A senhora Alce Davis disse que era de se esperar e que logo uma daquelas crianças apareceria na igreja sem roupas. A presidente da Sociedade Assistencial decidiu que abordaria o assunto na próxima reunião e sugeriria que fossem todas conversar com o ministro. A senhorita Cornelia afirmou que estava lavando as mãos. Até a esposa do doutor Blythe ficou um tanto chocada e atribuiu a ocorrência a um mero relapso de Faith. Susan só não começou a tricotar meias imediatamente para a menina porque era domingo, porém, antes que qualquer um despertasse em Ingleside na manhã seguinte, um par já estaria pronto.

– Não me diga que não foi culpa da velha Martha, querida senhora – disse para Anne. – Suponho que aquela pobre criança não tem meias decentes para usar. Acho que todas as meias dela estão cheias de buracos, o que costuma ser o caso, como a senhora bem sabe. E, na minha opinião, querida senhora, a Sociedade Assistencial seria mais bem empregada em tricotar alguns pares para aquelas crianças do que brigar por um novo tapete para a plataforma do púlpito. Eu não faço parte da Sociedade, mas vou tricotar dois pares de meias para Faith com essa bela linha preta o mais rápido que meus dedos conseguirem, isso eu garanto. Querida senhora, jamais me esquecerei da sensação de ver a filha do ministro caminhar pelo corredor da nossa igreja sem meias. Eu realmente não soube para onde olhar.

— E a igreja estava cheia de metodistas ontem — murmurou a senhorita Cornelia, que tinha ido a Glen para fazer algumas compras e passou em Ingleside para falar do assunto. — É só as crianças daquela casa ministerial aprontarem alguma para que a igreja fique repleta de metodistas. Eu achei que os olhos da senhora Hazard iam cair das órbitas. Ao sair da igreja, ela disse, "bem, aquela foi uma cena quase indecente. Tenho pena dos presbiterianos". E nós tivemos que aguentar calados. Não havia o que dizer.

— Eu sei o que eu teria dito se tivesse ouvido o comentário dela, querida senhora — disse Susan seriamente. — Eu teria falado, por exemplo, que andar por aí com as pernas desnudas é tão decente quanto usar meias esburacadas. Ou então que os presbiterianos não precisam da compaixão dos metodistas porque nós temos um ministro que sabe pregar, e os metodistas, não. Eu teria colocado a esposa do diácono Hazard no devido lugar, querida senhora, eu garanto.

— Quem dera o senhor Meredith se preocupasse um pouco mais com a própria família, e não tanto com os sermões — comentou a senhorita Cornelia. — Ele poderia pelo menos dar uma olhada nos filhos antes de irem à igreja para ver se estão propriamente vestidos. Estou cansada de encontrar desculpas para ele, acredite em mim.

Enquanto isso, a alma de Faith estava sendo atormentada no Vale do Arco-Íris. Mary Vance estava lá e, como de costume, disposta a dar bronca. Ela explicava que Faith havia se envergonhado, que a reputação do pai não tinha mais salvação e que ela, Mary Vance, estava cansada de tudo isso. "Todo mundo" estava comentando e "todo mundo dizia a mesma coisa".

— Sinceramente, acho que não posso mais ser sua amiga — concluiu.

— Mas nós podemos — exclamou Nan Blythe. Secretamente, ela achava que Faith tinha feito algo escandaloso, mas ela não iria deixar que Mary Vance lidasse com o assunto com tamanha arrogância. — Se você acha isso mesmo, então não tem por que vir ao Vale do Arco-Íris, senhorita Vance.

Nan e Di colocaram o braço ao redor da cintura de Faith e encararam Mary desafiadoramente. A menina então desabou, sentando-se em um tronco e desatando a chorar.

– Não é como se eu não quisesse – choramingou. – Mas, se eu continuar sendo vista com Faith, as pessoas vão dizer que a instigo a fazer essas coisas. Algumas já estão falando isso, juro pela minha vida. Não posso permitir que digam isso de mim, não agora que estou em um lar respeitável e me esforçando para ser uma dama. E eu nunca fui à igreja com as pernas desnudas, nem nos meus piores dias. Jamais sequer cogitei algo assim. Só que aquela odiosa da Kitty Alec diz que Faith nunca mais foi a mesma depois que me hospedou na casa ministerial. Ela diz que Cornelia Elliott vai viver para se arrepender do dia que me acolheu e, acreditem, isso me magoa. Porém, é com o senhor Meredith que estou realmente preocupada.

– Não precisa se preocupar com ele – disse Di com desdém. – Provavelmente não é necessário. Faith, querida, pare de chorar e conte por que fez isso.

Faith explicou-se entre as lágrimas. As irmãs Blythes se solidarizaram com ela, e até Mary Vance concordou que era uma situação complicada. Jerry, todavia, para quem a notícia havia caído como uma bomba, foi incapaz de tranquilizar-se. Então era disso que se tratava algumas indiretas que ele ouvira na escola naquele dia! Ele levou Faith e Una para casa sem cerimônia, e o Clube da Boa Conduta teve uma sessão de emergência no cemitério para julgar o caso de Faith.

– Não acho que foi tão ruim assim – defendeu-se Faith com valentia. – Mal dava para ver as minhas pernas. Não fiz nada de errado e não prejudiquei ninguém.

– Isso prejudicará o papai, e você sabe disso. Você sabe que as pessoas o culpam quando fazemos algo estranho.

– Não pensei nisso – murmurou Faith.

– É esse o problema. Você não pensou e deveria ter pensado. Foi para isso que criamos o nosso clube, para nos educarmos e nos obrigarmos a refletir. Nós prometemos sempre pensar antes de fazer qualquer coisa, mas você não fez isso e por isso precisa ser punida, Faith. Como castigo, terá que usar aquelas meias listradas para ir à escola durante uma semana.

— Ah, Jerry, um dia ou dois não é suficiente? Não uma semana!

— Sim, uma semana inteira — disse o inexorável Jerry. — É justo, pergunte a Jem Blythe se quiser.

Faith decidiu que era preferível acatar o castigo a consultar Jem Blythe. A menina começava a perceber que seu delito tinha sido vergonhoso.

— Eu as usarei, então — resmungou, emburrada.

— Você ainda teve sorte — disse Jerry severamente. — E não importa como a castiguemos, isso não ajudará o papai. As pessoas sempre acharão que você fez isso de propósito e culparão o papai por não ter impedido. Nunca conseguiríamos explicar a verdade para todo mundo.

Esse aspecto do caso pesou na consciência de Faith. A própria condenação ela suportaria, mas era angustiante saber que o pai seria responsabilizado. Se as pessoas soubessem os fatos por trás da fofoca, não o culpariam. Entretanto, como ela poderia torná-lo de conhecimento do mundo? Subir no púlpito da igreja, como já havia feito, estava fora de questão. Mary Vance lhe contara como a congregação havia desaprovado aquela performance e percebeu que não deveria repeti-la. Faith preocupou-se com o problema por meia semana. Então, ela teve uma inspiração e decidiu colocá-la em prática. Ela passou um bom tempo no sótão naquela noite, com uma lamparina e um caderno, escrevendo sem parar, com as bochechas coradas e os olhos brilhantes. Era essa a solução! Que esperteza da parte dela ter pensando nisso! Tudo seria resolvido e explicado, sem causar nenhum escândalo. Eram onze horas da noite quando terminou, satisfeita, e arrastou-se para a cama sentindo-se terrivelmente cansada, ainda que perfeitamente feliz.

Após alguns dias, o pequeno semanário de Glen chamado O Jornal foi publicado como sempre, e o povo teve outra surpresa. Uma carta assinada por Faith Meredith ocupava um espaço proeminente da primeira página, dizendo o seguinte:

A QUEM POSSA INTERESSAR:
Quero explicar por que fui à igreja sem meias, para que todos saibam que o meu pai não teve culpa nenhuma e para que as velhas fofoqueiras não digam por aí que ele teve, pois isso não é verdade. Eu dei o meu único par de meias pretas a Lida Marsh, porque ela não tinha nenhuma, e a pobrezinha estava com os pés congelando, e isso me deu muita pena. Nenhuma criança deveria andar sem sapatos e meias em uma comunidade cristã antes que toda a neve tenha derretido, e acho que a Sociedade Assistencial das Damas da Igreja e das Missões Estrangeiras deveria dar meias a ela. É claro, eu sei que elas estão mandando coisas para as criancinhas pagãs, o que é muito bom e necessário. Só que as crianças pagãs têm muito mais meses de calor do que nós, e eu acredito que as damas da igreja deveriam cuidar de Lida, e não deixar tudo nas minhas mãos. Quando lhe dei as meias, eu esqueci que eram as minhas únicas da cor preta e sem furos, mas fico feliz por ter feito isso, do contrário minha consciência não teria me deixado em paz. Depois que a coitadinha foi embora, toda alegre e orgulhosa, eu me lembrei de que só me restavam aqueles pares horrorosos vermelhos e azuis que a tia Martha tricotou no inverno passado com os novelos que a senhora Joseph Burr enviou de Upper Glen. É uma lã muito grossa e cheia de nós, e eu nunca vi os filhos da senhora Burr usar algo parecido. A senhora Burr manda para o ministro as coisas que não quer usar ou comer, achando que compensam a contribuição que o marido se comprometeu a fazer e nunca faz.

Eu simplesmente não podia usar aquelas coisas detestáveis. São muito feias, ásperas e pinicam. Todo mundo teria zombado de mim. De início eu pensei em fingir que estava doente para não ter de ir à igreja no dia seguinte, mas decidi não fazer isso porque seria uma mentira e, depois da morte da mamãe, o papai nos disse que nunca, jamais deveríamos mentir. Fingir é tão ruim quanto mentir, embora eu conheça pessoas daqui de Glen que fazem isso e parecem nunca se arrepender. Não vou mencionar nomes, todavia sei quem são, e o papai também.

Então, fiz o possível para ficar doente de verdade ao subir descalça em um monte de neve no cemitério metodista, até que Jerry me tirou de lá. Só que não deu em nada, e acabei sendo obrigada a ir à igreja. Assim, decidi calçar as botas e sair de casa daquele jeito. Não entendo por que isso foi errado, já que eu tive o cuidado de lavar as pernas e deixá-las tão limpas quanto o meu rosto. De qualquer forma, a culpa não foi do papai. Ele estava no escritório pensando no sermão e em outros assuntos celestiais, e eu o evitei até a hora de ir para a escola dominical. O papai não repara nas pernas das pessoas na igreja e por isso não reparou nas minhas, mas as fofoqueiras repararam e comentaram. É por isso que estou escrevendo esta carta para o Jornal. Suponho que eu tenha agido mal, já que é o que todo mundo está falando, e eu sinto muito. Estou usando aquelas meias horrorosas como punição, apesar de o papai ter comprado um novo par de meias pretas lindas assim que a loja do senhor Flagg abriu na segunda de manhã. A culpa foi minha, e os que ainda culparem o papai depois de lerem isto não são cristãos de verdade, e a opinião deles não me importa.

Há mais uma coisa que quero explicar antes de concluir. Mary Vance me disse que o senhor Evan Boyd está acusando os Lew Baxters de terem roubado batatas da plantação dele no outono passado. Eles não fizeram isso. Eles são pobres, porém honestos.

Fomos nós, Jerry, Carl e eu. Una não estava junto naquela vez. Não achamos que estávamos roubando. Só queríamos algumas batatas para cozinhar na fogueira no Vale do Arco-Íris para comermos com nossas trutas fritas. O campo do senhor Boyd era o mais próximo, entre o vale e a vila, e aí nós pulamos a cerca e pegamos algumas. As batatas estavam muito pequenas, porque o senhor Boyd não colocou fertilizante suficiente, e por isso tivemos que puxar várias outras até conseguir o suficiente. Mesmo assim, não eram muito maiores do que bolinhas de gude. Walter e Di Blythe nos ajudaram a comer, mas só chegaram depois que já estavam cozidas e não ficaram sabendo como as conseguimos, de maneira que eles não têm culpa, só nós. Não quisemos causar nenhum prejuízo, e, se isso foi um roubo, nós pagaremos por elas se o senhor Boyd esperar até crescermos. Não temos dinheiro agora porque não somos grandes o bastante para ganhá-lo, e a tia Martha diz que é preciso cada centavo do parco salário do papai para manter a casa, mesmo quando é pago regularmente, o que não acontece com frequência. Então, o senhor Boyd deve parar de culpar os Lew Baxters, que são completamente inocentes, e de sujar o nome deles.

Respeitosamente,
FAITH MEREDITH.

UM NOVO PONTO DE VISTA PARA A SENHORITA CORNELIA

– Susan, depois que eu morrer, voltarei para a Terra cada vez que os narcisos florescerem neste jardim – disse Anne, exultante. – Talvez ninguém me veja, mas estarei aqui. Se alguém também estiver no momento... acho que voltarei em um fim de tarde como este, ou talvez seja pela manhã, uma adorável manhã rosa-claro de primavera... A pessoa verá os narcisos acenando freneticamente como se uma rajada de vento tivesse passado por eles, mas serei eu.

– Querida senhora, creio que você não se preocupará com assuntos mundanos como flores quando estiver morta – disse Susan. – E não acredito em fantasmas, visíveis ou invisíveis.

– Ah, Susan, eu não serei um fantasma! Isso soa horrível. Serei simplesmente eu. E vagarei durante o lusco-fusco, seja de manhã, seja de tarde, e visitarei todos os lugares que amo. Lembra-se de como fiquei triste quando me mudei da minha pequena Casa dos Sonhos, Susan? Eu não achava que seria capaz de amar Ingleside. Contudo, eu a amo. Cada centímetro deste chão, cada graveto e cada pedra.

– Também gosto muito daqui – disse Susan, que morreria se tivesse de se mudar daquela casa –, todavia não devemos depositar tanto o nosso afeto em coisas terrenas, querida senhora. Existem coisas como incêndios e terremotos. Devemos estar sempre preparados. A casa dos MacAllisters, do outro lado do porto, pegou fogo três noites atrás. Há quem diga que Tom MacAllister incendiou a casa para ficar com o dinheiro do seguro. Pode ser verdade ou não. De qualquer forma, meu conselho é que o doutor mande vistoriar a nossa chaminé o quanto antes. É muito melhor prevenir do que remediar. Enfim, ali está a senhora Marshall Elliott no portão, com uma expressão de perplexidade.

– Querida Anne, viu o *Jornal* de hoje?

A voz da senhorita Cornelia tremia, em parte por emoção, em parte por ter vindo correndo depressa da loja e estar ofegante.

Anne inclinou-se sobre os narcisos para esconder um sorriso. Ela e Gilbert tinham rido com gosto e sem pudores ao lerem a primeira página naquele dia. Porém, Anne sabia que aquilo era quase uma tragédia para a senhorita Cornelia e que não deveria ferir os sentimentos dela com alguma demonstração de leviandade.

– Não é um absurdo? Alguma providência precisa ser tomada! – declarou a senhorita Cornelia, desesperada. Ela havia jurado que iria parar de se preocupar com as travessuras dos filhos do ministro, mas ainda continuava se afligindo.

Anne a levou até a varanda, onde Susan tricotava ao lado de Shirley e Rilla, que estudavam as primeiras lições. Ela já estava no segundo par de meias para Faith. Susan nunca se preocupava com a pobre humanidade. Ela fazia o que estava ao seu alcance para melhorá-la e serenamente deixava o resto nas mãos do Ser Supremo.

– Cornelia Elliott acha que nasceu para governar este mundo, querida senhora – comentara certa vez –, e por isso está sempre nervosa por causa de alguma coisa. Eu nunca pensei assim e por isso sigo tranquila. Às vezes me ocorre que as coisas poderiam ser mais bem administradas, todavia não cabe a nós, pobres vermes, acalentar tais anseios. Eles só servem para nos deixar desconfortáveis e não levam a lugar algum.

– Creio que não há nada que possamos fazer... agora – disse Anne, puxando uma cadeira estofada confortável para a senhorita Cornelia. – Como o senhor Vickers permitiu que aquela carta fosse publicada? Ele deveria ter mais juízo.

– Ora, ele está viajando, querida Anne. Foi passar uma semana em New Brunswick. Quem está cuidando do jornal é aquele malandro do Joe Vickers. É óbvio que o senhor Vickers jamais teria publicado aquilo, mesmo sendo um metodista. É provável que Joe tenha achado que seria uma ótima piada. Como você disse, também acho que não há nada que possa ser feito agora, apenas esperar a poeira abaixar, mas, se eu vir Joe Vickers em algum lugar, vou lhe dar um sermão que ele não vai esquecer tão cedo. Pedi que Marshall cancelasse a nossa assinatura do jornal na mesma hora. Ele deu risada e disse que a edição de hoje foi a única que teve algo de interessante em um ano. Marshall nunca leva nada a sério. É típico de um homem. Felizmente, Evan Boyd também é assim, pois ele não para de rir da carta. É outro metodista! Quanto à senhora Burr, de Upper Glen, é evidente que ficará furiosa e deixará a igreja. Não que seja uma perda muito grande, em qualquer sentido. Que os metodistas fiquem com eles.

– É bem feito para a senhora Burr – disse Susan, que tinha uma velha rixa com a senhora em questão e se divertira muito com a referência a ela na carta de Faith. – Ela vai descobrir que não dá para burlar a contribuição ao salário do pastor metodista com lã ruim.

– O pior é que não há esperança de que as coisas melhorem – disse a senhorita Cornelia com pesar. – Enquanto o senhor Meredith estava visitando Rosemary West, eu tinha fé de que logo a casa ministerial teria uma dona-de-casa apropriada. Agora, isso acabou. Suponho que ela não tenha aceitado por causa dos filhos dele. É o que todo mundo acha, pelo menos.

– Acho que ele nem chegou a fazer o pedido – disse Susan, que não conseguia imaginar alguém recusando um ministro da igreja.

– Ninguém tem certeza de nada. Uma coisa é certa: ele não vai mais lá, e Rosemary não parecia bem na primavera. Espero que a viagem a Kingsport faça bem a ela. Já faz um mês que ela foi para lá, e vai ficar mais um, pelo que sei. Ellen e ela nunca conseguiram ficar longe uma da outra, mas ouvi dizer que foi Ellen quem insistiu que a irmã fosse. Enquanto isso, Ellen e Norman Douglas estão revivendo o passado.

– É mesmo? – perguntou Anne, rindo. – Ouvi rumores, todavia não sei se consigo acreditar neles.

– Pois acredite! Pode acreditar neles, querida Anne. Não é segredo para ninguém. Norman Douglas nunca deixou dúvida a respeito de suas intenções, sejam elas quais forem. Ele sempre cortejou em público as mulheres que lhe interessavam. Ele contou ao Marshall que não pensava em Ellen há anos e que, na primeira vez em que voltou a pisar na igreja, no outono passado, e a viu, ele se apaixonou por ela novamente. Que havia esquecido como ela é bonita. Ele não a via há vinte anos, acredita? Tinha deixado de ir à igreja há muito tempo, e lá é o único lugar que Ellen frequenta por aqui. Oh, nós sabemos o que Norman quer, mas agora o que Ellen quer já é outra história. Não vou tentar prever se haverá um casamento ou não.

– Ele já a abandonou uma vez, mas parece que isso não conta para algumas pessoas, querida senhora – foi o comentário ácido de Susan.

– Ele a abandonou em um acesso de raiva e se arrependeu pelo resto da vida – disse a senhorita Cornelia. – Não foi de caso pensado. Nunca detestei Norman como a maioria das pessoas. Ele nunca conseguiu levar a melhor sobre mim. O que me intriga é o motivo por ele ter voltado para a igreja. Não acredito na história da senhora Wilson de que Faith Meredith foi até lá e o convenceu na marra. Quando vejo Faith, nunca me lembro de perguntar se é verdade. Que influência ela poderia ter sobre Norman Douglas? Ele estava na loja quando fui embora, morrendo de rir daquela carta escandalosa. Dava para ouvi-lo lá de Four Winds Point. "É a melhor garota do mundo", gritava. "É tão cheia de vivacidade que chega a transbordar, e todas as velhotas querem domá-la, repreendê-la. Só que nunca vão conseguir... Nunca! Seria mais fácil afogar um peixe. Boyd, não se esqueça de colocar mais fertilizante nas suas batatas no ano que vem. Rá, rá, rá!" E então ele riu até o teto começar a tremer.

– O senhor Douglas pelo menos contribui para o salário do ministro – comentou Susan.

– Oh, Norman não é um completo avarento. Doaria mil sem pestanejar e berraria feito um touro de Basã[21] se tivesse que pagar cinco centavos a mais por alguma coisa. Além disso, ele gosta dos sermões do senhor Meredith e está sempre disposto a pagar por algo que o entretém. Ele não é mais cristão do que um pagão desnudo da África e nunca será. Todavia, é inteligente e instruído e julga os sermões como se fossem palestras. De qualquer forma, é bom que ele apoie o senhor Meredith e os filhos dele, pois eles precisarão de amigos mais do que nunca depois disso. Estou cansada de encontrar desculpas para eles, acredite em mim.

– Sabe, querida senhorita Cornelia – começou Anne seriamente –, acho que todos nós já arranjamos desculpas demais para eles. É uma grande tolice, e deveríamos parar com isso. Vou dizer o que eu gostaria de fazer. Não o farei, é claro – Anne notou um lampejo de preocupação nos olhos de Susan –, porque seria muito pouco convencional e devemos ser o mais convencional possível depois que chegamos a certa idade, mas eu gostaria de convocar uma reunião com a Sociedade Assistencial, o clube de costura e incluir todos os metodistas que vêm criticando os Merediths, embora eu acredite que, se nós, presbiterianos, parássemos de criticar e encontrar desculpas para aquela família, acabaríamos descobrindo que as outras congregações não se preocupam tanto assim

---

21 Referência ao Antigo Testamento, Salmos 22:12: "Muitos touros me cercaram; fortes touros de Basã me rodearam". (N. T.)

com os moradores da nossa casa ministerial. Eu diria: "Queridos amigos cristãos", com ênfase em "cristãos". "Quero dizer uma coisa em alto e bom som para que possam se lembrar e repetir para as suas famílias quando voltarem para casa. Vocês, metodistas, não precisam ter pena da gente, e nós, presbiterianos, não precisamos ter pena de nós mesmos. Não faremos mais isso. De agora em diante, devemos dizer a todos, críticos e simpatizantes, com muita coragem e sinceridade, que temos orgulho do nosso ministro e da família dele. O senhor Meredith é o melhor pregador que a igreja de Glen St. Mary já teve. E mais: ele é um homem sincero, um dedicado professor da verdade e da caridade cristã. É um amigo leal, um pastor sensato e um sujeito refinado, erudito e bem-criado. A família dele é digna do homem que é. Gerald Meredith é o aluno mais astuto da escola, e o senhor Hazard diz que ele está destinado a ter uma carreira brilhante. É um rapaz viril, honrado e sincero. Faith Meredith é uma beldade e tão inspiradora e original quanto bela. Não há nada trivial nela. Se juntássemos todas as outras garotas de Glen, não teríamos o vigor, a perspicácia, a jovialidade e a 'energia' que ela tem. É uma moça sem nenhum inimigo. Todos que a conhecem a adoram. De quantas pessoas, crianças ou adultos, podemos dizer o mesmo? Una Meredith é a personificação da doçura. Será uma mulher extraordinária. Carl Meredith, com seu amor por formigas, sapos e aranhas, algum dia será um naturalista conhecido por todo o Canadá... Quiçá, pelo mundo todo. Vocês conhecem alguma outra família em Glen, ou em qualquer outro lugar, da qual é possível dizer o mesmo? Chega de desculpas e chega de vergonha. Nós celebramos nosso ministro e seus filhos esplêndidos!"

Anne parou, em parte porque estava sem fôlego depois do discurso veemente, em parte porque não confiava em si mesma para continuar diante da expressão da senhorita Cornelia. A boa dama parecia desconsolada, aparentemente imersa por uma maré de novas ideias. Arfando, ela buscou por ar.

— Anne Blythe, eu gostaria que você convocasse uma reunião e dissesse tudo isso! Você conseguiu me deixar envergonhada de mim mesma, e não é do meu feitio negar a verdade. É óbvio que deveríamos ter dito isso, especialmente para os metodistas. Cada palavra sua é a mais pura verdade. Temos fechado os olhos para as coisas grandes e importantes e focado em coisinhas sem a mínima importância. Oh, querida Anne, sou capaz de entender algo quando martelam na minha cabeça. Basta de desculpas para Cornelia Marshall! Andarei de cabeça bem erguida, acredite em mim... Ainda que talvez continue discutindo as coisas com você como sempre, se os Merediths aprontarem mais alguma. Até mesmo essa carta que me fez sentir tão mal... Ora, talvez seja apenas uma bela piada, no fim das contas, como disse Norman. Poucas garotas são inteligentes o bastante para escrever assim, com pontuação correta e sem nenhum erro de ortografia. Espere só até eu ouvir algum metodista comentar sobre isso... Ainda assim, nunca perdoarei Joe Vickers, acredite em mim! Onde estão os seus outros filhos nesta noite?

— Walter e as gêmeas estão no Vale do Arco-Íris. Jem está estudando no sótão.

— Eles amam esse vale. Mary Vance pensa que não há outro lugar como este no mundo. Ela viria aqui todas as tardes se eu deixasse, mas não a encorajo a passear todos os dias. Além disso, sinto falta daquela criaturinha quando não está por perto, querida Anne. Nunca pensei que me afeiçoaria tanto a ela. Não é como se eu não visse e corrigisse as falhas dela, só que a menina nunca me faltou com respeito desde que veio para a minha casa e é de grande ajuda. A verdade é que já não sou mais tão jovem como antes, querida Anne, não há como negar. Fiz cinquenta e nove anos no meu último aniversário. Apesar de não me sentir com essa idade, não há como negar o que está escrito na Bíblia da família.

UM CONCERTO SAGRADO

Apesar do novo ponto de vista, a senhorita Cornelia não pôde evitar ficar um pouco perturbada com a próxima façanha dos filhos do ministro. Em público, ela encarou a situação esplendidamente, rebatendo todas as fofocas com a essência do que Anne dissera na época dos narcisos, articulando-a com tamanho ímpeto que os ouvintes se descobriam sentindo-se tolos e começavam a pensar que, afinal de contas, eles estavam dando demasiada importância a uma travessura infantil. Em particular, no entanto, a senhorita Cornelia se permitia o alívio de queixar-se com Anne.

– Querida Anne, eles deram um concerto no cemitério na última quinta-feira durante a reunião da igreja metodista. Lá estavam eles, sentados sobre o túmulo de Hezekiah Pollock, onde cantaram por uma hora inteira. Tudo bem que eles cantaram só hinos, praticamente, e não teria sido tão mal se tivessem feito só isso. Porém eu ouvi dizer que eles finalizaram com *Polly Wolly Doodle* a plenos pulmões justo quando o diácono Baxter estava orando.

– Eu estava lá naquela noite – contou Susan – e, embora não tenha contado nada para você, querida senhora, não pude deixar de pensar que foi uma grande lástima eles terem escolhido aquela noite em particular. Foi de gelar o sangue ouvi-los cantar na morada dos mortos, gritando aquela canção frívola com toda a força.

– Não entendo o que você estava fazendo na igreja metodista – disse acidamente a senhorita Cornelia.

– Até onde sei, o metodismo não é contagioso – respondeu Susan com rigidez. – E, como eu ia dizer antes de ser interrompida, por mais que tenha me sentido mal, não dei o braço a torcer. Quando a esposa do diácono disse, na saída, "que espetáculo mais vergonhoso!", eu falei, olhando dentro dos olhos dela: "eles cantam lindamente, e nenhum integrante do coral de vocês se dá ao trabalho de vir às reuniões de reza, pelo visto. As vozes deles só estão afinadas aos domingos!". Ela foi embora sem dizer mais nada, e senti que a senhora Baxter tinha ouvido o que precisava. Só que minha resposta teria sido muito mais eficaz, querida senhora, se eles tivessem deixado de fora *Polly Wolly Doodle*. É realmente horrível pensar naquela música sendo cantada no cemitério.

– Alguns dos falecidos cantavam aquela música em vida, Susan. Talvez eles tenham gostado de ouvi-la – sugeriu Gilbert.

A senhorita Cornelia lançou um olhar de reprovação e decidiu que, em uma ocasião futura, iria sugerir a Anne que advertisse o doutor a não dizer coisas desse tipo, pois podiam prejudicar a sua profissão. As pessoas poderiam pensar que ele não era ortodoxo. Marshall dizia coisas bem piores com frequência, era bem verdade, só que ele não era uma figura pública.

– Dizem que o pai deles estava no escritório, com as janelas escancaradas, e que não percebeu nada. Estava absorto em algum livro, como sempre, mas eu conversei com ele ontem, quando me visitou.

– Como se atreveu, senhora Marshall Elliott? – perguntou Susan em tom de censura.

– É hora de alguém se atrever a fazer alguma coisa! Ora, há quem diga que ele não sabe de nada sobre aquela carta no *Jornal* porque ninguém a mencionou para ele. O senhor Meredith nunca lê o periódico. Achei que ele deveria inteirar-se do ocorrido para evitar outros concertos do tipo. Ele disse que iria "conversar com eles", mas é óbvio que se esqueceu disso assim que passou pelo portão. Aquele homem não tem noção do ridículo, Anne, acredite em mim. O sermão do domingo passado foi sobre "a educação das crianças". Foi um belo sermão, de fato, e todo mundo na igreja pensou "quem dera ele praticasse o que prega".

A senhorita Cornelia cometeu uma grande injustiça ao pensar que o senhor Meredith logo se esqueceria daquela conversa. Ele foi para casa bastante preocupado e, quando as crianças voltaram do Vale do Arco-Íris naquela noite, bem mais tarde do que deveriam, ele os chamou em seu escritório.

Eles entraram, um tanto espantados. Era uma atitude muito incomum para o pai deles. O que ele iria dizer? Eles vasculharam a memória por alguma transgressão recente de grande importância e não se lembraram de nenhuma. Carl derramara um pote cheio de geleia no vestido de seda da senhora Flagg duas noites atrás, quando a tia Martha a convidara para ficar para o jantar. Todavia, o senhor Meredith não tinha percebido, e a senhora Flagg, que era uma alma bondosa, não tinha feito caso. Além disso, Carl fora punido tendo que usar o vestido de Una pelo resto da noite.

De repente, ocorreu a Una que talvez o pai fosse contar que iria se casar com a senhorita West. Seu coração começou a bater violentamente. Então ela percebeu que o senhor Meredith parecia muito sério e angustiado. Não, não podia ser isso.

– Crianças – disse o senhor Meredith –, fiquei sabendo de uma coisa que me entristeceu bastante. É verdade que, na noite da quinta-feira passada, vocês cantaram músicas indecentes no cemitério durante uma reunião da igreja metodista?

– Grande César, papai, não nos lembramos da reunião – exclamou Jerry, desolado.

– Então é verdade?

– Ora, papai, não sei o que você quer dizer com músicas indecentes. Nós cantamos hinos... Foi um concerto sagrado, sabe? Que mal tem isso? Não nos ocorreu que haveria uma reunião de reza dos metodistas naquela noite. Eles costumavam se reunir às terças e, desde que eles mudaram o dia, é difícil lembrar.

– Só cantaram hinos?

– Bom... – disse Jerry corando. – Cantamos *Polly Wolly Doodle* no final. Faith disse "vamos cantar algo alegre para encerrar", mas não tivemos intenção de causar nenhum mal, papai, de verdade.

– O concerto foi ideia minha, papai – disse Faith, com medo de que o senhor Meredith colocasse toda a culpa em Jerry. – Você sabe que os metodistas tiveram um concerto sagrado na igreja deles três semanas atrás. Achei que seria divertido fazer um igual ao deles. É claro que eles também rezaram durante o deles, mas nós deixamos essa parte de fora porque as pessoas acharam horrível termos rezado no cemitério. Você estava sentado aqui o tempo todo e não nos disse nada.

– Eu não percebi o que vocês estavam fazendo. Sei que não é uma desculpa aceitável, é claro. Pensando bem, sou mais culpado do que vocês. E por que vocês cantaram aquela música mundana no fim?

– Não pensamos direito – murmurou Jerry, sentindo que era uma péssima desculpa, considerando que ele havia dado uma bronca em Faith no Clube da Boa Conduta por não pensar antes de agir. – Nós sentimos muito, pai, de verdade. Pode nos repreender com severidade, nós merecemos um bom castigo.

Entretanto, o senhor Meredith não fez nada disso. Ele se sentou, chamando os pequenos culpados para mais perto, e conversou com eles com gentileza e compreensão. Eles foram acometidos por um misto de remorso e vergonha e entenderam que não podiam mais ser tão tolos e inconsequentes.

– Temos que aplicar um castigo daqueles em nós mesmos por conta disso – sussurrou Jerry enquanto subiam as escadas. – Faremos uma reunião do Clube da Boa Conduta amanhã de manhã para decidirmos. Nunca vi o papai tão aflito. Como eu gostaria que os metodistas escolhessem um dia para a reunião deles, em vez de ficar passeando pela semana.

– De qualquer forma, estou contente por não ter sido o que eu temia – murmurou Una para si mesma.

Atrás deles, no escritório, o senhor Meredith sentou-se à mesa e enterrou o rosto entre os braços.

– Que Deus me ajude! Sou um péssimo pai. Oh, Rosemary! Se ao menos você tivesse dito sim!

UM DIA DE JEJUM

O Clube da Boa Conduta fez uma reunião especial na manhã seguinte antes da escola. Depois de várias sugestões, foi decidido que um dia de jejum seria uma punição apropriada.

– Não comeremos nada por um dia inteiro – disse Jerry. – Estou curioso para saber como é jejuar. Esta será uma ótima oportunidade para descobrir.

– Que dia escolheremos? – perguntou Una, que achou aquela uma punição branda e estranhou o fato de Jerry e Faith não terem pensado em algo mais difícil.

– Segunda – disse Faith. – Nós geralmente temos um jantar farto aos domingos, e nas segundas as refeições não são lá grande coisa.

– Mas é esse o propósito – exclamou Jerry. – Não devemos escolher o dia mais fácil para jejuar, e sim o mais difícil, que é o domingo. Como você mesma disse, nós costumamos ter carne assada em vez da "mesma coisa" fria. Não seria um castigo de verdade deixar de comer a mesma coisa. Vamos escolher o próximo domingo. É um dia propício, já que o papai trocará de lugar com o ministro de Upper Lowbridge para realizar o culto da manhã. Ele só voltará de noite. Se a tia Martha perguntar, diremos que estamos jejuando pelo bem das nossas almas, como está na Bíblia, e que ela não pode interferir. Creio que ela não fará nada.

A tia Martha não interferiu. Ela meramente comentou, com a irritação costumeira, "que loucura vocês estão aprontando agora, seus malandrinhos?" e não tocou mais no assunto. O senhor Meredith saiu de casa bem cedo, antes que os outros acordassem. Partiu sem tomar café da manhã, o que não era incomum. Ele sempre se esquecia, e não havia ninguém para lembrá-lo de comer pela manhã. O desjejum da tia Martha não era uma refeição difícil de pular. Nem os "malandrinhos" famintos tiveram dificuldades em se abster do "mingau encaroçado e do leite azulado" que foram alvo do escárnio de Mary Vance. Na hora do almoço, contudo, a situação foi diferente. A essa altura eles estavam com uma fome furiosa, e o cheiro delicioso de assado que impregnava a casa ministerial, embora a carne tivesse ficado malpassada, era quase irresistível. Desesperados, eles correram para o cemitério, onde o cheiro não os alcançaria. Una não conseguiu tirar os olhos da janela da sala de jantar, de onde o ministro de Upper Lowbridge podia ser visto almoçando placidamente.

– Se eu pudesse comer só um pedacinho... – suspirou.

– Pare com isso – ordenou Jerry. – Sei que é difícil, mas é esse o propósito do castigo. Eu poderia comer até uma figura de madeira, mas você está me ouvindo reclamar? Vamos pensar em outra coisa. Temos que ser superiores aos nossos estômagos.

Na hora do jantar, eles já não sentiam mais as pontadas de fome que os torturaram ao longo do dia.

– Creio que estamos nos acostumando – disse Faith. – Estou com uma sensação muito esquisita, mas não posso dizer que seja fome.

– Minha cabeça está engraçada – disse Una. – Ela dá voltas e mais voltas às vezes.

Mesmo assim, ela foi obedientemente à igreja com os outros. Se o senhor Meredith não estivesse tão compenetrado em seu ofício, teria notado os rostinhos esquálidos e os olhos fundos no banco da casa ministerial. Todavia não percebeu nada e seu sermão foi mais longo do que o usual. Então, antes do último hino, Una Meredith desmaiou e caiu no chão, como se estivesse morta.

A esposa do ancião Clow foi a primeira a acudi-la. Ela tomou o corpinho delgado dos braços da pálida e aterrorizada Faith e a carregou para a sacristia. O senhor Meredith se esqueceu do hino e tudo mais e correu atrás delas. A congregação dispersou-se da melhor maneira que pôde.

– Oh, senhora Clow – arfou Faith –, ela morreu? Nós a matamos?

– O que aconteceu com a minha filha? – exigiu saber o pai, lívido.

– Ela só desmaiou, eu acho – disse a senhora Clow. – Oh, aí vem o doutor, graças a Deus.

Gilbert teve dificuldade para fazer Una voltar à consciência. Ela demorou um bom tempo para abrir os olhos. Em seguida, ele a levou para a casa ministerial. Faith foi atrás, chorando histericamente de alívio.

– Ela está com fome... Ela não comeu nada o dia inteiro. Nenhum de nós... Estamos todos jejuando.

– Jejuando! – exclamou o senhor Meredith.

– Jejuando? – perguntou o doutor.

– Sim, como punição por termos cantado *Polly Wolly* no cemitério – explicou Faith.

– Minha filha, vocês não precisam se castigar por causa disso – disse o senhor Meredith, aflito. – Eu já os repreendi, e vocês já se arrependeram. Estão todos perdoados.

– Sim, mas nós precisamos ser castigados – explicou Faith. – É a regra do nosso Clube da Boa Conduta, sabe? Se fizermos algo errado ou que possa prejudicar o papai na congregação, nós temos que nos punir. Estamos nos educando por conta própria, já que não tem mais ninguém para fazer isso.

O senhor Meredith soltou um gemido. O doutor levantou-se com um ar aliviado.

— Essa criança simplesmente desmaiou por falta de comida, e tudo que ela precisa é de uma boa refeição. Senhora Clow, poderia fazer a gentileza de cuidar disso? E, pelo que Faith contou, seria melhor que todos comessem alguma coisa ou teremos mais desmaios.

— Não deveríamos ter feito Una jejuar — disse Faith com remorso. — Pensando bem, só Jerry e eu deveríamos ter sido punidos. Nós tivemos a ideia do concerto e nós somos os mais velhos.

— Eu cantei *Polly Wolly* como todo mundo — disse Una, com a vozinha fraca. — Por isso também tive que ser punida.

A senhora Clow voltou com um copo de leite. Faith, Jerry e Carl esgueiraram-se para a despensa, e John Meredith foi para o escritório, onde ficou na escuridão por um bom tempo, sozinho com os pensamentos amargurados. Então, os filhos dele estavam se educando sozinhos porque "não tem mais ninguém para fazer isso", lutando contra as perplexidades da vida sem ninguém para guiá-los ou aconselhá-los. A frase inocente de Faith ficou cravada na mente do pai como arame farpado. Não havia "ninguém" para tomar conta deles, para confortar suas almas e cuidar de seus corpinhos. Como Una parecia frágil, inconsciente no sofá da sacristia! Suas mãozinhas pareciam tão frágeis, e seu rosto, tão branco! Como se pudesse ser tirada dele com um sopro... Sua doce e pequenina Una, de quem Cecilia implorara para que ele cuidasse com carinho especial. Desde a morte da esposa ele não sentia tanto medo e agonia como sentiu ao ver a garotinha dele inconsciente. Ele precisava fazer alguma coisa, mas... o quê? Será que ele deveria pedir Elizabeth Kirk em casamento? Ela era uma boa mulher... E seria gentil com os filhos dele. Ele talvez o fizesse, se não fosse seu amor por Rosemary West. Não, enquanto não o sufocasse, ele não conseguiria se casar com outra mulher. E ele não estava conseguindo sufocar seus sentimentos, por mais que tentasse. Rosemary tinha ido à igreja naquela noite; era a primeira vez desde que voltara de Kingsport. Ele teve um vislumbre do rosto dela no fundo da igreja lotada quando estava terminando o sermão, o que fez com que o seu coração desse um solavanco. Ele sentou-se enquanto o coro cantava o hino da coleta, com a cabeça baixa e o pulso acelerado. Ele não a via desde a noite em que fizera o pedido. Ao levantar-se novamente, suas mãos estavam tremendo, e seu rosto, corado. Foi quando Una desmaiou, o que baniu todas aquelas coisas da mente dele momentaneamente. Agora, na escuridão e na solitude do escritório, elas haviam voltado às pressas. Rosemary era a única mulher do mundo para ele, era inútil pensar em casar-se com outra, e ele não ousaria cometer tamanho sacrilégio nem em nome dos filhos. Teria que carregar aquele fardo sozinho, tinha que tentar ser um pai melhor, mais atencioso, tinha que demostrar aos filhos que eles não precisavam ter medo de procurá-lo com todos os seus problemas. Então, John Meredith acendeu a lamparina e pegou um livro volumoso que estava deixando a teologia de cabeça para baixo. Ele iria ler só um capítulo, para colocar a mente no lugar. Cinco minutos depois, era como se o mundo e todos os problemas não existissem mais.

UMA HISTÓRIA ESQUISITA

Em uma tarde do começo de junho, o Vale do Arco-Íris parecia um lugar completamente fantástico para as crianças, sentadas na clareira onde os sinos tocavam magicamente nas Árvores Enamoradas e a Dama de Branco balançava suas tranças verdes. O vento ria e assobiava ao redor deles como um camarada leal e de bom coração. As samambaias jovens exalavam um perfume pungente. As cerejeiras silvestres espalhadas pelo vale, entre os pinheiros escuros, eram de um branco nebuloso. Os tordos cantavam nos bordos atrás de Ingleside. Mais além, nas encostas de Glen, os pomares estavam em flor, doces e místicos e maravilhosos, velados pelo crepúsculo. Era primavera, e tudo que é jovem se alegra na primavera. Todo mundo estava feliz no Vale do Arco-Íris naquela tarde, até que Mary Vance deixou todos de cabelo em pé com a história do fantasma de Henry Warren.

Jem não estava ali. Agora, ele passava as tardes estudando para o exame de admissão no sótão de Ingleside. Jerry estava pescando trutas no lago. Walter lia poemas de Longfellow sobre o mar para os outros, que estavam mergulhados na beleza e nos mistérios dos barcos. Em seguida, eles conversaram sobre o que queriam ser quando crescessem, para onde iriam viajar e as praias muito, muito distantes que conheceriam. Nan e Di queriam ir para a Europa. Walter ansiava ver o Nilo murmurando por entre as areias do Egito e a grande esfinge. Faith opinou, um tanto desanimada, que ela provavelmente teria que ser uma missionária; a velha senhora Taylor havia dito isso. Pelo menos ela conheceria a Índia e a China, aquelas terras misteriosas no Oriente. O coração de Carl pedia pelas selvas africanas. Una não disse nada; achava que preferiria simplesmente ficar em casa. Não existia nenhum lugar mais bonito do que aquele. Seria terrível quando todos estivessem grandes e se espalhassem pelo mundo. Só de pensar nisso, Una se sentia solitária e com saudade de casa. Todos os outros continuavam viajando em seus sonhos, até que Mary Vance chegou e acabou com toda a poesia e os devaneios com um só golpe.

– Ah! Estou esbaforida – exclamou. – Desci correndo a colina feito uma louca. Levei um baita susto na velha casa dos Baileys.

– O que assustou você? – perguntou Di.

– Não sei. Eu estava vasculhando por entre os lilases do jardim, tentando ver se algum lírio-do-vale já tinha florescido. Estava um breu, e de repente ouvi o barulho de algo se mexendo do outro lado do jardim, perto dos arbustos de cerejas. Era alguma coisa branca. Não fiquei ali para saber o que era, então pulei o muro de pedra o mais rápido que pude. Tenho certeza de que era o fantasma de Henry Warren.

– Quem foi Henry Warren? – perguntou Di.

– E por que ele é um fantasma? – perguntou Nan.

– Ora, nunca ouviram essa história? Vocês cresceram aqui em Glen. Bem, esperem um pouco até eu recobrar o fôlego.

Walter sentiu um arrepio delicioso. Ele adorava histórias de fantasmas. O mistério, o clímax dramático e o desconhecido lhe proporcionavam um prazer imenso e assustador. Longfellow instantaneamente tornou-se insosso e ordinário. Ele deixou o livro de lado e inclinou-se para a frente, apoiando-se sobre os cotovelos para prestar atenção e fixando os olhos arregalados e luminosos no rosto de Mary. A menina desejou que ele não a olhasse daquele jeito, pois sentia que poderia contar melhor a história de fantasma se ele não olhasse para ela e poderia incluir vários adornos e inventar alguns detalhes artísticos para aumentar o terror. Naquelas condições, era obrigada a ater-se à verdade nua e crua, ou à verdade que haviam lhe contado.

– Bem – começou ela –, vocês sabem que o velho Tom Bailey e a esposa moravam naquela casa há trinta anos. Dizem que era um grande patife e que a esposa também não era grande coisa. Não tinham filhos, mas a irmã do velho Tom morreu e deixou um garotinho para que eles cuidassem, o tal do Henry Warren. Ele tinha cerca de doze anos quando veio para cá e era franzino e delicado. Dizem que Tom e a esposa o maltrataram desde o início, batiam nele e o deixavam sem comer. O povo dizia que eles queriam que o menino morresse para ficarem com o pouco de dinheiro que a mãe deixara para ele. Henry não morreu logo de início, mas começou a ter ataques... Epilepsia, era como chamavam. Chegou aos dezoito com uma mente simplória. O tio costumava dar surras nele no jardim porque ficava na parte de trás da casa, onde ninguém os podia ver. Só que as pessoas podiam ouvi-lo e falam que era horrível escutá-lo implorando para que o tio não o matasse. Ninguém ousava interferir, porque o velho Tom era tão ruim que com certeza se vingaria. Em Harbour Head, ele botou fogo no celeiro de um homem que o ofendera. Por fim, Henry acabou falecendo, e os tios alegaram que foi por causa de um de seus ataques. Porém, todo mundo comentava que Tom o matou por interesse. Pouco tempo depois, surgiram os boatos de que Henry havia voltado, que o velho jardim era assombrado. Era possível ouvi-lo à noite, chorando e gemendo. O velho Tom e a esposa foram embora dali... Partiram para o Oeste e nunca mais voltaram. O lugar ganhou uma fama tão ruim que ninguém ousou comprá-lo ou alugá-lo. É por isso que ficou em ruínas. Isso foi há trinta anos. No entanto, o fantasma de Henry Warren ainda o assombra.

— Vocês acreditam nisso? — perguntou Nan com desdém. — Eu não.

— Bem, pessoas boas viram e o ouviram — retrucou Mary. — Dizem que ele aparece, que se arrasta pelo chão e agarra as suas pernas e que grita e geme como fazia quando estava vivo. Pensei nisso assim que vi aquela coisa branca nos arbustos e que, se ele me agarrasse daquele jeito, eu cairia morta bem ali. Por isso saí correndo. Talvez não fosse um fantasma, mas eu não queria correr nenhum risco.

— Provavelmente era o bezerro branco do velho senhor Stimson — riu Di. — Ele pasta naquele jardim; eu já vi.

— Pode ser. Eu é que não voltarei mais para casa pelo jardim dos Baileys. Aí vem Jerry com um monte de trutas, e é a minha vez de cozinhá-las. Jem e Jerry dizem que sou a melhor cozinheira de Glen. E Cornelia disse que eu podia trazer esses biscoitos. Quase os derrubei quando vi o fantasma do Henry.

Jerry deu risada ao ouvir a história do fantasma, que Mary repetiu enquanto fritava os peixes, fazendo alguns retoques aqui e ali depois que Walter foi ajudar Faith a arrumar a mesa. Ela não causou nenhum impacto em Jerry, mas Faith, Una e Carl secretamente ficaram muito assustados, por mais que jamais fossem admitir. Não havia problema algum enquanto os outros estivessem com eles no vale, porém, quando o banquete terminou e as sombras surgiram ao redor, eles estremeceram só de lembrar. Jerry foi até Ingleside com os Blythes para conversar com Jem, e Mary Vance foi para casa pelo mesmo caminho. Assim, Faith, Una e Carl tiveram que voltar para a casa ministerial sozinhos. Eles caminharam juntinhos e passaram bem longe do jardim dos Baileys. As crianças não acreditavam que era assombrado, é claro, todavia não iriam chegar perto para descobrir.

O FANTASMA NO MURO DE PEDRA

Por algum motivo, Faith, Una e Carl não conseguiram se livrar da impressão que a história de Henry Warren causara em suas mentes. Eles nunca acreditaram em fantasmas. Conheciam muitas histórias, Mary Vance já tinha contado algumas muito mais aterrorizantes do que aquela, mas eram todos casos sobre pessoas, assombrações e lugares longínquos e desconhecidos. Depois da onda prazerosa de medo e emoção inicial, eles logo se esqueciam delas. Porém, aquela história os acompanhou até em casa. O velho jardim dos Baileys ficava praticamente na porta da casa deles, quase no amado Vale do Arco-Íris. Por ali eles passavam constantemente, por ali haviam colhido flores e cortado caminho quando queriam ir direto da vila para o Vale. Agora... Nunca mais! Depois daquela noite, eles não voltaram a se aproximar do jardim nem sob ameaça de morte. Morte! O que era a morte comparada à possibilidade de cair nas garras do fantasma rastejante de Henry Warren?

Os três estavam sentados sob as Árvores Enamoradas em uma tarde agradável de junho, sentindo-se um pouco solitários. Ninguém tinha ido ao vale naquele dia. Jem Blythe estava em Charlottetown para prestar os exames de admissão. Jerry e Walter Blythe foram velejar com o velho capitão Crawford. Nan, Di, Rilla e Shirley tinham ido ver Kenneth e Persis Ford, que vieram com os pais para uma visita rápida à Casa dos Sonhos. Nan chamou Faith para ir com eles, mas a menina recusou o convite. Ela jamais admitiria que sentia um pouco de inveja da esplêndida beleza e do *glamour* da cidade grande de Persis, de quem ouvira falar tanto. Não, ela não iria até lá para ser ofuscada por ninguém. Una e Faith liam seus livros de história enquanto Carl estudava insetos na beira do riacho. Estavam felizes até se darem conta de que anoitecia e que estavam perigosamente próximos do velho jardim dos Baileys. Carl sentou-se perto das garotas. Os três desejaram ter ido embora mais cedo, apesar de ninguém ter dito nada.

Nuvens enormes, aveludadas e púrpura surgiram a oeste e se espalharam sobre o vale. Não havia vento, e de repente tudo ficou estranhamente quieto. O pântano estava repleto de milhares de vagalumes. Com certeza, as fadas haviam sido convocadas para uma conferência em algum lugar. O Vale do Arco-Íris não era um lugar muito acolhedor naquele momento.

Faith olhou com medo na direção do velho jardim dos Baileys. Então, o sangue da menina congelou. Os olhos de Carl e os de Una seguiram o olhar hipnotizado dela, e calafrios subiram e desceram pelas costas deles. Debaixo do grande lariço que havia ao lado do muro de pedras tombado e coberto de ervas daninhas do jardim dos Baileys, havia alguma coisa branca... algo branco e sem forma definida sob o brilho lúgubre do poente. Os três Merediths ficaram ali, olhando, paralisados.

– É... é o bezerro – sussurrou Una, por fim.

– É... grande... demais... para ser... um bezerro... – sussurrou Faith. Seus lábios estavam tão secos que ela mal conseguiu articular as palavras.

De súbito, Carl anunciou:

– Está vindo para cá.

As meninas lançaram um último olhar agonizado. Sim, aquilo vinha na direção deles sobre o dique de pedra, como um bezerro não seria capaz. A razão desapareceu diante do pânico repentino e dominador, pois naquele momento o trio estava convencido de que era o fantasma de Henry Warren. Carl saiu correndo como um raio. Com um grito simultâneo, as garotas os seguiram. Eles cruzaram a colina, a estrada e entraram em casa como loucos. A tia Martha não estava mais costurando na cozinha. Os três então correram para o escritório, que estava escuro e vazio. Seguindo um impulso mútuo, deram meia volta e partiram para Ingleside, não pelo Vale do Arco-Íris. Nas asas do terror selvagem que sentiam, eles voaram colina abaixo e pela rua central de Glen, com Carl na liderança e Una na retaguarda. Ninguém tentou detê-los, mas todos que os viram se perguntaram que diabos as crianças da casa ministerial estavam aprontando agora. No portão de Ingleside eles se depararam com Rosemary West, que fora devolver alguns livros.

Ela viu a expressão de pavor e os olhos arregalados das crianças e percebeu que suas pobres almas estavam amedrontadas por causa de alguma coisa. Ela colocou um braço sobre os ombros de Carl e o outro sobre os de Faith. Una a abraçou, desesperada.

– Meus queridos, o que aconteceu? O que assustou vocês?

– O fantasma de Henry Warren – respondeu Carl, entre os dentes que batiam.

– O fantasma de Henry Warren! – exclamou Rosemary, que nunca tinha ouvido a história.

– Sim – soluçou Faith, histérica. – Está lá, no dique de pedra dos Baileys. Nós o vimos, e ele nos perseguiu.

Rosemary levou as três criaturinhas perturbadas até a varanda de Ingleside. Gilbert e Anne também tinham ido à Casa dos Sonhos. Susan abriu a porta, séria, prática e vivinha da silva.

– Que tumulto todo é esse?

Arquejando, as crianças repetiram o conto de terror, enquanto Rosemary os mantinha abraçados, acalmando-os sem precisar de palavras.

— Provavelmente era uma coruja — disse Susan, impassível.

Uma coruja! Depois desse comentário, os filhos do ministro nunca mais tiveram uma boa impressão da inteligência de Susan!

— Era maior de que um milhão de corujas — disse Carl, soluçando. Ah, como Carl ficou envergonhado daqueles soluços alguns dias depois. — E... e estava rastejando do jeito que a Mary disse... arrastando-se pelo muro de pedra para nos pegar. Por acaso corujas rastejam?

Rosemary olhou para Susan.

— Eles devem ter visto algo para ficarem tão assustados — disse.

— Vou verificar — disse Susan friamente. — Acalmem-se, crianças. O que quer que tenham visto, não era um fantasma. Quanto ao pobre Henry Warren, tenho certeza de que ele ficou contente em poder descansar em paz quando chegou à tumba. Não há por que temer que ele volte, escrevam o que estou dizendo. Agora, se puder ajudá-los a pensar com clareza, senhorita West, vou descobrir a verdade por trás disso.

Susan partiu em direção ao Vale do Arco-Íris, agarrando com valentia um forcado que encontrou encostado na cerca onde o doutor havia trabalhado em seu modesto campo de feno. Um forcado talvez não fosse útil contra uma "assombração", mas era uma arma reconfortante. Não havia nada de relevante no Vale do Arco-Íris quando Susan chegou lá. Nenhum visitante branco parecia espreitar pelas sombras do velho e abandonado jardim dos Baileys. Susan caminhou corajosamente por ele e bateu com o forcado na porta da pequena cabana onde a senhora Stimson vivia com as duas filhas.

Em Ingleside, Rosemary tinha conseguido acalmar as crianças. Ainda estavam um tanto assustadas por causa do choque, mas começavam a suspeitar de que haviam feito papel de bobos. A suspeita transformou-se em certeza quando Susan finalmente retornou.

– Descobri o que era o fantasma de vocês – disse, com um sorriso sardônico, ao sentar-se no balanço da varanda e abanar-se. – A velha senhora Stimson colocou um par de lençóis de algodão para branquear por uma semana no jardim dos Baileys. Ela os estendeu sobre o dique debaixo do lariço porque a grama ali é curta e limpa. Nesta tarde, ela foi buscá-los. Como estava com o tricô nas mãos, ela colocou os lençóis sobre os ombros para carregá-los. Só que uma das agulhas caiu e se perdeu... Aliás, ela ainda não a encontrou. Ela então ficou de joelhos e começou a procurá-la, foi aí que ela ouviu uma gritaria vinda do vale e viu três crianças passar correndo, descendo a colina. Ela achou que algum deles tinha sido picado por alguma coisa. A coitada levou um susto tão grande que não conseguiu se mover nem falar e continuou agachada até que eles foram embora. Em seguida, ela cambaleou até em casa e vem sendo tratada com estimulantes desde o ocorrido. Está com o coração tão fraco que disse que não vai se recuperar tão cedo do susto.

Os Merediths permaneceram sentados e coraram, sentindo tamanha vergonha que nem a simpatia e compreensão de Rosemary podiam aplacar. Eles foram embora de Ingleside e, quando se encontraram com Jerry no portão da casa ministerial, confessaram com arrependimento o que haviam feito. Uma reunião do Clube da Boa Conduta foi agendada para a manhã seguinte.

– A senhorita West não foi um amor conosco hoje? – sussurrou Faith na hora de dormir.

– Sim – admitiu Una. – É uma pena que as pessoas mudem tanto ao se tornarem madrastas.

– Não creio que isso seja verdade – disse Faith com lealdade.

CARL CUMPRE PENITÊNCIA

– Não entendo por que deveríamos ser punidos – disse Faith, emburrada. – Não fizemos nada de errado. Não ficamos assustados de caso pensado, e isso não vai prejudicar o papai.

– Vocês foram covardes – disse Jerry com um desprezo judicioso – e se renderam à covardia. É por isso que deveriam ser punidos. Todos vão rir de vocês, o que será uma desgraça para a família.

– Se soubesse como foi horrível – disse Faith, estremecendo –, saberia que já fomos castigados o bastante. Não gostaria de passar por isso de novo por nada no mundo.

– Você também teria corrido se estivesse lá – murmurou Carl.

– De uma mulher com um lençol de algodão? – zombou Jerry. – Rá, rá, rá!

– Não se parecia nem um pouco com uma velha – exclamou Faith. – Era uma coisa grande e branca que se rastejava na grama do jeito que Mary Vance disse que Henry Warren fazia. Pode rir, Jerry Meredith. Aposto que você teria ficado paralisado se estivesse lá. E como seremos castigados? Não me parece justo, mas diga-nos o que precisamos fazer, meritíssimo Meredith!

– A meu ver – começou Jerry, franzindo a testa –, Carl é o mais culpado. Ele foi o primeiro a sair correndo, pelo que entendi. Além disso, por ser um garoto, ele deveria ter ficado para defender vocês, garotas, de qualquer que fosse o perigo. Você sabe muito bem disso, Carl, não é mesmo?

– Suponho que sim – resmungou, envergonhado.

– Muito bem. A sua punição será ficar sentado no túmulo do senhor Hezekiah Pollock sozinho, até a meia-noite.

Carl estremeceu. O cemitério não ficava muito longe do jardim dos Baileys. Seria uma provação dura, porém Carl estava ansioso para apagar aquela vergonha e provar que não era um covarde.

– Tudo bem – disse com firmeza. – Mas como vou saber que é meia-noite?

– As janelas do escritório estão abertas. Você ouvirá o badalar do relógio. Fique atento para não sair do cemitério enquanto não ouvir a última badalada. Já vocês, garotas, ficarão sem geleia no jantar por uma semana.

Faith e Una ficaram atônitas. A agonia comparativamente curta do Carl parecia mais leve do que aquele castigo longuíssimo. Uma semana de pão murcho sem a salvação da geleia! Entretanto, não era permitido fugir da punição. As garotas aceitaram-na com toda a filosofia de que foram capazes.

Todos foram para a cama naquela noite às nove, com exceção do Carl, que já estava de vigília no cemitério. Una escapuliu e foi até lá para lhe dar boa noite, com o coraçãozinho cheio de pena.

– Ah, Carl, não está com medo? – sussurrou ela.

– Nem um pouco – respondeu ele com altivez.

– Não vou conseguir pregar os olhos até a meia-noite. Se você se sentir sozinho, basta olhar para a nossa janela e lembrar-se de que estou lá dentro, pensando em você. Isso lhe fará companhia, não é mesmo?

– Eu ficarei bem. Não se preocupe comigo – disse Carl.

Vale do Arco-Íris

Apesar das palavras valentes, ele se sentiu um menino muito sozinho quando as luzes da casa se apagaram. Ele esperava que o pai fosse estar no escritório, como de costume. Ele não se sentiria tão só. Contudo, naquela noite, o senhor Meredith foi chamado para visitar um homem no leito de morte, na vila dos pescadores. Talvez voltasse somente depois da meia-noite. Carl teria que suportar aquele fardo sozinho.

Um morador de Glen passou com uma lamparina. As sombras misteriosas lançadas pela luz da lamparina percorreram o cemitério como uma dança de demônios e bruxas. Depois que se foram, a escuridão voltou. Uma por uma, as luzes da casa ministerial se apagaram. Era uma noite muito escura, repleta de nuvens, e um vento frio soprava do leste a despeito do calendário. Era possível ver o brilho débil das luzes de Charlottetown no horizonte. O vento gemia e sussurrava por entre os pinheiros. O monumento alto do senhor Alec Davis resplandecia em sua brancura no escuro. O salgueiro ao lado dele estendia sinistramente seus braços longos e retorcidos. Às vezes, os movimentos dos ramos davam a impressão de que o monumento também se mexia.

Carl sentou-se sobre as pernas e encolheu-se sobre o túmulo. Não era muito agradável deixá-las penduradas na beirada da pedra. Imagine... só imagine... se mãos esqueléticas deslizassem para fora do túmulo do senhor Pollock e agarrassem os tornozelos dele. Foi uma das divertidas especulações de Mary Vance certa vez, quando estavam todos sentados ali. A ideia voltou para assombrá-lo. Ele não acreditava nessas coisas, nem acreditava realmente no fantasma de Henry Warren. Já o senhor Pollock estava morto há sessenta anos, de maneira que era improvável que se preocupasse com quem se senta sobre o túmulo dele. No entanto, havia algo de muito estranho em estar acordado quando o resto do mundo estava dormindo. Sozinho, com nada além da frágil personalidade para se defender dos seres poderosos e das forças da escuridão. Carl tinha somente dez anos, estava cercado pelos mortos e desejou, ah, como desejou que o relógio batesse doze vezes.

A meia-noite nunca chegaria? A tia Martha decerto havia se esquecido de dar corda nele.

Então soaram onze horas. Onze horas! Ele precisava ficar mais uma hora naquele lugar pavoroso. Se ao menos houvesse algumas estrelas amigas para observar! A escuridão era tão espessa que parecia tocar seu rosto. Havia sons como os de passos furtivos por todo o cemitério. Carl estremeceu, em parte pela sensação de medo, em parte pelo frio verdadeiro.

Então uma garoa gelada e penetrante começou a cair. A blusinha fina de algodão do menino e a camisa logo ficaram molhadas. O frio chegava até os ossos. O desconforto físico o fez esquecer os terrores mentais. Ele precisava ficar ali até as doze horas, por causa do castigo e pela própria honra. Nada havia sido dito sobre a chuva, mas isso não fazia diferença. Quando o relógio do escritório finalmente soou as doze badaladas, uma figura ensopada desceu do túmulo do senhor Pollock, entrou na casa ministerial e subiu as escadas. Carl batia os dentes e achou que nunca mais se sentiria quente de novo.

Na manhã seguinte, ele estava bastante quente. Jerry deu uma olhada no rosto preocupantemente vermelho do irmão e foi correndo chamar o pai. O senhor Meredith veio depressa. Estava pálido depois da longa noite de vigília e chegara em casa ao amanhecer. Preocupado, inclinou-se sobre o rapazinho.

– Carl, está doente?

– Aquele... túmulo... ali... está... se movendo! Por... favor... não... deixe que... se aproxime... de mim...

O senhor Meredith correu até o telefone. Em dez minutos, o doutor Blythe estava na casa ministerial. Meia hora depois, um telegrama foi enviado para a cidade solicitando uma enfermeira, e Glen inteira ficou sabendo que Carl estava com um caso grave de pneumonia e que o doutor fora visto balançando a cabeça.

Gilbert balançou a cabeça mais de uma vez nos quinze dias que se seguiram, pois Carl desenvolveu uma pneumonia dupla. Houve uma noite em que o senhor Meredith andou de um lado para o outro no escritório, enquanto Faith e Una choravam largadas no chão e Jerry se recusava a sair do lado de fora do quarto de Carl, desesperado de remorso. O doutor Blythe e a enfermeira não saíram do lado da cama, lutando bravamente contra a morte até o amanhecer da vitória. Carl melhorou e superou a crise em segurança. A notícia espalhou-se pelo telefone por todo o vilarejo expectante, e o povo descobriu o quanto amava o ministro e os filhos dele.

– Não tive uma noite decente de sono desde que ouvi que o menino estava doente – contou a senhorita Cornelia para Anne –, e Mary Vance chorou tanto que aqueles olhos canhestros dela pareciam mais dois buracos queimados em um lençol. É verdade que Carl pegou pneumonia porque ficou até tarde no cemitério, naquela noite gelada, para ganhar uma aposta?

– Não. Ele fez isso como castigo pela covardia naquela história do fantasma de Warren. Parece que eles têm um clube para se educarem e punem uns aos outros quando fazem algo errado. Jerry contou tudo ao senhor Meredith.

– Aquelas pobres almas – disse a senhorita Cornelia.

Carl melhorou rapidamente, pois a congregação levou à casa ministerial comida suficiente para abastecer um hospital. Norman Douglas foi todas as noites levar uma dúzia de ovos frescos e uma garrafa de creme de leite fresco. Às vezes ficava uma hora, debatendo a predestinação com o senhor Meredith no escritório, e, com maior frequência, ele ia até a colina com vista para Glen.

Quando Carl pôde ir novamente ao Vale do Arco-Íris, eles fizeram um banquete especial, e o doutor veio ajudá-los com os fogos de artifício. Mary Vance também estava lá, mas não contou nenhuma história de fantasma. A senhorita Cornelia havia lhe passado um sermão do qual ela não se esqueceria com facilidade.

DUAS PESSOAS TEIMOSAS

A caminho de casa depois da aula de música em Ingleside, Rosemary West parou no riacho escondido no Vale do Arco-Íris. Ela não tinha ido lá durante o verão; o lugar adorável já não tinha mais encanto para ela. O espírito de seu amor da juventude não vinha mais ao encontro dela, e as lembranças de John Meredith eram muito dolorosas e pungentes, mas por acaso ela olhou para trás e viu Norman Douglas pular o velho muro de pedra do jardim dos Baileys, com a vivacidade de um rapaz, e suspeitou de que ele estivesse subindo a colina. Se ele a alcançasse, eles teriam que caminhar juntos até em casa, e ela não queria fazer isso. Assim, Rosemary esgueirou-se por entre os bordos às margens do riacho e torceu para que ele não a tivesse visto.

Entretanto, Norman a vira. Na verdade, ele estava atrás dela. Há algum tempo ele queria ter uma conversa com Rosemary, contudo ela parecia sempre evitá-lo e nunca simpatizara com ele, pois sua personalidade explosiva, seu temperamento e seu humor barulhento sempre a repeliram. Ela já se perguntara inúmeras vezes como Ellen podia ter se sentindo atraída por ele. Norman Douglas estava perfeitamente ciente de que Rosemary não gostava dele e achava graça disso. Ele nunca se preocupava se as pessoas não gostavam dele, o que tampouco fazia com que ele sentisse o mesmo por elas, pois encarava isso como uma forma de elogio involuntário. Ele considerava Rosemary uma fina dama e pretendia ser um cunhado excelente. Contudo, antes de poder se tornar cunhado dela, eles precisavam ter uma conversa. Assim, ao vê-la sair de Ingleside, quando estava parado na porta de uma loja em Glen, ele imediatamente atravessou o vale para alcançá-la.

Rosemary estava sentada, pensativa, no mesmo tronco em que John Meredith havia se sentado naquela tarde há quase um ano. O pequeno riacho resplandecia e gorgolejava sob as cortinas de samambaias. Feixes vermelho-rubi do entardecer entravam por entre os galhos arqueados. Um ramo alto e perfeito de ásteres crescia ao lado dela. Aquele pequeno recanto era tão mágico e acolhedor como as moradas das fadas e dríades nas florestas míticas. E Norman Douglas o invadiu, aniquilando instantaneamente seu charme. A personalidade dele parecia engolir o lugar. Não havia mais nada além daquele sujeito grande, complacente e de barba vermelha.

– Boa tarde – disse Rosemary friamente, levantando-se.

– Tarde, garota. Sente-se, sente-se novamente. Quero conversar com você. Deus do céu, por que está me olhando desse jeito? Não vou devorar você, já almocei hoje. Sente-se e seja civilizada.

– Posso ouvir muito bem daqui – disse Rosemary.

– Sei que pode, garota, se usar os ouvidos. Só queria que ficasse à vontade. Você parece tão desconfortável, parada aí. Bem, eu vou me sentar.

Norman o fez exatamente onde John Meredith havia se sentado. O contraste era tão absurdo que Rosemary achou que fosse ter um ataque de riso. Norman deixou o chapéu ao lado, colocou as mãos imensas e avermelhadas sobre os joelhos e voltou os olhos brilhantes para ela.

– Ora, garota, não fique tão tensa – disse, tentando deixá-la descontraída. Quando queria, ele podia ser muito divertido. – Vamos bater um papo de maneira sensata e amigável. Preciso lhe pedir uma coisa. Ellen se recusa, de maneira que cabe a mim fazê-lo.

Rosemary olhou para o riacho, que parecia ter encolhido.

– Maldição, você poderia pelo menos tentar me ajudar – exclamou.

– O que você quer? – perguntou Rosemary com desdém.

– Você sabe tão bem quanto eu, garota. Não me venha com esses ares trágicos. Não me admira que Ellen tenha receio de perguntar. Ouça, garota, Ellen e eu queremos nos casar. Fui claro? Você compreendeu? E Ellen diz que só poderemos se você a libertar de uma promessa tola que vocês fizeram. Vamos lá, você nos dá o seu aval?

– Sim – respondeu Rosemary.

Norman se levantou com um salto e segurou a mão hesitante dela.

– Que bom! Eu sabia que você cooperaria. Foi o que falei para Ellen. Eu sabia que iria levar só um minuto. Agora, garota, vá para casa e diga à sua irmã que teremos um casamento daqui a quinze dias e que você virá morar conosco. Não se preocupe, não a abandonaremos no topo daquela colina como um corvo solitário. Sei que você me odeia, mas... Ah! como será divertido morar com alguém que me odeia! A vida ganhará mais tempero, afinal. Ellen me deixará de cabeça quente, e você me tratará com frieza. Não terei um momento de tédio sequer.

Rosemary não se dignou a avisar que nada a convenceria a morar na casa dele. Ela deixou que Norman voltasse para Glen exalando felicidade e complacência e subiu lentamente a colina. Ela sabia que aquilo estava fadado a acontecer desde que voltara de Kingsport e descobrira que Norman Douglas havia se tornado um visitante frequente. O nome dele não foi mencionado entre as irmãs, o que era muito significativo. Não era da natureza de Rosemary guardar rancor, do contrário teria se sentido muito amargurada. Ela era distante e polida com Norman e tratava a irmã como sempre fizera. No entanto, Ellen não encontrou muito apoio para seu segundo namoro.

Ellen estava no jardim, na companhia do São Jorge, quando Rosemary chegou. As duas irmãs se encontraram no canteiro de dálias. O São Jorge sentou-se na trilha de cascalho entre elas e colocou o lustroso rabo preto ao redor das patas brancas com toda a indiferença de um gato bem alimentado, bem-criado e bem tratado.

– Já viu dálias como essas? – contemplou Ellen com orgulho. – São as mais lindas que já tivemos.

Rosemary nunca se importou com as dálias. A presença delas no jardim era fruto de sua concessão aos gostos da irmã. Ela reparou em uma imensa, sarapintada de carmesim e amarelo, que se destacava das outras.

– Aquela dália – disse, apontando – é exatamente como Norman Douglas. Poderia muito bem ser irmã gêmea dele.

O rosto taciturno de Ellen corou. Ela admirava a flor em questão e sabia que Rosemary não e que aquele não fora um elogio. Todavia, não ousou ressentir-se do comentário... Ultimamente, a pobre Ellen não ousava ressentir-se de nada. Foi a primeira vez que Rosemary atreveu-se a tocar no nome de Norman na frente dela e sentiu que aquilo era um prenúncio.

– Encontrei Norman Douglas por acaso no vale – disse Rosemary, encarando a irmã. – Ele me disse que vocês querem se casar e pediu a minha permissão.

– É mesmo? E o que você disse? – perguntou Ellen, tentando agir com naturalidade e falhando completamente. Ela não conseguia encarar os olhos de Rosemary. Desviou o olhar para as costas pretas e macias do São Jorge, sentindo um imenso pavor. Rosemary não disse se tinha dado sua permissão ou não. Se tivesse, Ellen ficaria tão envergonhada e tão arrependida que acabaria sendo uma noiva muito infeliz e, se não tivesse... Bem, Ellen já havia aprendido a viver sem Norman Douglas uma vez, mas tinha esquecido a lição e sentia que jamais voltaria a aprendê-la.

– Disse que, da minha parte, vocês têm total liberdade para se casar quando quiserem – disse Rosemary.

– Obrigada – disse Ellen, ainda olhando para o São Jorge.

O semblante de Rosemary suavizou-se.

– Espero que seja muito feliz, Ellen – disse gentilmente.

– Oh, Rosemary – Ellen ergueu o olhar angustiado –, estou tão envergonhada! Não mereço, não depois do que disse...

– Não precisamos falar disso – apressou-se Rosemary em dizer de maneira decidida.

– Mas... Mas... Agora você também está livre e não é tarde demais... John Meredith...

– Ellen West! – Rosemary tinha um gênio forte por baixo de toda a doçura, que agora incendiava seus olhos azuis. – Você perdeu completamente o juízo? Acha mesmo que vou procurar John Meredith e dizer, toda arrependida, "por favor, senhor, eu mudei de ideia e espero que o senhor não tenha mudado a sua, por favor"? É o que espera que eu faça?

– Não... Não... Mas, com um pouco de encorajamento, talvez ele volte...

– Nunca! Ele me despreza e com toda a razão. Basta, Ellen, não guardo nenhum rancor, case-se com quem quiser. Só não interfira na minha vida.

– Então venha morar comigo – disse Ellen. – Não deixarei você aqui sozinha.

– Você realmente pensa que vou morar na casa de Norman Douglas?

– Por que não? – exclamou Ellen com enfado, apesar da sensação de humilhação. Rosemary começou a rir.

– Ellen, achei que tivesse senso de humor. Você consegue me imaginar morando lá?

– Não vejo por que não. A casa dele é grande o bastante. Você teria uma parte só para si mesma e ele não interferiria.

– Ellen, isso está fora de questão. Não toque mais no assunto.

– Se é assim – decidiu Ellen com frieza –, não me casarei com ele, pois não a deixarei aqui, sozinha.

– Que bobagem, Ellen.

– Não é bobagem. É a minha decisão. Seria um disparate você morar sozinha aqui, a quase dois quilômetros da casa mais próxima. Se não for comigo, ficarei aqui com você. E não discutiremos mais esse assunto, então nem tente.

– Deixarei a discussão nas mãos de Norman – disse Rosemary.

– Eu conversarei com Norman. Sei como lidar com ele. Jamais conseguiria pedir para que quebrasse a sua promessa, mas tive que revelar o porquê de não poder me casar com ele, e Norman disse que se encarregaria disso. Não pude detê-lo, e não pense que você é a única pessoa no mundo que tem amor próprio. Nunca sonhei em me casar e deixar você aqui, sozinha. Logo descobrirá que a minha determinação pode ser tão grande quanto a sua.

Rosemary virou-se e entrou em casa, dando de ombros. Ellen olhou para o São Jorge, que não piscara nem movera um bigode sequer durante toda a discussão.

– São Jorge, este mundo seria um lugar tedioso sem os homens, eu admito, mas estou tentada a desejar que não existissem. Veja todos os problemas que eles causaram bem aqui, Jorge, virando nossas vidinhas felizes de cabeça para baixo. John Meredith os começou, e Norman Douglas os terminou. E, agora, ambos tiveram que ir para o limbo. Norman é o único homem que conheço que concorda que aquele cáiser da Alemanha é a criatura viva mais perigosa deste mundo e não posso me casar com essa pessoa sensata porque a minha irmã é teimosa e eu sou ainda mais. Escreva o que estou dizendo, São Jorge, bastaria que Rosemary erguesse o dedo mindinho para o ministro voltar. Só que ela não fará isso, Jorge, nunca fará, e eu não me atrevo a me meter. E não vou ficar amuada, Jorge, pois Rosemary não ficou, e por isso estou determinada a também não ficar. Norman vai surtar, mas a verdade é que nós, velhos tolos, deveríamos parar de pensar em casamento, São Jorge. Ora, ora, "o desespero é um homem livre, e a esperança é um escravo"[22], Santo. Enfim, vamos entrar, Jorge, e eu o consolarei com um pires de creme de leite. Pelo menos uma criatura nesta colina ficará feliz.

---

22 Referência ao poema "*The Freeman*", da escritora norte-americana Ellen Glasgow (1873--1945). (N. T.)

CARL (NÃO) LEVA UMAS PALMADAS

– Acho que preciso contar uma coisa para vocês – disse Mary Vance. Faith, Una e ela caminhavam de braços dados pela vila depois de terem se encontrado na loja do senhor Flagg. Una e Faith trocaram olhares que diziam "Aí vem algo desagradável". Quando Mary Vance dizia que precisava lhes contar alguma coisa, raramente escutá-la era uma tarefa prazerosa. Com frequência, as duas se perguntavam por que ainda gostavam dela, afinal gostavam de Mary, apesar de tudo. Na maior parte do tempo, ela era uma companhia estimulante e afável. Se ao menos não achasse que era seu dever contar as coisas para elas!

– Sabiam que Rosemary West não quer se casar com o seu pai porque acha que vocês são uns selvagens? Ela tem medo de não conseguir educar vocês direito e então o rejeitou.

Secretamente, o coração de Una vibrou de alegria. Ela ficou muito feliz em ouvir que a senhorita West não iria se casar com o pai dela. Faith, entretanto, ficou desapontada.

– Como você sabe? – perguntou ela.

— Oh, está todo mundo comentando. Ouvi a senhora Elliott conversar com a esposa do doutor. Elas acharam que eu estava longe demais para ouvir, mas tenho ouvidos como os de um gato. Segundo a senhora Elliott, não há dúvida de que Rosemary está com medo por causa da reputação de vocês. O seu pai não sobe mais a colina. Nem Norman Douglas. Dizem que Ellen o rejeitou para lhe dar o troco, por tê-la abandonado muito tempo atrás. Só que Norman declarou que ainda vai conquistá-la. E acho que vocês deveriam saber que arruinaram o casamento do seu pai e penso também que é uma pena, porque cedo ou tarde ele se casará com outra pessoa, e Rosemary West seria a melhor opção.

— Você me falou que todas as madrastas são cruéis e malvadas — disse Una.

— Ah... Bem — disse Mary, confusa —, elas costumam ser muito bravas, pelo que sei, mas Rosemary West não conseguiria ser muito malvada com ninguém. Pois eu digo: se o seu pai acabar se casando com Emmeline Drew, vocês desejarão ter se comportado melhor e não ter afugentado Rosemary. Nenhuma mulher decente se casaria com o seu pai por causa da reputação de vocês, e isso é horrível. É claro, eu sei que metade das fofocas sobre vocês não são verdadeiras. Porém, criaram má fama. Ora, estão dizendo que foram Jerry e Carl que jogaram pedras pela janela da senhora Stimson, quando na verdade foram os filhos dos Boyds, mas eu receio que foi Carl que colocou uma enguia na charrete da velha senhora Carr, por mais que eu tenha dito que não acreditaria nisso até ter provas melhores do que a palavra da velha Kitty Alec. Eu disse isso na cara da senhora Elliott.

— O que Carl fez? — exclamou Faith.

— Dizem que... vejam bem, estou só contando o que as pessoas estão comentando, então não me culpem... que Carl e um bando de garotos estavam pescando enguias na ponte, na semana passada. A senhora Carr passou naquela charrete caindo aos pedaços com a parte de trás aberta. E Carl simplesmente se levantou e jogou uma enguia lá dentro. Quando a pobrezinha subia a colina, perto de Ingleside, a enguia surgiu se arrastando no meio dos pés dela. A coitada achou que fosse uma cobra, deu um grito horroroso e saltou da charrete por cima das rodas. O cavalo se assustou e saiu em disparada, todavia acabou voltando para casa sem causar nenhum prejuízo. Contudo, a senhora Carr machucou feio as pernas e tem tido crises nervosas toda vez que se lembra da enguia. Foi uma maldade fazer isso com uma pobre velha. Ela é uma boa pessoa, ainda que seja excêntrica.

Faith e Una se entreolharam novamente. Aquele era um caso para o Clube da Boa Conduta. Elas não iriam discuti-lo com Mary.

– Aí vem o seu pai – disse Mary conforme o senhor Meredith passava por elas – sem ter a menor ideia de que estamos aqui. Bem, agora isso não me incomoda mais. Diferentemente de algumas pessoas.

O senhor Meredith não as notou, no entanto sua cabeça não estava perdida em devaneios como de costume. Ele caminhava em direção à colina, aflito e perturbado. A senhora Alec Davis havia acabado de lhe contar a história de Carl e da enguia, muito indignada. A velha senhora Carr era prima de terceiro grau dela. O senhor Meredith ficou mais do que indignado, estava magoado e chocado, e não imaginava que Carl pudesse fazer uma coisa dessas. O menino aprontava poucas e boas por falta de atenção e descuido, mas aquilo era diferente, aquilo era maldoso. Ele chegou em casa e encontrou Carl no gramado, estudando pacientemente os hábitos de uma colônia de vespas. O senhor Meredith o chamou no escritório e o confrontou com uma expressão severa que nenhum de seus outros filhos conhecia e perguntou se a história era verdadeira.

– Sim – disse Carl, corando. Porém, ele continuou olhando nos olhos do pai com bravura.

O senhor Meredith soltou um gemido, pois esperava que houvesse pelo menos algum exagero na história.

– Conte-me tudo – disse.

– Os garotos estavam pescando enguias na ponte – disse Carl. – Link Drew pescou uma monstruosa, quero dizer, uma imensa, a maior que já vi. Ele a pegou logo no começo, e ela ficou guardada na cesta por um bom tempo, imóvel. Achei que estava morta, juro. Aí a velha senhora Carr passou pela ponte nos chamando de vagabundos e nos mandou ir para casa. E a gente não falou nada para ela, papai, juro. Então, quando ela passou de volta, depois de ter ido até a loja, os garotos me desafiaram a jogar na charrete a enguia que o Link pegou. Eu pensei que estava morta, que não faria nenhum mal, e por isso a arremessei. Só que a enguia voltou à vida no meio da colina, nós ouvimos um grito e a vimos pular da charrete, e eu sinto muitíssimo. Foi isso, papai.

Não era tão terrível quanto o senhor Meredith temia, todavia era bastante ruim.

– Preciso castigar você, Carl – disse com pesar.

– Sim, papai, eu sei.

– Terei que lhe dar umas palmadas.

Carl se encolheu. Ele nunca tinha apanhado de pai, mas, ao perceber como ele se sentia mal, disse alegremente:

– Tudo bem, papai.

O senhor Meredith interpretou errado a animação do garoto e o considerou insensível. Mandou que voltasse ao escritório depois do almoço e, assim que o menino saiu, ele se jogou na cadeira e soltou outro gemido, pois temia a chegada da tarde mais que Carl. O coitado do ministro nem sabia com o quê bateria no filho. O que era usado para bater em meninos? Varas? Bastões? Não, seria muito brutal. Um graveto comprido? E ele, John Meredith, teria que ir ao bosque arranjar um. Era uma ideia abominável. Foi quando uma cena surgiu na sua mente, viu o rosto encarquilhado da senhora Carr ao deparar-se com a enguia e a viu voar por cima das rodas da charrete como uma bruxa. Antes que pudesse se conter, o ministro gargalhou. Em seguida, ficou bravo consigo mesmo e ainda mais bravo com Carl. Ele ia imediatamente buscar um pedaço de madeira, e não seria um mero graveto.

No cemitério, Carl estava contando o ocorrido para Faith e Una, que tinham acabado de chegar em casa. Estavam horrorizadas com a ideia de o irmão apanhar do papai, que nunca havia feito algo parecido! Porém, elas concordaram que era justo.

– Você sabe que fez uma coisa horrível – suspirou Faith. – E nunca admitiu para o Clube.

– Eu esqueci – disse Carl. – Além disso, não achei que isso faria algum mal. Não sabia que ela iria machucar as pernas, mas vou ser castigado, e isso equilibrará as coisas.

– Será que vai doer muito? – perguntou Una, segurando a mão de Carl.

– Oh, não muito, eu acho – disse Carl com coragem. – De qualquer forma, não vou chorar, não importa o quanto doa. Isso faria o papai se sentir muito mal; ele já está todo aflito. Quem dera eu pudesse dar uma boa surra em mim mesmo para poupá-lo.

Depois do almoço, no qual Carl comeu pouco e o senhor Meredith nada, ambos foram em silêncio para o escritório. A vara estava sobre a mesa. O senhor Meredith demorou para encontrar alguma que o agradasse. Ele cortou uma, mas achou que era muito fina. Carl havia feito algo realmente indefensível. Em seguida cortou outra, que era muito grossa. Afinal, Carl pensara que a enguia estava morta. A terceira o agradou. Porém, ao pegá-la sobre a mesa, ele a achou muito grossa e pesada, mais parecia um bastão do que uma vara.

– Estenda a mão – disse para o filho.

Carl olhou para cima e, sem hesitar, esticou o braço e abriu a mão. Só que ele ainda era uma criança e não conseguiu evitar que um pouco de medo transparecesse no olhar. O senhor Meredith olhou no fundo daqueles olhos, iguais ao de Cecilia, e neles havia a mesma apreensão que ele tinha visto no olhar da esposa certa vez em que ela precisou lhe contar algo que estava com medo de dizer. Ali estavam os olhos dela, no rostinho branco de Carl, seu rapazinho que, seis semanas atrás, durante uma noite interminável e terrível, ele pensou que iria perder.

John Meredith largou a vara.

– Saia daqui – disse –, não posso bater em você.

Carl correu para o cemitério. A expressão no rosto do pai foi pior do que qualquer surra.

– Já acabou? – perguntou Faith. Una e ela estavam sentadas sobre o túmulo dos Pollocks, de mãos dadas e com os dentes cerrados.

– Ele não me bateu – disse Carl, com um soluço. – E quem dera tivesse batido, pois ele está lá dentro, sentindo-se muito mal.

Una foi para casa. O coração dela ansiava por confortar o pai. Tão silenciosa como um ratinho cinza, ela abriu a porta do escritório e esgueirou-se para dentro. A sala estava escura com o fim de tarde. Ele estava de costas para ela, com a cabeça entre as mãos. Murmurava para si mesmo palavras entrecortadas, angustiadas, mas Una ouviu... Ela ouviu e entendeu com a súbita compreensão que crianças sensíveis e órfãs de mãe têm. Da mesma forma que entrou, ela saiu de mansinho e fechou a porta. John Meredith continuou desabafando sua dor em sua solitude aparentemente imperturbada.

UNA VISITA A COLINA

Una subiu as escadas. Carl e Faith já estavam a caminho do Vale do Arco-Íris sob os primeiros raios de luar, depois de ouvirem o som mágico do berimbau de boca de Jerry e adivinharem que os Blythes já estavam lá, prontos para se divertir. Una não estava com vontade de ir para lá, então foi para o quarto, onde se sentou na cama e chorou um pouquinho. Ela não queria que ninguém tomasse o lugar de sua querida mãe. Não queria uma madrasta que a odiasse e fizesse o papai odiá-la. Só que ele estava tão infeliz e, se havia algo ao seu alcance para deixá-lo contente, ela deveria fazê-lo. Só havia uma coisa, que ela percebeu no instante em que deixou o escritório. Por mais difícil que fosse.

Depois de se debulhar em lágrimas, Una secou os olhos e foi para o quarto de hóspedes. Estava escuro e úmido, pois a persiana não era erguida e a janela não era aberta há muito tempo. A tia Martha não era fã de ar fresco, mas, como ninguém se dava ao trabalho de fechar as portas naquela casa, isso não tinha importância, salvo quando algum ministro azarado vinha passar a noite e era obrigado a respirar na atmosfera daquele cômodo.

No *closet* do quarto de hóspedes havia um vestido cinza de seda pendurado. Una entrou, fechou a porta, ajoelhou-se e pressionou o rosto contra as dobras macias do tecido. Era o vestido de noiva da mãe, que ainda tinha um leve resquício de um perfume doce e suave, como um sentimento persistente. A menina sempre se sentia próxima da mãe ali, como se estivesse ajoelhada aos pés dela, com a cabeça sobre o colo materno. Ela ia ali em raras ocasiões, quando a vida ficava muito dura.

– Mamãe – sussurrou ela para o vestido de seda –, eu jamais a esquecerei e sempre amarei você mais do que tudo, mas tenho que fazer isso porque o papai está muito infeliz. Sei que você não iria querer que ele ficasse assim. Serei muito obediente, mamãe, e tentarei amá-la, mesmo se ela for uma dessas madrastas de que Mary falou.

Una deixou o altar secreto dotada de uma sutil força espiritual. Ela dormiu em paz naquela noite, com o rostinho adorável e sério ainda manchado pelas lágrimas.

Na tarde seguinte, ela colocou o melhor vestido e o melhor chapéu. Estavam bastante gastos. Todas as outras garotas de Glen haviam ganhado roupas novas no verão, menos Faith e Una. Mary Vance tinha um vestido bordado de linho branco, com uma faixa escarlate e laços nos ombros. Naquele dia, porém, ela não deu importância para as roupas surradas. Una só queria estar bem asseada. Ela lavou o rosto com muito esmero e escovou os cabelos até que ficassem macios como cetim. Amarrou os cadarços com muito cuidado, após fazer dois remendos no único par de meias boas que lhe restava. Ela gostaria de ter polido os sapatos, mas não encontrou a graxa. Por fim, ela saiu da casa ministerial, atravessou o Vale do Arco-Íris, cruzou o bosque sussurrante e pegou a estrada que levava à casa da colina. Foi uma caminhada bem longa, e Una estava cansada e encalorada quando chegou.

Ela viu Rosemary West sentada debaixo de uma árvore e passou pelos canteiros de dálias ao dirigir-se até ela. Rosemary estava com um livro aberto no colo, mas olhava para o horizonte, para além do porto, com uma expressão melancólica. Nos últimos tempos, a vida não estava sendo muito agradável na casa no topo da colina. Ellen não ficara amuada; ela se transformara em pedra. Algumas coisas podiam ser sentidas e nunca expressas em palavras, e o silêncio entre as duas mulheres era insuportavelmente eloquente. Todas as coisas familiares que já tinham tornado a vida doce e prazerosa haviam se tornado amargas. Norman Douglas fazia visitas inesperadas periódicas para atormentar ou tentar convencer Ellen. Ele acabaria arrastando-a consigo algum dia, e Rosemary sentia que ficaria satisfeita quando isso acontecesse. A existência se tornaria horrivelmente solitária, todavia não seria mais carregada de dinamite.

Ela foi despertada dos devaneios desagradáveis pelo toque tímido de uma mãozinha em seu ombro.

— Ora, querida, você veio até aqui nesse calor?

— Sim — respondeu Una —, vim aqui para... para...

Era muito difícil dizer o que ela viera dizer. A voz dela fraquejou, e os olhos se encheram de lágrimas.

— Una, o que aconteceu? Não tenha medo de me contar.

Rosemary colocou o braço sobre os ombros magros da menina e a trouxe para mais perto. Seus olhos eram tão lindos e seu toque era tão gentil que Una encontrou a coragem de que precisava.

— Vim aqui para pedir que você se case com o meu pai — arfou.

Rosemary ficou em silêncio por um momento, completamente aturdida. Ela encarou Una.

— Oh, não fique brava, por favor, querida senhorita West — implorou Una. — Sabe, todo mundo está comentando que você não quer se casar com o papai porque somos muito levados. Ele está muito infeliz por causa disso. Por isso, vim aqui dizer que nunca causamos problemas de propósito. Se você se casar com o papai, tentaremos ser bonzinhos e fazer tudo que mandar. Tenho certeza de que não terá nenhum problema conosco. Por favor, senhorita West.

Rosemary pensou rapidamente. As fofocas haviam colocado aquela ideia equivocada na cabeça de Una. Ela teria que ser perfeitamente franca e sincera com a criança.

– Una, querida, não é por causa de vocês, pobres criaturinhas, que não posso me casar com o seu pai. Isso nunca me ocorreu. Vocês não são maus, e eu nunca achei que fossem, mas a questão é outra, Una.

– Você não gosta do papai? – perguntou a menina, erguendo os olhos cheios de reprovação. – Ah, senhorita West, você não sabe que homem bom ele é. Não tenho dúvida de que seria um ótimo marido.

Apesar de toda a tristeza e perplexidade, Rosemary não pôde deixar de esboçar um sorriso.

– Ah, não ria, senhorita West – disse Una com fervor. – O papai está desolado.

– Acho que você está enganada, querida.

– Não estou, tenho certeza. Ah, senhorita West, o papai ia dar umas palmadas no Carl ontem, pois meu irmão foi travesso, só que ele não conseguiu porque não tem o costume de nos bater. Aí, depois que o Carl nos contou que ele estava se sentindo mal, eu entrei de fininho no escritório para ver se podia ajudá-lo. Ele gosta quando eu o consolo, senhorita West... Ele não me ouviu entrar, e eu acabei escutando o que ele estava dizendo. Posso lhe contar, senhorita West, se me deixar sussurrar em seu ouvido.

Una sussurrou o segredo. O rosto de Rosemary ficou rubro. Então, John Meredith ainda nutria sentimentos por ela. Ele não havia mudado de ideia, e provavelmente eram sentimentos intensos, para dizer aquilo, mais intensos do que ela jamais imaginaria. Rosemary ficou calada por um momento, acariciando os cabelos de Una.

– Você levaria uma carta minha para o seu pai, Una?

– Ah, você vai se casar com ele, senhorita West? – perguntou Una, ansiosa.

– Talvez, se ele realmente desejar – respondeu, corando de novo.

– Que bom... Que bom – disse Una. Ela ergueu os olhos, com os lábios tremendo. – Ah, senhorita West, você não vai jogar o papai contra nós, não vai fazê-lo nos odiar, não é mesmo? – perguntou, suplicante.

Rosemary a encarou mais uma vez.

– Una Meredith! Acha mesmo que eu faria isso? De onde tirou uma ideia absurda dessas?

– Mary Vance disse que todas as madrastas são assim, que todas odeiam os enteados e fazem os pais odiá-los... Disse que é inevitável, que o fato de serem madrastas as torna assim...

– Pobrezinha! E mesmo assim você veio aqui para pedir que eu me case com o seu pai? Você é uma joia rara, uma heroína, como Ellen diria, uma pessoa extraordinária. Agora, ouça-me com muita atenção, querida. Mary Vance é uma menininha tola que não sabe de tudo e que está terrivelmente enganada a respeito de certas coisas. Eu jamais cogitaria jogar o seu pai contra vocês. Eu amaria vocês muitíssimo. Não quero substituir a mãe de vocês, ela sempre estará nesse lugar em seus corações. Entretanto, não tenho intenção alguma de ser uma madrasta. Quero ser uma amiga, uma conselheira e uma colega. Não acha que seria bom, Una, se você e seus irmãos me considerassem uma colega gentil e divertida? Uma irmã mais velha?

– Oh, seria maravilhoso – exclamou Una, arrebatada. Ela lançou os braços impulsivamente ao redor do pescoço de Rosemary. Estava tão contente que se sentia capaz de voar.

– Os outros... digo, Faith e os garotos pensam a mesma coisa sobre as madrastas?

– Não. Faith nunca acreditou em Mary Vance, e eu fui uma tremenda de uma boba em acreditar nela. Faith já adora você desde que o coitado do Adam foi comido. E Jerry e Carl vão ficar muito animados. Ah, senhorita West, quando vier morar conosco, você poderia me ensinar a cozinhar um pouquinho, a costurar... e a fazer outras coisas? Não sei fazer nada, mas vou me esforçar e tentarei aprender depressa.

– Querida, vou ensiná-la e ajudá-la o quanto puder. Mas não conte isso para ninguém, tudo bem? Nem mesmo para Faith. Não até que o seu pai diga que pode. Gostaria de ficar e tomar chá comigo?

– Ah, obrigada, mas... mas... Acho que prefiro voltar e levar a carta para o papai – hesitou Una. – Assim ele ficará contente o quanto antes, senhorita West.

– Entendo – disse Rosemary. Ela entrou em casa, escreveu a carta e a trouxe para Una. Quando a daminha foi embora em disparada, saltitando de felicidade, Rosemary foi até a varanda de trás, onde Ellen descascava ervilhas.

– Ellen, Una Meredith acabou de vir aqui pedir que eu me case com o pai dela.

Ellen ergueu o olhar e leu o semblante da irmã.

– E você vai?

– Muito provavelmente.

Ellen continuou descascando ervilhas por alguns minutos. Então, ela subitamente levou as mãos ao rosto. Havia lágrimas em seus olhos negros.

– Eu... espero que seja muito feliz – disse Ellen, entre um soluço e uma risada.

Na casa ministerial, a radiante e triunfante Una Meredith entrou com toda a bravura no escritório do pai e colocou a carta sobre a mesa. O rosto pálido dele ruboresceu ao notar a letra clara e elegante que conhecia tão bem. John Meredith abriu a carta. Era bem curta, mas ele sentiu que rejuvenesceu vinte anos ao lê-la. Rosemary perguntava se ele poderia encontrá-la ao entardecer no riacho do Vale do Arco-Íris.

"QUE VENHA O FLAUTISTA"

– Então – disse a senhorita Cornelia – o casamento duplo vai ser em meados deste mês.

Era uma noite gelada do início de setembro, e Anne havia colocado, na lareira que estava sempre posta, fogo na madeira trazida pelo mar. A senhorita Cornelia e ela se aqueciam diante das chamas mágicas.

– É formidável, especialmente pelo senhor Meredith e Rosemary – disse Anne. – Estou feliz como se fosse o meu próprio casamento. Senti-me como uma noiva novamente na noite passada, quando visitei Rosemary e vi o enxoval dela.

– Ouvi dizer que parece o de uma princesa – disse Susan de um canto escuro, onde mimava seu menininho moreno de sol. – Também fui convidada para apreciá-lo e pretendo ir algum dia desses. Dizem que Rosemary usará um vestido branco de seda e um véu, e que o de Ellen será azul-marinho. Concordo plenamente que é muito sensato da parte dela, mas, se algum dia eu me casar, prefiro a cor branca e o véu, pois combina mais com uma noiva.

A imagem de Susan de "branco e de véu" surgiu na mente de Anne e foi quase demasiada para ela.

— Quanto ao senhor Meredith — disse a senhorita Cornelia —, o noivado em si já foi suficiente para torná-lo outro homem. Ele não é mais tão sonhador e distraído, acredite em mim. Fiquei muito aliviada ao descobrir que decidiu fechar a casa ministerial e mandar as crianças para a casa dos outros durante a lua-de-mel! Se os tivesse deixado sozinhos por um mês com a velha tia Martha, eu despertaria todas as manhãs esperando encontrar aquela casa em chamas.

— A tia Martha e Jerry virão para cá — disse Anne. — Carl ficará com o ancião Clow. Não sei para onde as meninas irão.

— Oh, elas ficarão comigo — disse a senhorita Cornelia. — Fiquei mais do que contente. Além disso, Mary não teria me dado paz enquanto eu não me propusesse. A Sociedade Assistencial fará uma faxina de cabo a rabo na casa antes que os noivos voltem, e Norman Douglas se prontificou a encher a despensa de vegetais. Norman Douglas está irreconhecível, acredite em mim. Está extasiado porque vai se casar com Ellen West depois de esperar por ela a vida inteira. Se eu fosse Ellen... mas enfim, eu não sou, e, se ela está satisfeita, eu também posso ficar. Muitos anos atrás, quando ainda era uma colegial, ela disse que não queria um cachorrinho manso como marido. Norman não tem nada de manso, acredite em mim.

O sol estava se pondo sobre o Vale do Arco-Íris. O lago estava encoberto por um maravilhoso manto púrpura, dourado e carmesim. Uma leve névoa azulada descansava sobre a colina ao leste, sobre a qual uma lua imensa, alva e redonda pairava como uma bolha argêntea.

Todos estavam presentes na pequena clareira: Faith e Una, Jerry e Carl, Jem e Walter, Nan e Di, e Mary Vance. Haviam feito uma celebração especial, pois aquela era a última noite de Jem no Vale do Arco-Íris. Na manhã seguinte, ele partiria para Charlottetown, para estudar na Queen's Academy. O círculo encantado se romperia. Apesar de toda a alegria durante a breve festividade, havia a sombra do pesar em cada um dos jovens e felizes corações.

– Vejam, há um imenso palácio dourado no ocaso – disse Walter, apontando. – Reparem na torre reluzente e nos estandartes rubros que despontam dela. Talvez um conquistador esteja voltando da batalha e elas estejam hasteadas para honrá-lo.

– Oh, quem dera pudéssemos voltar aos dias de outrora – exclamou Jem. – Adoraria ser um soldado, um importante e triunfante general. Eu daria tudo para participar de uma grande batalha.

Bem, Jem se tornaria um soldado e veria a maior batalha já travada no mundo, mas isso pertencia ao futuro distante. Sua mãe, de quem ele era o primogênito, gostava de olhar para os filhos e agradecer a Deus que os "dias de outrora" que Jem admirava tanto haviam passado e que os jovens do Canadá nunca mais precisariam travar guerras "pelas cinzas de seus pais e os templos de seus deuses"[23].

A sombra da Grande Guerra ainda não havia mostrado seus primeiros sinais. Os rapazes que viriam a lutar, e talvez a cair, nos campos da França e de Flanders, de Gallipoli e da Palestina, ainda eram alunos travessos com o prospecto de uma vida justa pela frente. As moças cujos corações seriam destroçados ainda eram meninas cheias de esperanças e sonhos.

Lentamente, o rubro e o dourado dos estandartes da cidade do ocaso se apagaram, e lentamente a figura do conquistador desapareceu. O crepúsculo tomou conta do vale, e o pequeno grupo ficou em silêncio. Walter estivera lendo mais uma vez seu adorado livro de mitos e lembrou-se de como havia imaginado o Flautista de Hamelin chegando ao vale em um fim de tarde como aquele.

Ele começou a falar liricamente, em parte porque queria emocionar os companheiros, em parte porque algo além dele parecia falar através de seus lábios.

– O Flautista se aproxima. Está mais próximo do que naquele dia em que o avistei. Sua capa longa e escura esvoaça ao vento. Ele toca...

---

[23] Referência ao poema "*Horatius at the Bridge*", do escritor e historiador britânico Thomas Macaulay (1839-1841). (N. T.)

E toca... E devemos segui-lo... Jem, Carl, Jerry e eu pelo mundo afora. Ouçam... Ouçam, conseguem ouvir sua melodia selvagem?

As garotas estremeceram.

– Você só está fingindo – protestou Mary Vance –, e eu gostaria que parasse. É como se você conseguisse torná-lo real. Detesto esse seu Flautista.

Jem começou a rir alegremente. Ele subiu em um monte de terra, alto e esplêndido, olhando para o horizonte com os olhos destemidos. Havia milhares como ele na terra dos bordos.

– Que venha o Flautista e que seja bem-vindo – exclamou, acenando. – Eu o seguirei ao redor do mundo.

FIM